日建学院

令和**7**年度版
（2025年度版）

2級
建 築 士

要点整理と
項目別ポイント問題

令和**6**年本試験問題・解答付

2025

各科目の最後に、チャレンジ問題として、令和 6 年度の本試験問題を掲載しています。また、科目によっては章のポイントになる部分にも本試験と同様の形式（五枝択一）にて、問題を掲載しています。

　実際の本試験においては、『適用すべき法令については、その年の 1 月 1 日現在において施行されているものとする』旨の記述が問題の表紙に記載されています。

　しかし、本書においては、受験生の皆様の試験対策のために、試験出題以降の法令及び各種基準の改正を受け、問題及び解答・解説が現行の規定に適合するよう、日建学院教材研究会が独自に改訂を加え、最新の法令及び各種基準に適合した内容としています。

　本書において適用すべき法令については、令和 7 年 1 月 1 日現在において施行されているものとしています。また、建築基準法令に定める「構造方法等の認定」、「耐火性能検証法」、「防火区画検証法」、「区画避難安全検証法」、「階避難安全検証法」及び「全館避難安全検証法」の適用については、問題の文章中に特に記述がない場合にあっては考慮しないものとします。さらに、各種法令に定める手続等に係る「情報通信の技術を利用する方法」等については、問題の文章中に特に記述がない場合にあっては考慮しないものとします。

　なお、五枝択一問題については、改訂を加えた問題については「⊠」を付しています。

はじめに

■ 建築士試験は過去問題の征服が合格の条件

　2級建築士試験の出題を分析すると、その70％以上は過去問題と類似問題（過去問題を正誤逆にした問題、2枝で1枝にした問題、数値を変えた問題等）で構成されています（日建学院の分析結果）。

　2級建築士に必要と考えられる知識を問う問題が毎年出題されるのですから、これは当然のことであり、また、資格試験である以上、過去の傾向、レベルを大きく外れるような問題は出題されません。これは今後も同様と考えて間違いないでしょう。

■ 繰り返し学習が合格への近道

　過去問題集をやって、「できた」「できなかった」と結果だけで判断するのはあまり意味があるといえません。過去問題を解く第一の目的は、自分の弱点を発見すること、克服することにあり、間違えた問題こそが自分の弱点そのものだからです。

　合格のために必要なのは、なんといっても「繰り返し」です。「繰り返し」によって問題の解き方が徐々に身についてくるとともに、新たな発見があり、学習の楽しみが湧いてくるものです。

　本試験までに本書を繰り返し解くことが、合理的で、かつ、効果的な学習方法であり、合格への最短距離となります。

■ 本書のねらい

　本書は、過去に出題された試験問題の中から、出題頻度が高く、また、重要と思われる設問枝・計算問題等を厳選し、分野別に編集したものです。「要点の整理」と「項目別のポイントを理解」することができる内容になっています。

　本書には、各問題にチェック欄 ☐☐☐ を設けています。1回解くごとに結果（正誤）を○×で記入し、間違えた問題は解説を再度確認する等して、繰り返し学習するようにして下さい。

※別売の、過去7年間の本試験問題を年度順に編集した『**2級建築士過去問題集チャレンジ7**』及び、過去問題500問と最新の令和6年試験問題100問を分野別に編集した『**2級建築士分野別問題集500＋100**』を併用することで、より一層理解を深めることができます。

　本書の内容を繰り返し学習することで、試験における出題頻度の高い出題内容を理解し、学科試験に合格されますよう、心よりお祈り申し上げます。

日建学院教材研究会

令和7年度版　2級建築士

要点整理と項目別ポイント問題

●目　次●

学科Ⅰ　建 築 計 画
1　気　　候 ……………………………… 8
2　伝熱・結露 …………………………… 16
3　日照・日射・採光 …………………… 24
4　音　　響 ……………………………… 32
5　色　　彩 ……………………………… 38
6　環境工学融合 ………………………… 44
7　空気調和設備等 ……………………… 46
8　給水設備、排水・衛生設備 ………… 52
9　電気・照明設備 ……………………… 60
10　消火・防災設備 ……………………… 66
11　設 備 融 合 ……………………………… 72
12　計 画 一 般 ……………………………… 78
13　住　　宅 ……………………………… 88
14　商 業 建 築 ……………………………… 98
15　公 共 建 築 ……………………………… 104
16　地域計画・各論融合 ………………… 110
17　建　築　史 …………………………… 116
令和6年 学科試験問題 ………………… 118

学科Ⅱ　建 築 法 規
1　総　　則 ……………………………… 132
2　一般構造等 …………………………… 144
3　構 造 強 度 ……………………………… 152
4　防 火 関 係 ……………………………… 158
5　都市計画区域等の制限(道路・用途地域) · 170
6　都市計画区域等の制限(容積率の計算) …… 178
7　都市計画区域等の制限(建蔽率の計算) …… 186
8　都市計画区域等の制限(高さの制限) 190
9　その他の関係法令 …………………… 198
令和6年 学科試験問題 ………………… 204

学科Ⅲ　建 築 構 造
1　構造物と力 …………………………… 226
2　静定構造物の応力 …………………… 232

　3　静定トラスの応力 ……………………… 240

　4　断面の性質 ……………………………… 246

　5　応力度と許容応力度 …………………… 250

　6　変形と不静定構造物 …………………… 252

　7　荷重・外力 ……………………………… 256

　8　地盤・基礎構造 ………………………… 262

　9　木　構　造 ……………………………… 268

　10　鉄筋コンクリート構造 ………………… 280

　11　鉄　骨　構　造 ………………………… 288

　12　その他の構造 …………………………… 300

　13　構　造　設　計 ………………………… 306

　14　建　築　材　料 ………………………… 310

　令和6年 学科試験問題 ………………… 326

学科Ⅳ　建　築　施　工

　1　工　事　契　約 ………………………… 342

　2　工事監理・施工業務 …………………… 346

　3　地盤調査・測量 ………………………… 358

　4　仮　設　工　事 ………………………… 364

　5　土工事・基礎地業工事 ………………… 370

　6　鉄筋コンクリート工事 ………………… 376

　7　鉄　骨　工　事 ………………………… 390

　8　コンクリートブロック工事 …………… 396

　9　木　工　事 ……………………………… 400

　10　防水・屋根工事 ………………………… 404

　11　左　官　工　事 ………………………… 408

　12　タイル・張石工事 ……………………… 412

　13　塗　装　工　事 ………………………… 416

　14　建具・ガラス工事 ……………………… 420

　15　内装・断熱・ユニット工事 …………… 424

　16　改　修　工　事 ………………………… 430

　17　設　備　工　事 ………………………… 436

　18　用語・機械 ……………………………… 440

　19　積　　　算 ……………………………… 446

　令和6年 学科試験問題 ………………… 450

　2級建築士試験　参考資料 ……………………… 464

二級建築士試験日程（令和６年の例）

※試験の案内は、例年３月初旬頃に発表されます。

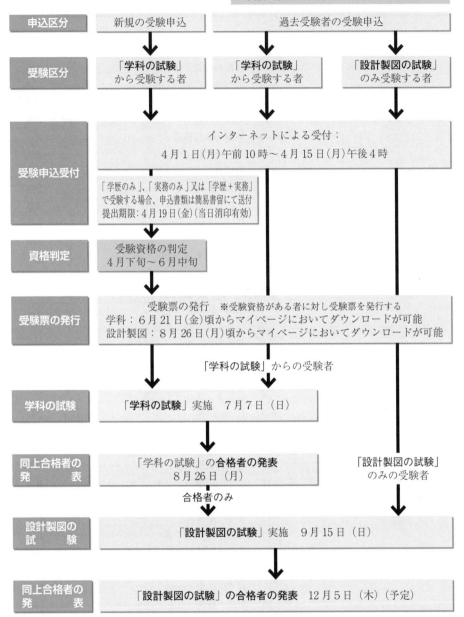

申込区分	新規の受験申込	過去受験者の受験申込	

| 受験区分 | 「学科の試験」から受験する者 | 「学科の試験」から受験する者 | 「設計製図の試験」のみ受験する者 |

受験申込受付

インターネットによる受付：
４月１日（月）午前10時～４月15日（月）午後４時

「学歴のみ」、「実務のみ」又は「学歴＋実務」で受験する場合、申込書類は簡易書留にて送付
提出期限：４月19日（金）（当日消印有効）

資格判定

受験資格の判定
４月下旬～６月中旬

受験票の発行

受験票の発行　※受験資格がある者に対し受験票を発行する
学科：６月21日（金）頃からマイページにおいてダウンロードが可能
設計製図：８月26日（月）頃からマイページにおいてダウンロードが可能

「学科の試験」からの受験者

学科の試験

「学科の試験」実施　７月７日（日）

同上合格者の発表

「学科の試験」の合格者の発表
８月26日（月）

合格者のみ

「設計製図の試験」のみの受験者

設計製図の試験

「設計製図の試験」実施　９月15日（日）

同上合格者の発表

「設計製図の試験」の合格者の発表　12月５日（木）（予定）

※日程及び申込み等の詳細については、（公財）建築技術教育普及センターホームページ
（https://www.jaeic.or.jp/）をご参照下さい。

● 建築計画　出題一覧（直近10年間）●

分類項目		平27年	平28年	平29年	平30年	令元年	令2年	令3年	令4年	令5年	令6年
建築史		2	2	2	2	2	2	2	2	2	2
建築環境工学	気象・室内環境・屋外気候	2	1	2	1	1	3	1	1	2	1
	換気・通風	1	1		1	1		1	1		1
	伝熱・結露	1	2	2	2	1	1	1	1	1	2
	日照・日射・採光	1	1	1	2	1	1	1	1	1	1
	音響	1	1	1	1	1	2	1	1	1	1
	色彩	1				1		1	1	1	1
	環境工学融合	1	2	1	1	2			1	1	2
	環境工学用語						1	1	1		1
建築計画各論	独立住宅	1	1	1	1	1	1	1	1	2	2
	集合住宅	1	1	1	1	1	1	1	1	1	1
	商業建築	1	1	1	1	1	1	1	1		1
	公共建築	2	2	2	2	2	2	2	3	2	2
	計画一般	2	3	2	2	3	3	2	3	2	1
	都市計画・地域計画	1		1	1				1		1
建築設備	設備用語	1	1	1	1	1	1	1	1	1	1
	空気調和設備等	2	2	2	1	1	1	1	1	1	1
	給水・給湯設備	1*	1*	1*	1	2*	2*	2*	1*	2*	2*
	排水・衛生設備					1					
	電気設備		1	1	1	1			1	1	1
	照明設備	1		1	1	1	1			1	1
	消火・防災設備	1	1				1	1		1	1
	設備融合	1	1	1	1	1	1	1	2	1	1
合　計		25	25	25	25	25	25	25	25	25	25

※平27、28、29、令元、2、3、4、5年は給排水衛生設備で出題、令6年は給排水衛生設備と給湯設備で出題

Check Point 1 　気　　候

❶ 屋外の気候

1　温度・湿度

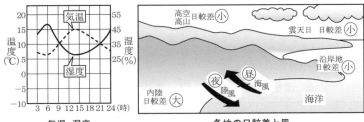

気温・湿度　　　　　　　　　　　各地の日較差と風

- 日較差 ⇨ 1日の最高気温と最低気温の差
- 年較差 ⇨ 1年の月別平均気温の最高値と最低値の差
- 寒い地域ほど年較差が大きい。

2　風
- 海岸地方の風は、日中は海から陸へ、夜間は陸から海へ吹く。
- 地表面付近の主な風向は、季節や地方によって異なる。

❷ 室内気候

1　温熱感覚（温度・湿度）

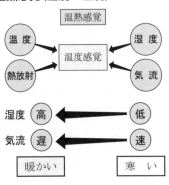

相対湿度・絶対湿度

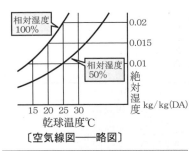

〔空気線図——略図〕

○絶対湿度 —— 横　線 —— 質　量
○相対湿度 —— 曲　線 —— 割　合

相対湿度と乾球温度
乾球温度が高いと飽和水蒸気量(絶対湿度)が多くなる
　⇨ **絶対湿度が同じ**（水蒸気量が同じ）なら、**乾球温度が高く**なると**相対湿度は低**
　　くなる。

2 換気・通風

① 空気汚染（大気の汚染物質とその害）

- 硫黄酸化物
- 窒素酸化物 ⟩ 酸性雨・アレルギー障害
- オゾン ⇨ アレルギー障害
- ダイオキシン ⇨ ガン
- フロン ⇨ オゾンホールの増大
- CO_2 ⇨ 気候温暖化
- CO ⇨ 中毒症状
- ラドン ⇨ ガン

換気対象

有毒 ── ── 無毒

CO、
ホルムアルデヒド　CO_2　水蒸気、臭気
ラドン、粉じん　O_3
亜硫酸ガス

② 換気対象

- 一酸化炭素 ⇨ 0.0006%（6ppm）以下（建築基準法）
- 二酸化炭素 ⇨ 0.1%（1,000ppm）以下（建築基準法）
- 粉じん（喫煙・アスベスト繊維等）⇨ 0.15mg以下
- ホルムアルデヒド ⇨ シックハウス症候群の原因
- 水蒸気 ⇨ カビ（カビ胞子）の原因、結露
- 臭気

③ 必要換気量

- CO_2を基準とすると、30m³/人・h 必要
- ガス濃度による必要換気量

$$必要換気量（m^3/h）= \frac{室内に発生する汚染質の量}{室内の汚染質の許容濃度－外気中の汚染質濃度}$$

- $$換気回数（回/h）= \frac{1時間の換気量（m^3/h）}{室の容積（m^3）}$$

④ 自然換気（換気量の変化要素）

- 風速・風圧
- 室内外温度差
- 開口部面積
- 開口部の形と取り付け高さ・方位

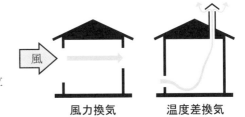

風力換気　　温度差換気

⑤ 機械換気

	室内圧	給気方式	排気方式	適している室
第1種換気方式	正圧・負圧	機械	機械	映画館、劇場、地下空間等
第2種換気方式	正圧	機械	自然	無菌室、クリーンルーム等
第3種換気方式	負圧	自然	機械	便所、厨房、喫煙室等

・住宅等の居室で必要な**機械換気設備**に求められる**換気回数**は、0.5回/h以上

室内気候、空気汚染、換気等に関する次の記述について、**適当か、不適当か、判断しなさい。**

▌室 内 気 候 ▐

問題1
絶対湿度は、乾燥空気1kgに含まれている水蒸気の重量であり、湿り空気の温度によって変化する。

問題2
絶対湿度が同じであれば、空気を冷却すると、露点温度に至るまでは、相対湿度が低くなる。

問題3
乾球温度が同じであれば、相対湿度が高くなると、絶対湿度も高くなる。

問題4
相対湿度が同じであれば、温度が低い空気も高い空気も等量の水蒸気を含む。

問題5
温熱感覚に影響を及ぼす物理的な四つの要素は、温度、湿度、気流、放射である。

問題6
空気の温度が同じであれば、気流が速いほど、また室内の表面温度が低いほど、体感温度は低くなる。

▌空気汚染・換気 ▐

問題7
人体を発生源とする空気汚染の原因の一つに、体臭がある。

問題8
居室内の一酸化炭素濃度の許容値は、一般に、0.0006％（6ppm）である。

問題9
居室の必要換気量は、一般に二酸化炭素濃度が判断基準とされ、居室における許容濃度は、0.1％（1,000ppm）である。

check ☐☐☐

問題10

建築材料の等級区分におけるホルムアルデヒド放散量は、「F☆☆ と表示するもの」より「F☆☆☆☆と表示するもの」のほうが多い。

check ☐☐☐

問題11

居室の必要換気量は、一般に、成人1人当たり約30m³/hとされている。

check ☐☐☐

問題12

換気回数とは、1時間当たりの換気量をその室の容積で割った値である。

check ☐☐☐

問題13

自然換気における換気量は、室内外の温度差と風圧力に影響される。

check ☐☐☐

問題14

温度差換気において、外気温度が室内温度よりも低い場合、中性帯よりも下方から外気が流入する。

check ☐☐☐

問題15

汚染質が発生している室における必要換気量は、その室における汚染質の許容濃度と発生量及び外気の汚染質の濃度によって決まる。

check ☐☐☐

問題16

室における全般換気とは、一般に、室全体に対して換気を行い、その室における汚染質の濃度を薄めることである。

check ☐☐☐

問題17

第3種換気法は、周囲に対して室内が正圧となるので、室内への汚染空気の流入を防ぐのに適している。

check ☐☐☐

問題18

第2種換気法は、機械排気と自然給気によって行われる方式で、汚染物質が発生する室に適している。

check ☐☐☐

問題19

気密性を高めるほうが、計画換気を行いにくい。

問題1　不適当

　絶対湿度は、**乾燥空気1kg**中に含まれる**水蒸気の重量**で表され、単位は［kg/kg(DA)］である。湿り空気の温度が変化しても、乾燥空気や水蒸気の質量は同量で変わらないので、絶対湿度も**変化しない**。

問題2　不適当

　空気を冷却し、温度を下げていくと飽和水蒸気量が減少するので、**絶対湿度**が同じ場合、つまり含まれる水蒸気量が変わらない場合でも、**相対湿度**（含まれる水蒸気量／飽和水蒸気量×100％）は**高く**なる。

問題3　適当、問題4　不適当

　相対湿度は、単位体積に含まれている水蒸気量（絶対湿度）と飽和水蒸気量との比であるから、**同じ温度の場合、相対湿度が高くなれば、絶対湿度（水蒸気量）は高く**なる。また、相対湿度が同じであっても、**温度が低い**空気は絶対湿度が**低く**（水蒸気量が少ない）、**温度が高い**空気は絶対湿度も**高い**（水蒸気量が多い）。
[例]　相対湿度が60％の時、気温30℃なら水蒸気量16.5g/kg′、気温10℃なら水蒸気量4.5g/kg′。

問題5・6　適当

　体に感じる暑さ、寒さの体感に影響を及ぼす**温熱要素**とは、「**温度（気温）**」、「**湿度**」、「**気流（風速）**」、「**放射（輻射）**」の4種である。
　空気の温度が同じ場合、気流の速度（風速）による体感温度は、一般に風速が大きくなるほど低くなり、**室内表面温度**（天井、床、壁などの表面温度）が**低く**なると**放射量も低くなり体感温度は低く**なる。

問題7　適当

　空気汚染の原因となるもので、**人体を発生源とするもの**としては、**二酸化炭素（CO_2）や体臭**などがある。

問題8　適当

　一酸化炭素（CO）は、**無色無臭**で微量でも人体に害を及ぼす**有害ガス**である。建築基準法に定められた許容値は**0.0006％（6ppm）**である。

問題9　適当

　居室の**必要換気量**は、一般に、室内の**二酸化炭素濃度**を基準として算出される。その際の基準量は**0.1％（1,000ppm）**である。

問題10　不適当

　建築材料における**ホルムアルデヒドの放散量**は、F☆（又は表示なし）、F☆☆、F☆☆☆、F☆☆☆☆の4つに区分され、☆の数が多いほど放散量が少なくなる。

問題11　適当
　居室の一人当たりの**必要換気量**は、許容二酸化炭素濃度から、一般に**30㎥/h**程度とされる。

問題12　適当
　換気回数とは、１時間当たりの換気量を、その室の容積で除した値で、室内空気が１時間で何回入れ替わったかを示す。

問題13　適当
　自然換気は、主に**屋内外の温度差**と**屋外風圧力**によって行われる。換気量は、温度差換気では、内外温度差と換気口の高さの差の平方根に比例し、風による換気では風速に比例する。

問題14　適当
　冬期には、一般に、**外気温**のほうが室温より**低く**、また、室の上部と下部とでは気温や気圧に差が生じる。**室内の気圧**は、**上部**では同じ位置での屋外の気圧よりも**高く**なり、反対に**下部**では屋外の気圧よりも**低く**なる。空気には気圧の高い側から低い側へと流れる力が働くため、**中性帯**の上部と下部に各々開口部を設けると、**室上部の開口部**では、気圧の高い**室内**から屋外に向かって空気が**流出**し、**室下部の開口部**では、気圧の高い**屋外**から室内へと空気が**流入**する。

問題15　適当
　汚染質(汚染物質)が発生している室の必要換気量は、一般に次式で決定される。

$$必要換気量 = \frac{その室の汚染質の発生量}{室内の汚染質の許容濃度 - 外気中の汚染質の濃度}$$

問題16　適当
　全般換気とは、室全体を換気することによって、室内に発生する**汚染物質濃度**を**薄める**方法である。

問題17　不適当
　第３種換気法は、機械による強制排気と自然給気により行われる方式。台所、便所、浴室等においては、汚染物質が他室に広がらないよう、排気のみにファンを用い室内を**負圧**に保つ第３種換気法が適している。記述は、第２種換気法である。

問題18　不適当
　第２種換気法は、押し込み式とも呼ばれ、給気のみにファンを用い、排気は自然とする方式。室内は**正圧**に保たれるので、室外の汚染空気の流入を防ぐことができる。記述は、第３種換気法である。

問題19　不適当
　計画換気とは、給気口と排気口を明確にして屋内の空気の流れを制御し、必要換気量や換気効率を適確に管理することである。建築物の**気密性**を高め、すきま風などによる制御しにくい自然換気を減らすと、計画換気が**行いやすくなる**。

問題 1-2 空気線図

図に示す空気線図に関する次の記述のうち、**最も不適当な**ものはどれか。

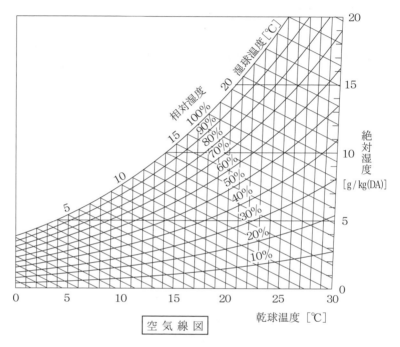

空 気 線 図

1. 乾球温度が10℃から20℃に上昇すると、空気に含むことができる最大の水蒸気量は約2倍になる。

2. 「乾球温度10℃、湿球温度8℃」の空気1kgに含まれる水蒸気量は、「乾球温度20℃、湿球温度15℃」の空気1kgに含まれる水蒸気量より少ない。

3. 「乾球温度0℃、相対湿度100%」の空気を、乾球温度20℃まで暖めると、相対湿度は約25%になる。

4. 「乾球温度20℃、相対湿度40%」の空気が、表面温度10℃の窓ガラスに触れると、窓ガラスの表面は結露する。

5. 「乾球温度5℃、相対湿度40%」の空気を、「乾球温度20℃、相対湿度40%」に加熱・加湿した場合、空気1kgに含まれる水蒸気量は約4g増加する。

解　説

　空気線図は、横軸に乾球温度、縦軸に絶対湿度をとり、相対湿度及び湿球温度を組み込んで空気の状態を読み取ることができるグラフとしたもので、露点を読み取ることもできる。なお、絶対湿度は、ある温度の乾燥空気１kgに含まれる水蒸気量なので、設問中の「水蒸気量」は、単に絶対湿度のこととして考えればよい。

1.　ある温度の空気の含みうる最大の水蒸気量は、相対湿度100％の時の絶対湿度である。乾球温度10℃の含みうる最大の水蒸気量は、10℃ライン（縦線）と相対湿度100％ライン（曲線）との交点から横にたどり、絶対湿度が約7.5g/kg(DA)となる。20℃では絶対湿度が約15g/kg(DA)となる。したがって、約２倍となる。

2.　乾球温度10℃、湿球温度８℃（斜線）の空気は、各々のラインの交点から横線をたどり、絶対湿度が約６g/kg(DA)である。乾球温度20℃、湿球温度15℃の時には、絶対湿度約8.5g/kg(DA)である。したがって、乾球温度10℃、湿球温度８℃の空気のほうが、絶対湿度＝水蒸気量が少ない。図①参照。

3.　乾球温度０℃、相対湿度100％の空気の含む水蒸気量は、互いの交点から絶対湿度を読むと約４g/kg(DA)である。絶対湿度４g/kg(DA)ラインと乾球温度20℃ラインの交点は、相対湿度20％ラインと30％ラインの中間なので、相対湿度は約25％となる。

4.　乾球温度20℃、相対湿度40％の時の絶対湿度は、約６g/kg(DA)である。この絶対湿度から横にたどって、相対湿度100％の交点の乾球温度が露点温度となる。この場合の露点温度は約６℃なので、10℃の窓ガラス表面では結露しない。なお、露点温度とは、空気中の水蒸気が凝縮して、物体に露が付着し始める時の温度である。露点温度は、空気に含まれている水蒸気量＝絶対湿度によって変化する。図②参照。

5.　乾球温度５℃、相対湿度40％の空気の絶対湿度は約２g/kg(DA)であり、乾球温度20℃、相対湿度40％の絶対湿度は約６g/kg(DA)なので、約４gの増加となる。

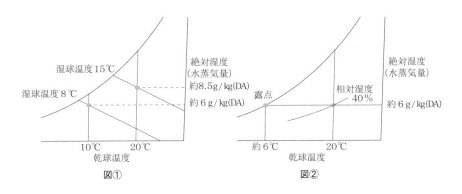

図①　　　　　　　　　　　　　　　図②

正答 ➡ ④

伝熱・結露

① 伝　熱

1　熱 貫 流
- 熱貫流抵抗 ⇨ 小さいほど
- 熱 貫 流 率 ⇨ 大きいほど ┐ **熱貫流量**〇大

↑

| 室内外温度差大きい |

2　熱 伝 達
- 熱伝達抵抗 ⇨ 小さいほど
- 熱 伝 達 率 ⇨ 大きいほど ┐ **熱がよく伝わる**

↑

| 風速が速いほど |

3　熱 伝 導
- 熱伝導抵抗 ⇨ 小さいほど
- 熱 伝 導 率 ⇨ 大きいほど ┐ **熱がよく伝わる**

↑

| 材料の比重が大きい、材料が湿潤、材料温度が高い |

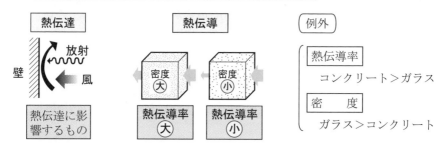

| 熱伝達 | 熱伝導 | 例外 |

熱伝達に影響するもの：壁・放射・風

熱伝導：密度〇大 → 熱伝導率〇大　密度〇小 → 熱伝導率〇小

例外
　熱伝導率　コンクリート＞ガラス
　密　　度　ガラス＞コンクリート

4　熱容量と断熱性
- 壁体内やサッシに空気層を設ける
  - ⇨ **空気層**の厚さは**2〜3cm**程度がよい
  - ⇨ 密閉空気層を持つ複層ガラスは、単層ガラスの約**2倍**の断熱効果を持つ
- **断熱材**の利用
  - ⇨ 比重が小さく、熱伝導率の小さいものが断熱材になる
  - ⇨ 空気層より**効果が**〇大である

〔**熱容量**〕
- 壁全体の熱容量が〇大 ⇨ 外気による室温変化が遅れる
  　　　　　　　　　　　　冷暖房に予熱時間が必要
- 室内の熱容量が〇小 ⇨ 冷暖房開始とともに室温変化

② 結　露

露点：飽和水蒸気量を持つ空気（飽和空気）の温度で、このとき相対湿度は100％である。

1　表面結露の防止

- 壁体の断熱性能を高くする
  - ⇨ 熱橋（ヒートブリッジ）部分など
- 室内の湿度をおさえる
  - ⇨ **換気をよくする**。燃焼器具や炊事など個別に換気（排気）する。
- 押入れは、通気をはかる（密閉させない）。
- 室内の壁材を熱容量の小さいものにする
  - ⇨ **木材**などを**使用**する。
- 壁表面付近の空気を滞留させない
  - ⇨ タンスの裏側など通気を図るか、**外壁面に配置しない**。
- 調湿材料を用いる
  - ⇨ **吸・放湿性**のある壁紙、木質系の壁材などを**室内仕上材料**にする。
- 外断熱とする
  - ⇨ 熱橋ができにくくなる。

2　内部結露の防止

- 高温高湿側に防湿層を設ける
  - ⇨ 壁体中空部の**室内側**に防湿層を設け、室内からの湿気の侵入を防ぐ。
- 外壁またはサッシの室外側に、室内側より気密性の低いものを用いる
  - ⇨ 壁体中空部の湿気を、室外側に気密性の低いものを使用することによって、外に逃がす。
- 外断熱とする

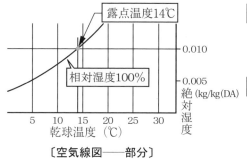

〔空気線図──部分〕

結露の原因

- ○ 壁体・室温低下
- ○ 絶対湿度上昇
- ○ 空気の滞留

内部結露防止

防湿層を高温高湿側に設ける

伝熱・結露に関する次の記述について、**適当か**、**不適当か**、判断しなさい。

▌伝　　熱▐

check

問題1
基本的な三つの熱移動のプロセスは、伝導、対流、放射である。

check

問題2
建築材料の熱伝導率の大小関係は、一般に、金属＞普通コンクリート＞木材である。

check

問題3
断熱材の熱伝導率は、一般に、水分を含むと大きくなる。

check

問題4
一般的な透明板ガラスの分光透過率は、「可視光線などの短波長域」より「赤外線などの長波長域」のほうが大きい。

check

問題5
白色ペイント塗りの壁の場合、可視光線などの短波長放射の反射率は高いが、赤外線などの長波長放射の反射率は低い。

check

問題6
外壁の断熱性及び気密性を高めると、窓からの日射の影響による室温の上昇は大きくなる。

check

問題7
木造住宅の断熱性を高めると、一般に、暖房停止後の室温低下は緩やかになる。

check

問題8
中空層の熱抵抗の値は、中空層の密閉度・厚さなどによって異なる。

check

問題9
中空層では、放射（ふく射）と対流によって熱が伝わる。

▊ 結　露 ▊

問題10
　暖房室と非暖房室の温度差を小さくすることは、冬期の結露防止上有効である。

問題11
　外壁の室内側入隅部、外壁に面した家具裏や押入れは結露が発生しやすい。

問題12
　二重窓における外側窓のガラスの室内側表面の結露を防止するためには、「内側サッシの気密性を高くする」より「外側サッシの気密性を高くする」ほうが効果的である。

問題13
　外壁内の断熱材を厚くすることによって、外壁の内部結露を防止することができる。

問題14
　暖房室において、放熱器を窓下に設置することは、その窓の室内側の表面結露を防止する効果がある。

問題15
　外気に面した窓にカーテンを吊るすと、ガラスの室内側表面に結露が発生しやすくなる。

問題16
　木造の建築物において、外壁の断熱層の室内側に防湿層を設け、その断熱層の屋外側に通気層を設けることは、冬期における外壁の内部結露の防止に効果的である。

問題17
　夏期における衛生器具の給水管の結露防止には、給水管の断熱被覆が効果的である。

問題18
　鉄筋コンクリート造の建築物においては、内断熱工法より外断熱工法のほうが、ヒートブリッジ（熱橋）ができにくく、結露が発生しにくい。

解　説

問題1　適当
- 「伝導」：物体の中を高温側から低温側へ熱が移動。
- 「対流」：流体内で高温部分が上昇し、低温部分が下降することによって熱が移動。
- 「放射」：高温物体の熱エネルギーが赤外線の形で空間を通過して低温物体に移動。

問題2・3　適当
　建築材料の**熱伝導率**は、一般に密度が小さい（軽い）ほど小さく（熱を伝えにくく）なる傾向があり、**金属＞普通コンクリート＞木材**の順に小さくなる。

　また、グラスウールなど含湿性の材料は、**水分を含む**と、**熱伝導率は大きく**なる。

【参考】**熱伝導率**は、その値が**大きい**ほど熱を伝えやすく、**断熱性が低い**材料となる。

問題4　不適当
　一般的な透明板ガラスの**分光透過率**は、**可視光線**の波長域が最も大きい。可視光線の波長域から**短く**なっても**長く**なっても、透過率は**小さく**なる。

問題5　適当
　白色ペイント塗りの壁の「**反射率**」は、可視光線などの短波長放射に対して比較的高く、赤外線などの長波長放射は、それよりも低い。また、日射エネルギーの「**吸収率**」の場合は、これと反対に、短波長放射は低く、長波長放射は高い。

問題6　適当
　外壁の**断熱性**および**気密性**を高めると、流入した熱が逃げにくくなるため、窓からの日射流入による**温度上昇が大きく**なる。

【参考】建築物の**気密性**を高めると、**熱損失係数**の値は**小さく**なる。

問題7　適当
　気密性を同じとした場合、**断熱性**が**高い**ほうが**熱貫流量**が**小さい**ため、暖房停止後の室温の**低下は緩やか**になる。

【参考】冬期において、繊維系の断熱材を用いた外壁の断熱層内に通気が生じると、外壁の断熱性が低下するおそれがある。

問題8　適当
　中空層の熱抵抗の値は、各種条件により異なり、中空層の密閉度では**密閉度が高い**ほど**熱抵抗は大きく**、厚さでは一般に**3〜5cm**までは厚さに応じて**増加**し、それ以上はほぼ一定となるが、**垂直空気層ではやや減少**の傾向となる。

問題9　適当
　壁体の**中空層**では、熱線の形で熱が伝わる「**放射**」と、気体（流体）の循環によって熱が伝わる「**対流**」による熱移動が行われる。

問題10　適当

暖房室と非暖房室の**温度差**を**小さく**して、低温の室に流入した高湿の空気が露点以下に冷やされないようにすれば**結露**が**起きにくく**なる。

問題11　適当

外気に面した壁は、冬期、熱貫流により表面温度低下が生じるが、**室内側入隅部**は低温の外気に触れる部分が多くなるので、他の部分より一層**結露しやすく**なる。また、**外気に面した壁**に沿って**家具類**を置くと、室内の高湿空気が家具と壁面の間で停滞して冷却されるため、**結露**が**起きやすく**なる。

問題12　不適当

冬期、**室内側**は**高温高湿**状態となるので、二重サッシの**内側サッシ**の**気密性**を**高**くし、二重サッシの内部に室内空気が侵入して外側サッシの室内側が結露するのを防止する。

問題13　不適当

外壁の**内部結露**は、**室内側**の**高温高湿**の空気が壁体内部に侵入して生ずるものであり、**断熱材**を厚くするだけでは**防止できない**。断熱材の**室内側（高湿側）**に**防湿層**を施工することによって防ぐことができる。

問題14　適当

上昇する暖かい空気がガラス面を暖めるので、**窓面**の**結露防止**に効果がある。

問題15　適当

中間にできる空気層による保温効果はあるが、室内の高湿空気の流入は遮断できず、かえってガラスの**室内側表面**に**結露**が**増大**するおそれがある。

問題16　適当

問題13参照。また、断熱層の**屋外側**に**通気層**を設けると、壁体内部の湿気を外部に逃がすことができるので、外壁の**内部結露の防止**に**有効**である。

問題17　適当

夏期、高温高湿の空気が、比較的低温となる給水管の表面で結露し、水滴で天井や壁体を汚染することがあるので、防止策として**給水管**を**断熱材**で**被覆**し、さらに**防湿材**で**カバー**することが望ましい。

問題18　適当

外断熱工法は、板状断熱材などを躯体の外側に張り付けるもので、躯体全体を覆うように施工できるため、内断熱工法より**ヒートブリッジ（熱橋）**となる部分ができにくく、**結露防止**上**有効**である。

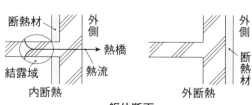

躯体断面

check

問題1

イ～ニの条件に示す室の外皮平均熱貫流率の値として、**正しいもの**は、次のうちどれか。ただし、温度差係数は全て1.0とする。

条件

イ.	屋根（天井）	：面積40m²、熱貫流率0.2W/(m²・K)
ロ.	外壁（窓を除く）	：面積60m²、熱貫流率0.3W/(m²・K)
ハ.	窓	：面積24m²、熱貫流率2.0W/(m²・K)
ニ.	床	：面積40m²、熱貫流率0.2W/(m²・K)

1. 0.02W/(m²・K)
2. 0.10W/(m²・K)
3. 0.50W/(m²・K)
4. 1.00W/(m²・K)
5. 2.00W/(m²・K)

check

問題2

図のような日射の当たる壁面から屋内へ侵入する熱を減らす方法として、**最も不適当な**ものは、次のうちどれか。

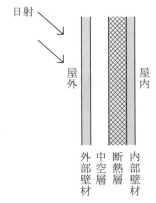

1. 断熱層の厚さを増す。
2. 断熱層を、熱伝導率の大きな材料に替える。
3. 中空層の片面にアルミはくを張る。
4. 中空層から屋外への通気をよくする。
5. 外部壁材の屋外表面を、蔦により緑化する。

解 説

問題1

外皮平均熱貫流率U_Aは、住宅の**断熱性**を総合的に判断する指標として用いられ、次式で求められる。

$$外皮平均熱貫流率 \quad U_A = \frac{単位温度差当たりの外皮総熱損失量}{外皮総面積}[W/(m^2 \cdot K)]$$

外皮総面積とは、建築物の各部のうち、「外気に接する部位の面積の合計」である。また、単位温度差当たりの**外皮総熱損失量**は、室内と屋外の温度差1K当たりに生じる「各部位ごとの熱損失量」の合計になる。その各部位ごとの熱損失量は、次のように「各部位の**熱貫流率**」と「その部位の**面積**」との**積**で求められる。

屋根（天井）　　　：$0.2[W/(m^2 \cdot K)] \times 40[m^2] = 8.0[W/K]$
外壁（窓を除く）：$0.3[W/(m^2 \cdot K)] \times 60[m^2] = 18.0[W/K]$
窓　　　　　　　：$2.0[W/(m^2 \cdot K)] \times 24[m^2] = 48.0[W/K]$
床　　　　　　　：$0.2[W/(m^2 \cdot K)] \times 40[m^2] = 8.0[W/K]$

各部位ごとの熱損失量の合計は、$8.0 + 18.0 + 48.0 + 8.0 = $ **82.0**$[W/K]$になる。
外皮総面積は、$40 + 60 + 24 + 40 = $ **164**$[m^2]$であり、外皮平均熱貫流率は、次のように求められる。

$$\therefore U_A = \frac{82.0}{164} = 0.50[W/(m^2 \cdot K)]$$

問題2

1. 日射の当たる壁面では外部壁材が、日射熱を吸収して高温となり屋内に伝わっていく。断熱材の厚さを増せば壁体の熱貫流率は小さく（熱貫流抵抗は大きく）なり、屋内への熱の流入は減少する。

2. 熱伝導率の大きな（熱伝導抵抗の小さな）材料は熱を伝え易く、屋内への熱の流入は増大する。

　　【関連】断熱層を、熱伝導比抵抗の大きな材料に替える。

3. 4. 中空層での熱の伝達は、主として放射と対流により行われるので、層の片面にアルミ箔を張れば、放射による熱の伝達を減少させることができる。また、層内部の気温上昇は層内の通気をよくすることによって防げるので、屋内への熱貫流の減少に役立つ。

5. 日射の当たる外壁を蔦で緑化することにより、日射熱の吸収は大幅に減少し、屋内への熱の侵入を防ぐのに有効な手段となる。

問題1　正答 ➡ ③　　問題2　正答 ➡ ②

日照・日射・採光

① 日 照

① 夏期は、真東より北側から太陽が昇り、真西より北側に沈む。
② 春秋分の太陽は、真東から昇り真西に沈む。また可照時間は12時間である。
③ 冬期は、真東より南側から太陽が昇り、真西より南側に沈む。
④ 太陽の軌道は、南北の地域（緯度）によって傾きが異なるため、可照時間と日影の長さが異なる。

季節ごとの太陽の動き

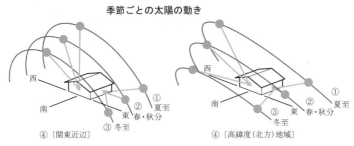

④〔関東近辺〕　　④〔高緯度（北方）地域〕

1 壁面の可照時間
● **冬期**：**南面**のほうが、東西面より**長い**。
● **夏期**：**東西面**のほうが、南面より**長い**。
● 北面は、**半年間**日照がない。

2 日照率
● 可照時間（日の出から日没までの時間）に対する日照時間の割合。

3 日影曲線
● 日影の時間を調べるのは、一般に、影が一番長くなる**冬至**を選ぶ。
● 日影の長さは、**北緯**が高くなるほど**長く**なる（太陽の位置が低くなるため）。
● 日影時間は、建築物の形状が同一の場合でも、緯度によって変わる。
● 長時間日影となる部分は、**東西**の幅が大きく影響する。

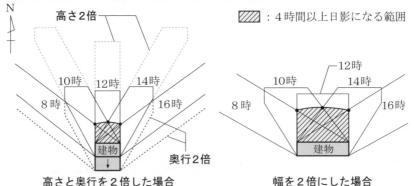

高さと奥行を2倍した場合　　幅を2倍にした場合

② 日　射

1　建築物の受ける日射
- ●建物の温熱環境に影響があるのは、太陽の日射のうち、主に直達日射である。
- ●各方位壁面の日射受熱量 ⇨ 1日間の合計日射量を終日日射量という。
- ●日射の入射方向が、面の法線に近いほど受熱量が大きい。

- ●直達日射を受けないガラス窓においても、天空日射による熱取得はある。

〔夏至〕　東西面＞北東・北西面＞南面＞北面

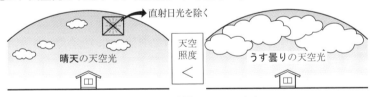

〔冬至〕　南面＞南東・南西面＞東西面

2　日照調整
屋外で日射を遮蔽するのが最も効果が大きい。
- ●**南**　側：ルーバー、**ひさし**、水平ルーバーを設ける（冬季には日射が得られる）。
- ●**東西面**：屋外に遮蔽物を置くか、**外付ブラインド**、垂直ルーバーが効果が大きい。

③ 採　光

採光は、**天空光**を利用する。直射光は、考えない。

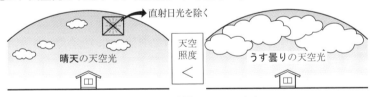

晴天の日とうす曇りの日の天空光

- ●**昼光率**：全天空照度に対する屋内のある点の水平面照度割合（%）
  - ⇨ 屋外の日照遮蔽物（**窓の外の樹木**など）の状況、窓の**大きさ・高さ**、測定面の位置（窓からの**距離**）・高さ・傾き・室内仕上げ色で変化する。

- ●**均斉度** ＝ $\dfrac{\text{室内の**最小照度**}}{\text{室内の**最大照度**}}$

  - ⇨ 窓直下など室内に明るすぎる部分を作らないようにすると、照度分布が均一になり均斉度が上がる。一般的には、1/10以上にすればよい。
  - ⇨ **照度分布**は、一般に、**縦長窓**のほうが横長窓よりよい（窓の高さにより変化する）。窓の大きさが同一であれば、1カ所に集中して設けるより、**分散**して設けたほうが、**均等化**される。

日照・日射・日影・採光に関する次の記述について、**適当か、不適当か、判断しなさい。**

---

check ☐☐☐

問題1
　直達日射量とは、大気層を透過して直接地上に達する日射量であり、空気が清涼なほど増加する。

---

check ☐☐☐

問題2
　大気透過率は、大気層の清澄の程度を表し、値が大きいほど大気は清澄であり、一般に冬期より夏期のほうが大きい。

---

check ☐☐☐

問題3
　天空日射量とは、大気中の水蒸気や塵埃で乱反射して地上に達する日射量であり、大気透過率が高くなるほど減少する。

---

check ☐☐☐

問題4
　窓の日射遮蔽係数は、その値が大きいほど日射の遮蔽効果が大きい。

---

check ☐☐☐

問題5
　夏期における冷房負荷を減らすためには、南面採光より東西面採光のほうが効果的である。

---

check ☐☐☐

問題6
　北向きの鉛直壁面においては、秋分の日から春分の日までの期間は、直達日射が当たらない。

---

check ☐☐☐

問題7
　日照率とは、可照時間に対する日照時間の割合である。

---

check ☐☐☐

問題8
　冬至の日に終日日影となる部分を、永久日影という。

---

check ☐☐☐

問題9
　日影時間は、同一の建物形状でも、土地の緯度によって異なる。

---

check ☐☐☐

問題10
　南北平行配置の住棟の場合、同じ日照時間を確保するためには、緯度が高い地域ほど隣棟間隔係数を小さくすることができる。

---

check ☐☐☐

問題11
　北緯35度の地点において、夏至の日における南中時の太陽高度は、約60度である。

check

問題12
北緯35度の地点において、冬至の日における南中時の太陽高度は、約30度である。

check

問題13
昼光率は、室内におけるある点の昼光による照度と、全天空照度との比率である。

check

問題14
室内におけるある点の昼光率は、全天空照度の変化にともない変化する。

check

問題15
作業面の均斉度とは、一般に、作業面の最低照度を作業面の最高照度で除した値をいう。

check

問題16
形、面積、材質が同じ窓の場合、側窓は天窓より採光上有利である。

check

問題17
水平ルーバーやブラインドは、室内の照度を均一化する効果がある。

check

問題18
昼間の室内照度分布の変動は、南向き側窓による採光よりも、北向き側窓による採光のほうが大きい。

check

問題19
側窓は、大きさ・形が同じであれば、高い位置にあるほど、室内の照度の均斉度を上げる。

check

問題20
輝度は、光を発散する面をある方向から見たときの明るさを示す測光量である。

check

問題21
暗い場所から明るい場所に順応する場合、明るい場所から暗い場所に順応する場合に比べて、長い時間を要する。

■ 解 説

問題1・3　適当、問題2　不適当

　直達日射量は、太陽高度と大気透過率により変化し、**大気透過率**が**大きいほど(空気が清澄なほど)増加**する。温度の高い夏期には、大気中の水蒸気が多くなるため、大気透過率は、一般に、夏期よりも**冬期**の方が**大きく**なる。

　天空日射量は、大気層中の水蒸気や塵により乱反射した光の放射成分なので、**大気透過率**が**高く**(大気中の水蒸気や塵が少なく)なるほど**減少**する。

問題4　不適当

　窓ガラスの日射遮蔽係数は、窓ガラスの日射熱取得率（窓ガラスに当たる日射量のうち室内に流れ込むものの割合）を、3mm厚の普通透明ガラスの日射熱取得率（約0.88）で除したものである（3mm厚の普通透明ガラスの遮蔽効果を基準（＝1）として表す）。したがって、**日射遮蔽係数が大きいほど室内に流れ込む熱量が大きく、遮蔽効果が小さくなる**。

問題5　不適当

　夏期における東西面の日射受熱量は、各方位のうち最大であり、南面の日射受熱量は、北面の次に小さい。したがって、**南面採光**にすることで**冷房負荷を減らす**ことができる。

問題6　適当

　北向き鉛直壁面には、春分の日から夏至を経て秋分の日までの6ケ月間、朝・夕2回の日射があり、**秋分の日から冬至を経て春分の日までの6ケ月間**は、**直達日射**が**当たらない**。

問題7　適当

　日照率とは、**可照時間**（日の出から日没までの時間）に対する実際の**日照時間**の割合を示す。この値によって、ある地域の年間または月間の天候の状況を知ることができる。

問題8　不適当

　建築物の配置や形状によって、一日中日影になる部分が生じる場合があり、これを**終日日影**という。最も日照条件の良い**夏至の日**に終日日影となる範囲は、年間を通して直射日光が当たらないため、**永久日影**という。

問題9　適当

　日影時間は、建物の形状が同じでも、緯度によって異なり、**緯度が高いほど**（北半球では北にいくほど）**長く**なる。

　【関連】日影の長さは、同一日時でも、土地の緯度によって異なる。

問題10　不適当

　緯度の高い地域ほど、**隣棟間隔を大きく**取らなければ同じ日照時間が得られないため、**隣棟間隔係数は大きくなる**。隣棟間隔係数は、一定の日照確保のために必要な住棟の間隔を低緯度から高緯度まで地域ごとに対応する係数で表わしたもの。

問題11 不適当、問題12 適当

　北緯35度付近における南中時の太陽高度は、<u>夏至で約80度</u>、冬至で約30度、春・秋分で約55度である。

問題13 適当、問題14 不適当

　昼光率とは、窓からの採光で室内がどれだけ明るいかを示すものであり、**室内のある点の照度**とその時の**全天空照度（屋外の明るさ）**との比で示される。

　室内のある点が、屋外の照度に対して何％の明るさとなっているかの比率であり、その比率は一定である。したがって、**全天空照度が変化しても昼光率は変化しない**。

問題15 適当

　均斉度は、室内の明るさが均一かどうかを知るための指標で、**室内の最大照度と最小照度の比**であり、室内がすべて同じ照度ならば最大値1となる。作業面の**均斉度**は、一般に、**作業面の最低照度**を、**最大照度**で除した値で示される。

問題16 不適当

　天窓は側窓に比べ**採光上有利**であり、通常同一形状・材質の側窓の約3倍の明るさが得られる。

問題17 適当

　水平ルーバーは照度の不足しがちな室の奥まで光を導くことができる。また、**ブラインド**は、窓からの採光を一部は遮断・一部は室奥まで導入することができるので、どちらも室内の**照度を均一化**する効果がある。

問題18 不適当

　室内照度分布の変動は、照度の変動が大きい直射日光の影響の少ない**北向き側窓**による採光の方が、南向き側窓よりも**小さい**。

問題19 適当

　窓が**高い位置**にあるほど窓付近と室奥との照度差が少なくなるため、明るさが均一となり**均斉度が上がる**。

問題20 適当

　輝度は、発光面、反射面など光を出している面をある方向からみた時の明るさであり、単位にはcd/m^2が用いられる。

　【関連】照度は、受照面における単位面積当たりに入射する光束。

問題21 不適当

　明順応（明るさに慣れる）に要する時間は1分程度であるが、**暗順応**（**暗さ**に慣れる）に要する時間は、暗さに目が慣れ始めるのに5〜10分かかり、完全に慣れるのに30分程度かかる。

check

　図は、北緯35度のある地点における晴天日の東（西）鉛直面、南鉛直面、北鉛直面及び水平面が受ける全日の直達日射量の年変化を示したものである。図中のA～Dの曲線と各面との組合せとして、**正しいもの**は、次のうちどれか。

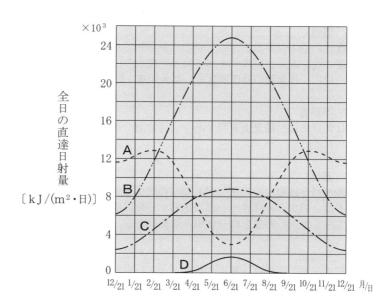

	A	B	C	D
1.	南鉛直面	東（西）鉛直面	水平面	北鉛直面
2.	南鉛直面	水平面	東（西）鉛直面	北鉛直面
3.	水平面	南鉛直面	東（西）鉛直面	北鉛直面
4.	水平面	南鉛直面	北鉛直面	東（西）鉛直面
5.	水平面	北鉛直面	南鉛直面	東（西）鉛直面

解　説

　全日の直達日射量は、各面と直達日射のなす角（入射角）、各面の日照時間など季節による変動が大きい。なお、直達日射による面の受熱量は、入射角が小さいほうが大きくなる。

A．南鉛直面は、入射時の太陽高度が高い夏至よりも、太陽高度が低い冬至のほうが、入射角が小さくなるため、全日の直達日射量は、夏至より冬至のほうが多くなる。

B．水平面は、入射時の太陽高度が高く、入射角が小さくなる夏至に最大となる。

C．東（西）鉛直面における夏至の直達日射量は、入射時の太陽高度が低く（朝夕）、入射角が小さいので、入射時の太陽高度が高く（南中時）、入射角が大きくなる南鉛直面よりも多くなる。なお、夏至においては、日照時間も東（西）鉛直面のほうが南鉛直面よりも少し長くなる。

D．北鉛直面は、春分から夏至を経て秋分までの約6ケ月間、朝・夕2回の日射はあるが、秋分から冬至を経て春分までの約6ケ月間は直達日射が当らない。

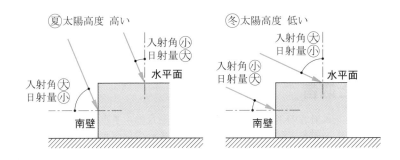

音　　響

❶ 音の性質

- 音における聴感上の**3要素**は、音の**大きさ**、音の**高さ**、**音色**である。
- 音　速 ⇨ **340m/s**（15℃のとき）。主に気温と風速に影響される。
- 人間の感覚は、音の強さのレベルや音圧レベルの大きさと一致しない。最もよく聞こえる周波数は、**3,000〜4,000Hz付近**である。
- 距離と音の強さ（I） 　距離の2乗に反比例

音の強さのレベル：dB
音の強さ：I

音源

パワー：W
パワーレベル：dB

1㎡

- dB表示値の和
  音の出力（パワー：W）
  音の強さ（I）が2倍で、 **+3dB**

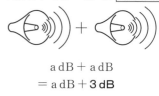

$$a\,dB + a\,dB = a\,dB + 3\,dB$$

❷ 遮音と吸音

- 透 過 率 ⇨ 入射音のエネルギーに対する透過音のエネルギーの割合
- 透過損失 ⇨ 反射および吸収した音のエネルギーのレベル
- 透過損失の大小関係

| 材料の**比重・密度**大 音 の 周 波 数高 | ➡ | **透過率**小 | ➡ | **透過損失**大 |

- 吸音率 ⇨ 入射音に対する吸収音および透過音のエネルギーの割合：反射音以外の音のエネルギー
- 吸音の方法 ⇨ 材料と周波数の関係
  - ○**板 材 料**……**低音**の吸音
  - ○**多孔質材料**……**高音**の吸音
- 吸音材料と躯体（コンクリートなど）は、密着させないで、空気層を設けたほうが吸音効果がある。
- 吸音率の大小関係

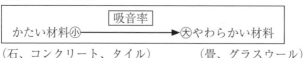

吸音率

かたい材料小 ➡ 大やわらかい材料

（石、コンクリート、タイル） 　　（畳、グラスウール）

- 吸音力……吸音率×表面積

- 騒音防止策
  - ○ 壁体の**透過損失**を**大きくする**
  - ○ 室内の**吸音力**を**高める**
  - ○ 窓の**気密性**を高くする
  - ○ **窓ガラスを二重にする**

〔遮音と吸音〕
- **遮音**：遮音性能を大きくする
  - ⇨ 透過音を小さくする
- **吸音**：吸収音＋透過音

吸音率＋反射率＝入射音のエネルギー

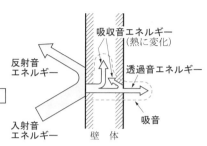

③ 騒　音

- 騒音レベルは、感覚補正されたものである。
- 騒音の許容値

  スタジオ＜ホール＜住宅・会議室＜事務所
- 固体伝搬音 ⇨ 床衝撃音や、配管からの騒音が構造体を伝わる現象など。集合住宅で問題になる。

④ 音響計画

- 残響時間 ⇨ 音源停止後、**60 dB 減衰**するのに要する時間。
- 残響時間の長短

室 容 積⦿ 総吸音力⦿	⟶	長い	室 容 積⦿ 総吸音力⦿	⟶	短い

[注意]人やイスにも吸音力がある。
- 最適残響時間

  音楽＞学校講堂＞映画館
- 明瞭度 ⇨ 音の聞き取りやすさを表す。
- 音響計画の悪条件

  反響（エコー）⇨ 反射音により音が２つ以上に聞こえる現象

連続音 反射音	⟶	時間差 1 /20 s 行程差17m	をこえると発生

  - ○ 音の干渉 ⇨ 反射音の影響によるもので、うなりを生じたりする
  - ○ 音の共鳴 ⇨ 音源以外の物体が、音圧によって振動し、共に音を出す
  - ○ 音の焦点 ⇨ ある点に反射音が集中する現象
- 対策 ⇨ 壁または天井と床を平行に配置しないようにし、不規則面とする。受音側の背後壁などは、孔あき板、グラスウールボードなどを設け、吸音するようにする。

音響に関する次の記述について、**適当か**、**不適当か**、判断しなさい。

問題1
　同じ音響出力を有する機械を2台同時に運転した時の音圧レベルが83dBであるとすると、1台のみ運転したときは約80dBである。

問題2
　音が球面状に一様に広がる点音源の場合、音源からの距離が2倍になると音圧レベルは約6dB低下する。

問題3
　すべての方向に音を均等に放射している点音源の場合、音の強さのレベルは、音源からの距離に反比例する。

問題4
　気温が高くなると、空気中の音速は速くなる。

問題5
　同じ音圧レベルの場合、一般に、100Hzの純音より1,000Hzの純音のほうが、小さく聞こえる。

問題6
　音をよく吸収する材料は、一般に、透過率が低いので、遮音効果を期待できる。

問題7
　壁体における透過損失の値が小さいほど、遮音性能が優れている。

問題8
　同じ厚さの一重壁であれば、一般に、単位面積当たりの質量が大きいものほど、音響透過損失が大きい。

問題9
　壁体の透過損失は、一般に音の周波数が高いほど大きい。

問題10
　吸音力とは、材料の吸音率に材料の面積を乗じたものをいう。

問題11
　板状材料と剛壁の間に空気層を設けた吸音構造は、一般に、「低音域の吸音」より「高音域の吸音」に効果がある。

check

問題12
　多孔質材料の吸音率は、一般に、「高音域の音」より「低音域の音」のほうが大きい。

check

問題13
　日本産業規格（JIS）における床衝撃音遮断性能の等級L_rについては、その数値が小さくなるほど床衝撃音の遮断性能が高くなる。

check

問題14
　残響時間は、室内において音源から発生した音が停止してから、音圧レベルが60dB低下するまでの時間である。

check

問題15
　残響時間を計算する場合、一般に、室温は考慮しない。

check

問題16
　室内の吸音力が同じ場合、一般に、室容積が大きいほど、残響時間は短くなる。

check

問題17
　在室者数が多いと、一般に、残響時間は長くなる。

check

問題18
　一般に、講演に対する最適残響時間に比べて、音楽に対する最適残響時間のほうが長い。

check

問題19
　室内騒音の許容値をＮＣ値で示す場合、ＮＣ値が小さくなるほど許容される騒音レベルは高くなる。

check

問題20
　室内騒音の許容値は、「音楽ホール」より「住宅の寝室」のほうが小さい。

check

問題21
　集合住宅の計画において、子供が飛び跳ねたりする音が下階に伝わることを低減するために、床スラブを厚くする。

check

問題22
　音源からの直接音と反射音との時間差によって、一つの音が二つ以上の音に聞こえる現象を、反響という。

解 説

問題1　適当
　音響出力が**2倍**(同一音源の数が2倍)になると**音圧レベルは約3dB増し**、半分(同一音源の数が1/2)になると約3dB減少する。

問題2　適当、問題3　不適当
　点音源からの**距離が2倍**になれば、単位面積当たりの音の強さは1/4になる。音圧レベルに換算すると、**音の強さが半分**(1/2)で−3dB、更に半分(1/4)で−3dBなので、合計6dB小さくなる。
　音の強さは、音の拡散する面積を考えた場合、<u>点音源からの**距離の2乗に反比例**</u>することがわかる。

問題4　適当
　音速(m/s)は、「331.5＋0.6×気温」で計算される。したがって、**気温が高くなる**ほど音速は**速くなる**。

問題5　不適当
　音は周波数が高いほど高音になり、1,000Hzの音は100Hzの音よりも高音である。人間の聴覚の特性として、高音より低音に対する感度が鈍いため、同じ音圧レベルであれば、高音(1,000Hz)より**低音(100Hz)**のほうが**小さく**聞こえる。なお、純音とは音波の形が均一な、人工的につくられた音であり、音響試験などに用いられる。

問題6　不適当
　吸音には透過音も含まれ、吸音材料にはグラスウールなど透過音の大きい(遮音性能の低い)材料も用いられる。したがって、<u>一般に音をよく吸収する材料は、**透過率**が**高く**、**遮音効果**はあまり**期待できない**</u>。

問題7　不適当、問題8　適当
　透過損失(TL)は、壁体を透過した音が入射した音よりどれだけ小さくなったかをdBで表したもので、一般に、**質量の大きい(比重の大きい)壁体ほど透過損失が増大する**。したがって、<u>壁体の**透過損失**の値が**大きい**ほど、音は小さくなり、**遮音性能**が**優れている**</u>といえる。

問題9　適当
　壁体の**透過損失**は、**周波数**によって異なり、一般に、高音より**低音**になるに従って**減少する**(低音の方が壁体を透過しやすいので遮音しにくい)。

問題10　適当
　吸音力とは、材料の**吸音率**にその面積を乗じたもので、単位は**m²**(メートルセイビン)で表す。

問題11　不適当
　板状材料と剛壁の間に**空気層**を設けた**吸音構造**では、一般に、**低音域**の音を主に**吸音**する。

問題12　不適当

多孔質材料（グラスウール等）を用いた場合の**吸音率**は、**高音域**のほうが、低音域より**高い**。なお、多孔質材料と壁体の間に空気層を設けると吸音効果は中音域まで広がる。

問題13　適当

JIS による**床衝撃音レベル**の遮音等級は、Ｌｒ−30 ～ 80までの遮音等級で表し、この数値が**小さい**ほど**遮音性能が優れている**。

問題14・15　適当

残響時間は、音源から発生した音が**停止**してから、室内の**音圧レベルが60dB低下**するまでの時間である。

残響時間の算定には、一般に、**室温は考慮しない**。なお、音の速度は気温が高くなるほど速くなるが、室温の範囲では、ほとんど影響がない。

問題16・17　不適当

残響時間は、**室容積**に**比例**し、室内の吸音力が同じ場合、**室容積**が**大きい**ほど、残響時間は**長くなる**。

なお、人体は着衣などを含め、ある程度の吸音力を持つので、残響時間は一般に**在室者**が**多いと短く**、少ないと長くなる。

問題18　適当

最適残響時間は、室の使用目的に最も適した長さの残響時間。声を明瞭に聴き取る必要がある**講演用ホール**はある程度**短く**し、音の響きと潤いを必要とする**音楽ホール**では各種用途中**最も長く**設計される。

問題19　不適当

ＮＣ値は、騒音をある周波数の幅で分析し、ＮＣ曲線とよばれるグラフをもとに求めるもので、**室内騒音を評価する指標**の一つである。騒音が高音になるほど、不快感やうるささが増大するので、ＮＣ値により許容値を定めることがある。ＮＣ値が**大きくなる**ほど、**許容される騒音レベルは高くなる**。

問題20　不適当

室内騒音の許容値は、住宅の寝室で35 ～ 40dB（Ａ）、音楽ホールで25 ～ 30dB（Ａ）であり、**音楽ホールのほうが小さい**。

問題21　適当

子供が飛び跳ねたりするときなどの**重量衝撃音**は、床スラブが振動することで発生するので、**床スラブを厚くして**振動を抑制することが効果的である。

問題22　適当

反響とは、音源からの直接音と壁体などによって反射された音の**時間差**によって、**音が２つ以上に聞こえる**現象。直接音と反射音との時間差が**1/20秒以上**あると反響となる。

① 表 色 系

- **光原色の三原色** ⇨ 赤(R)、緑(G)、青(B)
- **物体色の三原色** ⇨ シアン(C：青緑)、マゼンタ(M：赤紫)、イエロー(Y：黄)
- **色 の 三 属 性** ⇨ 色あい(**色相**)、明るさ(**明度**)、あざやかさ(**彩度**)
- **マンセルの色の表示記号** ⇨ **色相（記号および番号）、明度番号／彩度番号** の順で表示。

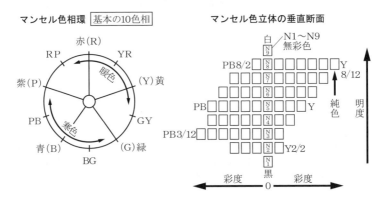

マンセル色相環 基本の10色相

マンセル色立体の垂直断面

- **有彩色** ⇨ 一般に、赤、青などの色みのはっきりした色をはじめ、少しでも色みのついている色のことをさす。色相、明度、彩度の三属性を持つ。
  明るく、非常にあざやかなオレンジ色：5 Y R 7 /15
- **無彩色** ⇨ 明度だけで表される。明度の数値と無彩色の記号Nだけで表す。
  N 9 (白) N 5 (灰) N 1 (黒)
- **純 色** ⇨ 各色相中、最高の彩度の色。
- **補 色** ⇨ 色相環で対になる(対向する位置)色。
  例：赤◆→青緑
  色の残像は、補色で現れる。

補 色

❷ 色彩と心理

- **色相対比** ⇨ 別色相を並べると、互いに補色に近づいて見える。
  ⇨ 補色を並べれば、互いに**あざやかさが増す**。
- **明度対比・彩度対比** ⇨ 明度・彩度の違う色と並べると、**明度差・彩度差**が実際より**大きく見える**。
- **継続対比** ⇨ 補色残像が、実際に見ている色に重なる。**明度・彩度の高い**（低い）色を見たあとに、低い（高い）色を見ると、その**差が大きく見える**対比効果などがある。
- **面積対比** ⇨ **大面積**で実際より**明度・彩度**ともに**高く見える**。
- **暖色と寒色**
  - ○ **暖色**（色相環で赤系から黄系）——— 進出色、膨張色
  - ○ **寒色**（色相環で青緑から紫系）——— 後退色、収縮色
  - ○ **明るい色**（明度の高い色）——————— 軽い、膨張色
  - ○ **暗い色**（明度の低い色）——————— 重い、収縮色

〔**明度・彩度と感覚**〕

　心理的効果に明度と彩度の影響は大きい。

大　明度・彩度　小
膨張・進出　　　　　収縮・後退

❸ 色彩による環境調整

安全色彩：黄赤、赤、黄と黒のしま ⇨ 危険、禁止、警告など
　　　　　緑 ⇨ **安全状態、進行**

色彩に関する次の記述について、**適当か**、**不適当か**、判断しなさい。

check

問題1
　色を表す体系を表色系といい、日本産業規格においては、マンセル表色系が採用されている。

check

問題2
　明視の四条件は、明るさ、対比、大きさ、動き(時間)である。

check

問題3
　色の三属性は、色相、明度、彩度である。

check

問題4
　無彩色は、色の三属性のうち、明度だけを有する色である。

check

問題5
　白、黒及び灰色は、無彩色である。

check

問題6
　純色は、ある色相の中で最も彩度の高い色である。

check

問題7
　マンセル表色系における明度は、光に対する反射率と関係があり、完全な黒を0、完全な白を10として表す。

check

問題8
　色の鮮やかさの度合いを彩度といい、無彩色を0とし、色が鮮やかになるに従って、段階的に数値が大きくなる。

check

問題9
　マンセル色相環において対角線上に位置する二つの色は、補色の関係にあり、混ぜると無彩色になる。

check

問題10
　同じ色の場合、一般に、面積の大きいものほど、明度は高く、彩度は低くなったように見える。

check

問題11
　赤と青緑のような補色を並べると、互いに彩度が低くなったように見える。

問題12
　一般に、明度が高いものほど膨張して見える。

問題13
　色の重い・軽いの感覚は、一般に、明度の高いものほど軽く感じられる。

問題14
　色温度は、その光源の光色の色度に等しいか、または近似する色度をもつ光を放つ黒体の絶対温度で表される。

問題15
　演色性は、物体表面の色の見え方に影響を及ぼす光源の性質である。

■ 解 説

問題1　適当

色を表す体系を**表色系**といい、ＣＩＥ(XYZ)表色系、オストワルト表色系等があるが、日本産業規格(JIS)においては、アメリカの画家マンセルによって創案された**マンセル表色系**が採用されている。

問題2　適当

明視の四条件は、**明るさ、対比、大きさ、動き(時間)**である。なお、明視の五条件は、これに色を加えたものである。

問題3　適当

色の属性には、①色の主波長を基本とする「**色相(色あい)**」、②色の反射率を基準とする「**明度**」、③色の鮮やかさを示す「**彩度**」の３種がある。

問題4・5　適当

無彩色は、黒、灰、白など色相、彩度のない色で**明度**だけの色であり、無彩色を表す符号Nの次に明度番号をつけて表す。

（例：反射率30%の灰色 → Ｎ６）

問題6　適当

ある色相の中で、最も**彩度の高い**(鮮やかな)色を、**純色**という。この場合、純色の彩度の最大値は、色相によって異なる。

問題7　適当

マンセル表色系における**明度**は、反射率と密接な関係があり、**反射率０％の完全な黒**を０、反射率100%の**完全な白**を10として表示する。

問題8　適当

マンセル表色系においては、**色の鮮やかさの度合い**を**彩度**で表し、**無彩色**(白、灰、黒)を０とし、色が鮮やかになるに従って数値が**大きくなる**。

問題9　適当

補色とは、マンセル色相環において**反対側**に位置する２つの色をいう。補色関係にある２つの色を**混合**すると**灰色(無彩色)**になる。また、補色どうしは、隣り合わせて並べると互いに彩度を強調しあい両方の色とも鮮やかに見える。これを**補色対比**という。

補色の例：Ｒ(赤)とＢＧ(青緑)、ＧＹ(黄緑)とＰ(紫)など。

問題10　不適当

同じ色の場合、一般に、**面積が大きい**ものほど**明度**が高く(明るく)、**彩度も高く(鮮やかに)見える**。これらを色彩の**面積効果**という。

問題11　不適当

　赤と青緑のような**補色**（色相環で対称的な位置にある色）を並べると、互いに**彩度が高くなったように**（互いに強調し合う）見える。この現象を**補色対比**という。

問題12　適当

　色の感情効果の中には、膨張、収縮感があり、一般に、**明度・彩度の高い**色ほど**膨張**してみえる。

問題13　適当

　色の**軽重**の感覚は、一般に、**明度が低い**（暗い色）ほど**重く**、明度が高い（明るい色）ほど**軽く**感じる。

問題14　適当

　色温度は、光源が発する光の色を表す数値で、その光色の**色度**（色相と彩度とを合わせた要素）に近似する色度の光を放つ**黒体**（光をまったく反射しない仮想的な物体）の**絶対温度**（K：ケルビン）で示される。色温度が**高い**ほど**白く青み**を帯び、**低い**ほど**黄色**から**赤み**を帯びる。

問題15　適当

　同じ物体でも、それを照らす光によって見え方が変わり、自然光のもとで見る場合と、照明光に照らされた場合とでは、色の異なることが多い。**演色性**は、**物体色の見え方**についての、照明などの**光源の性質**である。物体色が自然光のもとで見るときの色に近いほど、その光源の演色性がよいことになる。

6 環境工学融合

1 用語・単位

1 単位の意味

（例）W／㎡・K

ある壁の表面積<u>1㎡</u>当たりに、壁表面温度と気温
に1K（℃）の差がある時、1秒間（s）で、どれだ
けの熱量が伝わるかということ。

このように分子と分母を分けて考えると覚えやす
い。

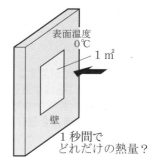

表面温度
0℃

1 ㎡

壁

1秒間で
どれだけの熱量？

● 基本単位

仕事量・熱流量：W（ワット）

圧　力：Pa（パスカル）又はN/㎡

温　度：K（ケルビン）又は℃

音響レベル・騒音レベル・振動レベル：〜レベルは全てdB（デシベル）

2 留意事項

● 混同しやすい単位

熱伝達率
熱貫流率

熱伝導率

↓
同じ単位

↓
似ているが異なる

lx（ルクス：受照面の明るさ）

と

cd（カンデラ：光の強さ）

と

lm（ルーメン：光束の基本単位）

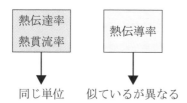

伝	熱伝導率	W/(m・K)
	熱伝導抵抗	㎡・K/W
	熱貫流抵抗	
	熱伝達抵抗	
熱	熱貫流率	W/(㎡・K)
	熱伝達率	

3　用語・単位

- ●圧　　　　力 ——————————————— Ｐａ又はN/㎡
- ●比　　　　熱 ——————————————— J/(kg・K)
- ●浮遊粉じん質量濃度 ————————— ｍｇ/m³
- ●二酸化炭素濃度 ——————————— ％又はｐｐｍ
- ●熱 伝 導 率 ——————————————— W/(m・K)
- ●熱 貫 流 率 ——————————————— W/(㎡・K)
- ●熱 伝 達 率 ——————————————— W/(㎡・K)
- ●光　　　　束 ——————————————— ｌｍ
- ●輝　　　　度 ——————————————— ｃｄ/㎡
- ●照　　　　度 ——————————————— ｌｘ又はｌｍ/㎡
- ●日 射 量 ——————————————— W/㎡
- ●騒音レベル ——————————————— ｄＢ(Ａ)
- ●音の周波数 ——————————————— Ｈｚ
- ●生物化学的酸素要求量(ＢＯＤ) ——— ｍｇ/ℓ

空気調和設備等

① 換気設備

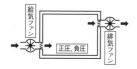
第1種換気設備

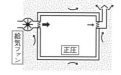
第2種換気設備

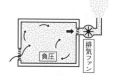
第3種換気設備

	室内圧	給気方式	排気方式	適している室
第1種換気方式	正圧・負圧	機械	機械	映画館、劇場、地下空間等
第2種換気方式	正圧	機械	自然	無菌室、クリーンルーム等
第3種換気方式	負圧	自然	機械	便所、厨房、喫煙室等

・住宅等の居室で必要な**機械換気設備**に求められる**換気回数**は、0.5回/h以上

② 冷暖房設備

〔各種暖房の特徴〕

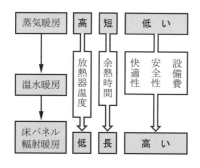

〔各種冷凍機〕
○圧縮式冷凍機
　消費電力　大
○吸収式冷凍機
　消費電力　小
　（ボイラーなど熱源必要）
○ヒートポンプ
　冷暖兼用熱源
　（パッケージエアコン等）

〔冷暖房設備の種類〕
● 直だき吸収冷温水機
　夏期・冬期ともに燃料を燃焼させ、冷水または温水を1台でつくることができる。
● 空気熱源ヒートポンプ
　○外気の熱を利用して暖房を行う。
　○電気ヒーターによる暖房より電力消費量が少ない。
　○暖房能力は、一般に、外気の温度が低くなるほど低下する。

〔冷 却 塔〕
● 冷凍機の冷却水が凝縮器から奪った熱を空中に放散させる装置である。
● 冷却効果は、主に、冷却水と空気との接触による水の蒸発潜熱により得られる。

③ 空気調和設備

1　基本計画

- ●空気調和設備の役割として、**温度・湿度調整、新鮮空気の供給、じんあいの除去**などがあげられる。
- ●室内の空気調和計画は、室の**用途・容積**、開口部面積、収容人員および**使用時間**により決定する。
- ●室の用途、使用時間、空調負荷、方位などにより、空調系統をいくつかに分割することをゾーニングという。
- ●熱負荷に応じた適切な**ゾーニング**を行う。
- ●空調のゾーニングにおける**建物内の外周部**を、**ペリメーターゾーン**という。

2　空気調和の方式

①　定風量単一ダクト（ＣＡＶ）方式

各室まで同一のダクトで冷風または温風を送る。

〔特徴〕　各室ごとの個別制御ができない。

②　変風量単一ダクト（ＶＡＶ）方式

吹出口ごとに個別調整できるようにしたもの。

〔特徴〕　各室ごとの個別制御ができる。

定風量単一ダクト方式に比べて、搬送エネルギー消費量を低減することができる

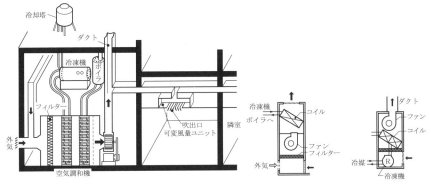

単一ダクト変風量方式の例　　ファンコイルユニット　パッケージユニット

③　ファンコイルユニット方式

ユニットごとに風量の調節ができる

④　ダクト併用ファンコイルユニット方式（一次空調機併用）

〔特徴〕

- ●各室ごとに温度調節が可能である。
- ●各室への送風量が少ないので、全空気方式ほど外気導入による冷却効果は期待できない。
- ●単一ダクト方式ほど大きな**ダクトスペース**を必要としない。
- ●単一ダクト方式に比べて、空気の浮遊粉じんの除去がむずかしい。

空気調和設備等に関する次の記述について、**適当か**、**不適当か**、判断しなさい。

check

問題1
外壁に換気口を設けられない地階の機械室は、第1種換気設備が適している。

check

問題2
ボイラー室は、煙突の通風力に悪影響を及ぼさないために、第3種換気設備が適している。

check

問題3
便所には、臭気が他の室にもれないように、第2種換気設備が適している。

check

問題4
空気調和とは、室内の空気の温度、湿度、清浄度、気流分布などを使用目的に適した状態に同時に調整することをいう。

check

問題5
室の用途、使用時間、空調負荷、方位などにより、空調系統をいくつかに分割することをゾーニングという。

check

問題6
定風量単一ダクト方式は、熱負荷特性の異なる室におけるそれぞれの負荷変動に対して、容易に対応することができる。

check

問題7
変風量(VAV)単一ダクト方式は、室内負荷の変動に応じて、各室の送風温度を変化させる方式である。

check

問題8
変風量単一ダクト方式は、定風量単一ダクト方式に比べて、部分負荷時の空気の搬送エネルギー消費量を低減することができる。

check

問題9
ファンコイルユニット方式は、ユニットごとに風量を調節でき、個別制御が容易であるので、病室やホテルの客室の空調に用いられることが多い。

問題10

　定風量単一ダクト方式は、ファンコイルユニット方式と定風量単一ダクト方式とを併用した場合に比べて、必要とするダクトスペースが小さくなる。

問題11

　空気熱源ヒートポンプ方式のルームエアコンの暖房能力は、一般に、外気の温度が低くなるほど低下する。

問題12

　ヒートポンプによる暖房は、一般に、電気ヒーターによる暖房より電力消費量が多い。

問題13

　空気熱源パッケージ型空調機方式においては、圧縮機の容量制御をインバータにより行うものが一般的である。

問題14

　空気熱源マルチパッケージ型空調機方式では、屋外機から屋内機に冷水を供給して冷房を行う。

問題15

　直だき吸収冷温水機は夏期、冬期ともに燃料を燃焼させ、冷水又は温水を１台でつくることができる。

問題16

　冷却塔（クーリングタワー）は、冷凍機などから冷却水に放出された熱を外気に放散させる装置である。

問題17

　冷却塔の冷却効果は、主として、「冷却水に接触する空気の温度」と「冷却水の温度」との差によって得られる。

解 説

問題1　適当

　ドライエリアなどがなく外壁に換気口を設けられない**地階機械室**の換気には、**給排気ファンを設置した第1種換気設備**を用いる。

問題2　不適当

　ボイラー室は、多量の燃焼用空気を必要とするので、**給気ファンと自然排気口を**設けた**第2種換気設備**とし、**室内を正圧に保ち煙突からの逆流を防ぐ**。

問題3　不適当

　臭気の発生しやすい**便所**、発熱の多いコピー室などの換気は、臭気や熱が他の室に流出しないよう**排気ファンと自然給気口を設けた第3種換気設備**とする（第1種換気設備とするときには、給気量より排気量を多くして室内を負圧とする）。

問題4　適当

　空気調和とは、室内の空気の**温度、湿度、気流**および**清浄度**を人工的に調整して室の使用目的に最適な室内気候をつくることである。

問題5　適当

　ゾーニングとは、室の**用途、使用時間、空調負荷**(方位による日射の有無等によって変動する)などによって、空調の系統を分割することをいう。

問題6　不適当

　定風量単一ダクト方式は、空気調和機によって温度調節され、そこから全エリアへダクトを通して送風するもので、室温は送風温度を調整することで制御される。全エリアへ同じ温度の送風が行われるため、変風量単一ダクト方式やファンコイルユニット方式と比べて<u>熱負荷特性</u>の<u>異なる部屋ごとの個別制御</u>は<u>困難</u>である。

問題7　不適当

　変風量（VAV）単一ダクト方式は、**各室の送風量を変化させる**ことによって、**室温を制御**できるようにした方式であり、<u>送風空気</u>自体の温度を各室ごとに変化できるものではない。

【関連】変風量単一ダクト方式は、一般に、定風量単一ダクト方式に比べて、室内の**気流分布、空気清浄度**を一様に**維持**することが**難しい**。

問題8　適当

　変風量（VAV）単一ダクト方式は、室内負荷に応じて各室で送風量を調整するため、搬送エネルギー消費の無駄が生じにくい。定風量単一ダクト方式では、負荷の少ない室にも同じ送風量となり、搬送エネルギー消費の無駄が生じやすい。したがって、変風量単一ダクト方式のほうが、**搬送エネルギー消費量**が**減少**する。

問題9　適当

　ファンコイルユニット方式は、各ユニット内に冷温水コイルとファンを内蔵するもので、1台ごとに風量の調節ができ、**個別制御が容易**である。したがって、**病室やホテルの客室**の空調に用いられることが多い。

問題10　不適当

　ファンコイルユニットと定風量単一ダクトとを併用した方式は、内蔵されている送風ファンと冷温水コイルにより、主として室内の還気（リターンエア）の温度調整をする装置に、新鮮空気を供給するためのダクトを併用したものである。したがって、冷風・温風を全てダクトで供給する**定風量単一ダクト方式**のほうが、必要とするダクトスペースは大きくなる。

問題11　適当、問題12　不適当

　空気熱源ヒートポンプ方式のエアコンは、冷凍機の冷媒の流れを逆方向に変え、外気の熱を利用できるため、**空気熱源**の場合、**電気ヒーター**による暖房の1/2〜1/5程度の電力消費量である。

　ただし、暖房能力は、外気温7℃を基準としており、これより**気温が低く**なると、外気から熱を奪うことが困難になり**暖房能力が低下**する。

問題13　適当

　インバータとは、電流の周波数を変換しモーターの回転数を自由に変えることができる装置のこと。この装置を空調方式に用いると、きめ細かな冷暖房制御を行うことができるので**省エネルギー効果が大きく**、モーターの運転音も静かなため、**空気熱源パッケージ型空調機方式**にも用いられる。

問題14　不適当

　空気熱源マルチパッケージ型空調機は、1台のヒートポンプ屋外機に複数の屋内機を配管接続し、「**冷媒**」によって**熱の移送**を行う方式である。冷水を供給して冷房を行う方式ではない。

問題15　適当

　直だき（直焚き）吸収冷温水機は、直接装置内でガス、重油などを燃焼させて運転する方式。**冷房時**には**蒸発器で冷水**を作り、**暖房時**は**温水熱交換器**などから**温水**を得ることができる。

問題16　適当、問題17　不適当

　冷却塔（クーリングタワー）の際の冷却効果は、主として冷却水が蒸発する際の**蒸発潜熱が奪われる**ことによって得られる。

給水設備、排水・衛生設備

① 給水設備

1 水道直結直圧方式
- 水道本管の水圧によって給水する方式。
- 受水槽および揚水ポンプは不要。
- 設備費が安価で維持管理が簡単。

2 高置水槽方式
機構が簡単。重力による給水で圧力変動が比較的少ない。
- 受水槽から揚水ポンプで高置水槽に揚水し、水の重力で給水する方式。
- 高置水槽の設置高さは、最上部の器具などの必要圧力から求める。

3 圧力水槽方式
機構がやや複雑。同時使用水量により圧力変動がある。
- 受水槽から給水ポンプで圧力水槽に給水し、水槽内の空気を圧縮・加圧させ、その圧力で給水する方式。
- 高置水槽方式に比べて、給水圧力の変動が大きい。

4 ポンプ直送方式
- 受水槽から給水ポンプで、直接建築物に給水する方式

5 受 水 槽
- 周囲および下部に60cm以上、上部に100cm以上の保守点検スペースを設ける。

6 給 水 量（1日一人当たり）
- 独立住宅：200～400ℓ程度
- 集合住宅：200～350ℓ／人程度
- 事 務 所：60～100ℓ程度

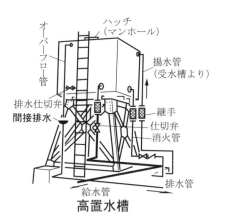

T：受水槽　P：揚水ポンプ

高置水槽方式　　　圧力水槽方式

高置水槽

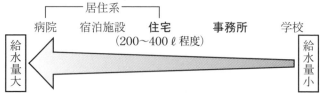

7 必要水圧

- 一 般 水 栓：30 k Pa
- **フラッシュ弁**：70 k Pa
- ガス瞬間給湯器：50 k Pa

8 留意事項

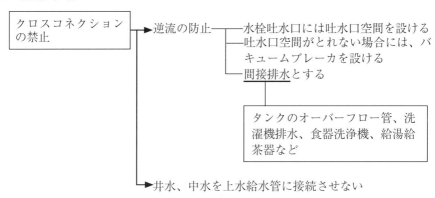

```
┌─────────────┐     ┌逆流の防止─┬─水栓吐水口には吐水口空間を設ける
│クロスコネクション│──▶│           ├─吐水口空間がとれない場合には、バ
│の禁止        │     │           │ キュームブレーカを設ける
└─────────────┘     │           └─間接排水とする
                    │
                    │   ┌──────────────────────┐
                    │   │タンクのオーバーフロー管、洗│
                    │   │濯機排水、食器洗浄機、給湯給│
                    │   │茶器など                  │
                    │   └──────────────────────┘
                    │
                    └─▶井水、中水を上水給水管に接続させない
```

- **クロスコネクションの禁止**

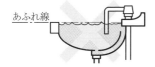

あふれ線

[吐水口を排水や排水管と
接しないようにする]

吐水口空間：給水栓の吐水口端とその水受け容器の
あふれ縁との垂直距離。

9 給湯設備

- 給湯循環ポンプは、配管内の湯の温度低下を防ぐために、湯を強制的に循環させるものである。

❷ 排水・衛生設備

〔排 水 方 法〕

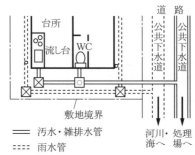

台所
流し台　WC

道　路
公共下水道　公共下水道

敷地境界

━━ 汚水・雑排水管
┈┈ 雨水管
⊠ ：トラップます
▢ ：インバートます

河川・海へ　処理場へ

公共下水処理施設のある場合
（分流式）

〔排水に必要な器具〕
- 臭気の流入防止 ⇨ **トラップ**を設ける
- 排水管のつまりの防止 ⇨ **阻集器**を設ける
- 封水切れの防止 ⇨ **通気管**を設ける

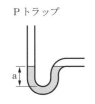

Ｐトラップ

a：トラップの深さ

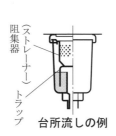

（ストレーナー）
阻集器
トラップ

台所流しの例

通気横枝管
通気立て管　排水立て管
大便器　ストール小便器　洗面器　床排水　浴　槽
排水横枝管

回路通気の例

1　トラップ
- 流れが阻害されるので、排水トラップを**二重**に設けてはならない。
- 排水トラップの**深さ**は、一般に、**5〜10cm**とする。
- 排水トラップを設ける目的は、排水管内の臭気・害虫などの室内への侵入を防止することである。
- ＳトラップよりＰトラップのほうが、**自己サイホン作用**を起こしにくい。
- わんトラップは、わん金物が取り外されると封水機能を失う。
- 営業用厨房の排水管系統には、グリース阻集器(グリーストラップ)を設ける。

グリーストラップ

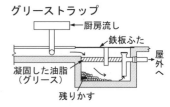

厨房流し
鉄板ふた
屋外へ
凝固した油脂（グリース）
残りかす

2 排 水 槽

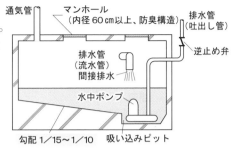

- 通気管は、単独で屋外に開放する。
- 排水槽の**マンホール**は、有効内径
  60cm以上とする。
- 排水槽の底部には**吸い込みピット**
  を設け、その槽の底部はピットに
  向かって**下がり勾配**とする。

3 通 気 管

- 通気管は、排水管内の圧力変動を緩和し、排水トラップの封水を保護するために設ける。
- 排水立て管の上部は、伸頂通気管として延長し、**大気中**に**開口**する。
- 通気管の末端は、開口部付近に設ける場合、その開口部の上端から**60cm以上立ち上げる**か、又は**水平に3m以上離す**。
- 横走りする通気管は、その階にある最高位の衛生器具のあふれ縁より、**15cm以上立ち上げて横走り**させる。
- **通気立て管は、雨水立て管と兼用してはならない。**

4 排 水 管

- 排水立て管の管径は、上層階から下層階まで**同じ管径**とする。
- 上水が接続される機器の排水は、**間接排水**とする。
- 間接排水を受ける水受け容器には、排水トラップを設ける。
- 雨水排水管（雨水立て管を除く）を敷地内の汚水排水管に接続する場合には、トラップますを設ける。

〔ますの構造と機能〕

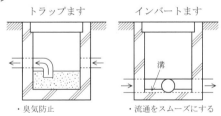

トラップます   インバートます

・臭気防止   ・流通をスムーズにする

給水設備、排水・衛生設備に関する次の記述について、**適当か、不適当か、判断しなさい。**

▌給水設備▐

問題1
　上水道の給水栓からの飲料水には、所定の値以上の残留塩素が含まれていなければならない。

問題2
　水道直結直圧方式は、水道本管の水圧によって必要な箇所に給水する方式である。

問題3
　ポンプ直送方式は、受水槽を設け、給水ポンプによって、建築物内の必要な箇所に給水する方式である。

問題4
　高置水槽方式の高置水槽は、建築物内で最も高い位置にある水栓、器具等の必要圧力が確保できる高さに設置する。

問題5
　圧力タンク方式は、一般に、高置水槽方式に比べて、給水圧力の変動が大きい。

問題6
　飲料水用の受水槽を建築物内に設置する場合、原則として、周囲及び下部に60cm以上、上部に100cm以上の保守点検スペースを設ける。

問題7
　クロスコネクションとは、飲料水の給水・給湯系統とその他の系統が、配管・装置により直接接続されることをいう。

問題8
　バキュームブレーカは、吐水した水又は使用した水が、逆サイホン作用により給水管に逆流するのを防止するために設ける。

問題9
　大便器の洗浄弁における最低必要圧力は、一般に、70kPaである。

問題10
　給湯設備における加熱装置と膨張タンクをつなぐ膨張管には、止水弁を設ける必要がある。

問題11
　排水トラップを設ける目的は、排水管内の臭気・衛生害虫などの室内への侵入を防止することである。

問題12
　排水トラップの深さは、一般に、5〜10cmとする。

問題13
　流れが阻害されるので、排水トラップを二重に設けてはならない。

問題14
　通気管は、排水管内の圧力変動を緩和するために設ける。

問題15
　通気管の末端は、窓等の開口部付近に設ける場合、その開口部の上端から60cm以上立ち上げるか、又は当該開口部から水平に3m以上離す。

問題16
　横走りする通気管は、その階の最高位にある衛生器具のあふれ縁より15cm以上上方で横走りさせてはならない。

問題17
　雨水排水立て管は、通気立て管と兼用してはならない。

問題18
　自然流下式の排水立て管の管径は、一般に、上層階より下層階のほうを大きくする。

問題19
　飲料用受水槽のオーバーフロー管の排水は、一般排水系統の配管に間接排水とする。

問題20
　雨水排水管（雨水排水立て管を除く）を敷地内の汚水排水管に接続する場合には、トラップますを設ける。

問題1　適当

飲料水には、細菌の繁殖を抑えるため、**残留塩素濃度**が規定されている。

問題2　適当

水道直結直圧方式は、**水道本管の圧力**（150〜200ｋＰａ）だけで各所に給水する方式である（揚水ポンプは不要）。

【参考】ポンプ直送方式に比べて、設備費が安価で、維持管理がしやすい。

問題3　適当

ポンプ直送方式は、**受水槽**の水を**給水ポンプ**により建築物内の必要箇所に給水する方式。給水圧力は水圧制御により安定する。

問題4　適当

高置水槽の設置高さは、建物内の**最上部の水栓**、器具の**必要圧力**（**普通水栓で30ｋＰａ、シャワーで70ｋＰａ**）、各水栓までの摩擦損失などを考慮して求める。

問題5　適当

圧力水槽方式（圧力タンク方式）は、水槽内の**空気圧力**（水槽内に加圧送水することによって生じる空気圧）を利用して給水する方式であり、ポンプの起動時や水槽内水量の変化による給水圧力の変動は、高置水槽方式より大きい。

問題6　適当

飲料水用の受水槽を建築物内に設置する場合、**保守点検スペース**として、**上部**は点検用ハッチから出入りできるよう**100cm以上**の空間を設け、**周囲**及び**下部**には60cm以上の空間が必要である。

問題7　適当

クロスコネクションとは、混交配管ともいわれ、上水と井水や排水再利用水等の系統が直接接続されることで、給水配管では禁止されている。

問題8　適当

バキュームブレーカは、大便器のフラッシュバルブに接続し、汚水が逆流して給水管が汚染されるのを防止する器具である。なお、汚水の逆流は、水栓が閉じた瞬間に発生する負圧が原因で逆サイホン作用となるために生ずる。

問題9　適当

大便器の洗浄弁（フラッシュ弁）やシャワーの最低必要圧力は、一般に、**70ｋＰａ**である。

問題10　不適当

膨張管は、**常時開放**しておかなければならないため、止水弁などの弁類を設けてはならない。

問題11　適当
　トラップとは、排水管を屈曲させたり、流出部を流入部より高くするなどの方法で**水封部**をつくり、管内の臭気や害虫などの侵入を防止する装置。

問題12　適当
　排水トラップの深さは、深すぎると排水の流れを阻害し、浅すぎると封水が失われるおそれがあるので、一般に、**5〜10cm**とする。

問題13　適当
　二重トラップは、流れを阻害するので禁止されている。

問題14　適当
　通気管は、排水管内の**圧力変動**を緩和するために設けるものである。トラップの封水の**はね出し、吸込み作用**を**防ぐ**ことができる。

問題15　適当
　通気管の末端を建築物の出入口・窓・換気口などの開口部付近に設ける場合、悪臭の流入を防止するため、それら**開口部の上端から60cm以上立ち上げる**か、または**水平に3m以上離して**大気中に開放する。

問題16　不適当
　横走りする通気管（通気横管）は、排水管が詰まった場合でも容易に排水が流入しないよう、その排水最高器具の**あふれ縁より15cm以上上方で**横走りさせる。

問題17　適当
　雨水排水立て管は、一時的に大量の降雨を処理する場合などを考慮し**専用配管**とし、雑排水・汚水・通気などの立て管と兼用してはならない。

問題18　不適当
　自然流下式排水立て管は、下層階から上層階まで同じ管径とする。

問題19　適当
　飲料用受水槽の**オーバーフロー管**（あふれ管）は、排水管から逆流する悪臭・ガス等でタンクが汚染されないよう、一旦大気中に開口させてから、排水管に接続する**間接排水**とする。

問題20　適当
　雨水排水管を敷地内の汚水排水管に接続する場合は、汚水の悪臭が逆流しないよう、封水部分をもつトラップますを設けた後にインバートますで合流させる。

電気・照明設備

❶ 電気設備

1 配　電

交流電力：A（電流）× V（電圧）×力率（1未満）＝有効電力

〔配電経路〕

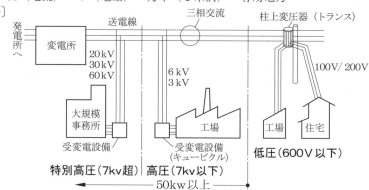

2 屋内配線

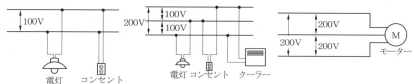

単相2線式 100V　　単相3線式 100V / 200V　　三相3線式 200V

3 配線工事

配線は、硬質ビニル管、可とう電線、管線ぴ
などの他、図のような方法で行なう。

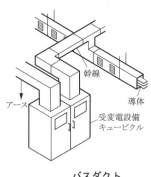

バスダクト

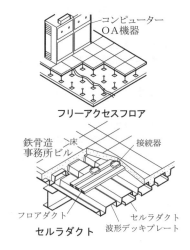

フリーアクセスフロア

セルラダクト

② 照明設備

1 所要照度

lx	1,000 程度	750 程度	500 程度	300 程度	100 程度
作業	細かな 視作業	やや精密な 視作業	普通の 視作業	やや粗い 視作業	ごく粗い 視作業

2 照明方式

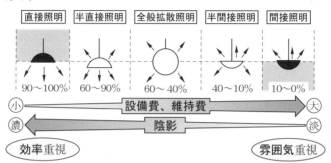

3 光源

4 受照面照度の算定
〔受照面照度に影響するもの〕
- 1灯当たりの光束
- 保守率
- 光源数
- 光源との距離

- 照明方式
- 内装仕上げの反射率 —— 照明率
- 室指数（室内の形態）

- 点光源による直接照度は、点光源からの距離の2乗に
反比例する。

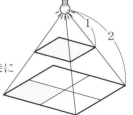

距離2倍：面積4倍

電気・照明設備に関する次の記述について、**適当か**、**不適当か**、判断しなさい。

▌電気設備▌

check
問題1
小規模な住宅における屋内の電気方式には、一般に、単相2線式100V又は単相3線式100V/200Vが用いられる。

check
問題2
電力の供給において、負荷容量、電線の太さ・長さが同一であれば、配電電圧を低くするほうが、配電線路における電力損失が少なくなる。

check
問題3
分電盤は、一般に、負荷の中心に近く、保守・点検の容易な場所に設ける。

check
問題4
進相用コンデンサは、電動機等の力率を改善する目的のため、電動機回路に接続される。

check
問題5
同一電線管に収める電線本数が多くなると、それぞれの電線の許容電流は小さくなる。

check
問題6
バスダクト配線方式は、大容量幹線に適している。

check
問題7
低圧屋内配線において、合成樹脂製可とう管は、コンクリート内に埋設してはならない。

check
問題8
300V以下の低圧用機器の鉄台の接地には、一般に、D種接地工事を行う。

check
問題9
受電電圧は、一般に、契約電力により決定される。

問題10
　細かい視作業をする事務室の机上面における水平面照度は、1,000lx程度必要である。

問題11
　タスク・アンビエント照明は、ある特定の部分だけを照明する方式である。

問題12
　点光源による直接照度は、点光源からの距離の2乗に反比例する。

問題13
　光束法による全般照明の照度設計においては、光源からの直接光のみを考慮して計算し、天井、壁等の反射光は考慮しなくてよい。

問題14
　色温度の低い光源を用いた場合、一般に、暖かみのある雰囲気となる。

問題15
　蛍光ランプは、白熱電球に比べて、効率が高く寿命が長い。

問題16
　蛍光ランプは、白熱電球より輝度が低く色温度が高い。

問題17
　発光ダイオード(LED)は、電流を流すと発光する半導体素子であり、消費電力が少なく寿命が長いなどの特徴がある。

問題18
　拡散パネル又はルーバーなどを装着した照明器具は、グレアの防止に有効である。

問題1　適当
　設備容量が小さい住宅の電源は、一般に、**単相2線式100V**が用いられ、大容量の大型電気器具を用いる場合は、効率的な**単相3線式100V/200V**も採用される。
　【参考】中小規模の**事務所ビル**において、電灯・コンセント用幹線の電気方式には、一般に、**単相3線式100V/200V**が用いられる。

問題2　不適当
　電力は、**電圧**と**電流**の**積**に比例する。電力を一定とした場合、電圧を小さくすれば電流を大きくしなければならず、逆に電圧を大きくすれば電流を小さくすることができる。また、送電する電線には抵抗があるため、電力の損失が発生する。この**電力損失**は、電流の大きさの2乗に比例するので、**電圧をなるべく高くし、電流を小さく**することにより、**電力損失を少なく**することができる。

問題3　適当
　幹線から配線を分岐する**分電盤**は、線の延長による電圧損失や工費増を考慮して、**負荷の中心に近く**、かつ**保守・点検の容易**な場所に設けることが望ましい。

問題4　適当
　力率とは、交流の電力において、見かけの電力に対して有効にエネルギーとして取り出せる電力（有効電力）の割合をいう。力率の低下は、電流の位相が電圧の位相よりも遅れることによるため、**進相用コンデンサ**を電動機回路に接続し、電流の位相を進めることで**力率を改善**することができる。

問題5　適当
　電線を金属管に収める**電線数**が多くなると、**許容電流値は小さくなる**。

問題6　適当
　バスダクトは、金属性のダクト内に銅やアルミの導体を取り付け、**大容量**の電流を流す幹線としたものである。

問題7　不適当
　低圧屋内配線において、屈曲部に使用する**合成樹脂可とう管**は、耐腐食性があり、強度もあるので、**コンクリート内**に**埋設してもよい**。

問題8　適当
　接地工事は、使用電圧などによりA種～D種の4種類に分けられ、電圧が**300V以下**の低圧用の場合はD種接地工事、電圧が**300V**を超える低圧用の場合はC種接地工事、高圧又は特別高圧用の場合はA種接地工事と規定されている。

問題9　適当
　交流電力の受電電圧は、**600V以下の低圧**、600Vを超え7,000V以下の高圧、7,000Vを超える特別高圧に区分され、電力会社との**契約電力**により決定される。一般に、**契約容量50kW未満は低圧、50kW以上は高圧**で供給される。

問題10　適当
事務室の作業面（机上面）の水平面照度は、**細かい視作業**を行う場合**1,000 lx**程度が基準である。

問題11　不適当
タスク・アンビエント照明は、特定の視作業（**タスク**）を行う部分だけを照らす「**局部照明**」と、その周囲の室内全体（**アンビエント**）を一定の明るさに保つ「**全般照明**」という２種類の照明を**併用**する方式である。

問題12　適当
点光源による直接照度は、光源の**光度**に**比例**し、点光源からの距離の「**２乗**」に**反比例**する。図は、距離が２倍になれば、光の拡散面が４倍になることを示している。このように光の拡散面が距離の２乗に比例して拡大するため、照度はそれに反比例することになる。

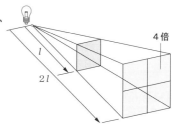

問題13　不適当
光束法による照度設計の計算時には照明方式や室の形状による指数のほか、天井や壁の**反射率**などを考慮した**照明率**を用いる。天井や壁等の反射光が大きければ少ない灯具で所要の照度が得られる。

問題14　適当
色温度は、低いほうから高くなるのにしたがい、赤、オレンジ、黄色、白色、青白色の光の色を表し、**低い**ほうが赤色系なので**温かみ**のある雰囲気となる。

問題15　適当
蛍光ランプは、白熱電灯に比べ**効率**が、同じワット数で３～５倍と**高く**、**寿命**も100W白熱灯は1,000～1,500時間なのに対し、40W蛍光灯では7,500～10,000時間と非常に**長い**。

問題16　適当
蛍光ランプは白熱電球より発光部の面積が大きいので、光の発散面の明るさを示す**輝度**は低い。また、**色温度**は、光の色を示す指標で、蛍光ランプは4,500K（昼光色6,500K）と**高く**、白熱電灯は2,850Kでかなり低い。

問題17　適当
発光ダイオード（ＬＥＤ）とは、半導体で作ったダイオードを利用した発光素子。**発熱**が少なく、**寿命**は、蛍光ランプの２～５倍と非常に**長い**という特徴がある。

問題18　適当
グレア（まぶしさ）は、見る対象物とその周囲との輝度差が大きすぎて見えづらくなる現象である。**拡散パネルやルーバー**などで光を拡散させ、方向性を小さくしてやることにより、**グレアを防止**することができる。

消火・防災設備

① 消火設備

A 火災〔一般〕、B 火災〔油〕、C 火災〔電気〕

適用	A 火災	A、B 火災	A、B、C 火災
設備	屋内消火栓設備 スプリンクラー設備 連結送水設備（高層階用） 連結散水設備（地階用） 屋外消火栓	泡消火設備 水噴霧消火設備	粉末消火設備 不活性ガス消火設備

〔初期消火に用いる〕
- **屋内消火栓設備** ⇨ A 火災用
  防火対象物の階ごとに、その階の各部分から 1 のホースの接続口までの水平距離は、25 m または 15 m 以下と定められている。
- **スプリンクラー設備** ⇨ A 火災用
  一般に、火災を自動的に感知して、放水するものである。
- **水噴霧消火設備** ⇨ A・B 火災用
  油火災に対しても、消火の目的を達成することができる。
- **泡消火設備** ⇨ A・B 火災用
  酸素供給の遮断と冷却効果により、消火を行うものである。
- **不活性ガス消火設備** ⇨ 全火災用
  水による消火に適さない対象物の消火を目的にしたものである。
  電気絶縁性が高いため、電気室や発電機室、コンピュータ室などに適している。

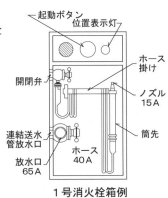

1 号消火栓箱例

〔消防隊による消火活動に用いる〕
- **連結送水管**
  送水口にポンプ車からの送水を接続し**高層階**を消火する。
- **連結散水設備**
  ポンプ車の送水を接続し、**地階**を消火する。

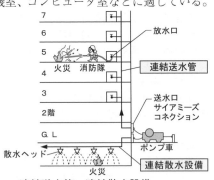

連結送水管・連結散水設備

② 防災設備

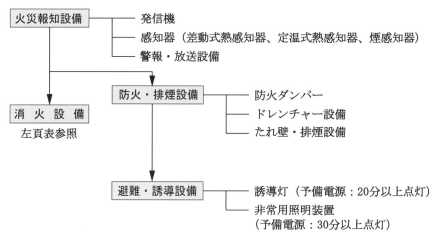

```
┌──────────┐      ── 発信機
│ 火災報知設備 │─────┼── 感知器（差動式熱感知器、定温式熱感知器、煙感知器）
└──────────┘      └── 警報・放送設備
      │
      ▼                ┌──────────┐      ── 防火ダンパー
┌──────────┐          │ 防火・排煙設備 │─────┼── ドレンチャー設備
│ 消 火 設 備 │          └──────────┘      └── たれ壁・排煙設備
└──────────┘                │
  左頁表参照                  │
                            ▼
                    ┌──────────┐      ── 誘導灯（予備電源：20分以上点灯）
                    │ 避難・誘導設備 │─────┤
                    └──────────┘      └── 非常用照明装置
                                        （予備電源：30分以上点灯）
```

※消火・防災設備すべての電源に予備電源を設ける

避難口誘導灯　　　通路誘導灯（屋内・廊下）　通路誘導灯（階段）

- **差動式熱感知器**
  温度の上昇率が急激に大きくなると作動する。
- **煙感知器**
  煙で作動し、**熱では作動しない**。自動閉鎖扉を連動させる。
- **ガス漏れ警報機**
  ＬＰＧの場合**床上 30 ㎝以内**、都市ガスの場合**天井下 30 ㎝以内**に設置する。
- **発信機**
  手動により押しボタンを操作し、受信機に発信する。
- **受信機**
  発信機または感知器からの信号によって出火場所を表示し、非常ベルを鳴らす。
- **音響装置**
  規定値以上の音量が必要である。

〔留意事項〕
- 消火設備・防災設備には、**非常電源**が必要。
- **誘導灯**の非常電源は、**20 分以上点灯**できるものとし、蓄電池とする。
- **非常用照明装置**の非常電源は、**30 分以上点灯**できるものとする。

消火・防災設備に関する次の記述について、**適当か**、**不適当か**、判断しなさい。

▌消 火 設 備 ▌

check

問題1
　屋内消火栓設備やスプリンクラー設備は、初期消火に有効である。

check

問題2
　屋内消火栓設備は、火災を自動的に感知し、放水して消火する設備である。

check

問題3
　連結送水管は、消防隊が消火活動をするための設備であり、消防ポンプ自動車で送水して使用する。

check

問題4
　泡消火設備は、泡により燃焼面を覆うことで空気の供給を絶つとともに、冷却効果により消火を行い、油火災に対して有効である。

check

問題5
　水噴霧消火設備は、油火災の消火には適さない。

▌自動火災報知設備 ▌

check

問題6
　受信機への電源回路は、専用回路とする。

check

問題7
　差動式感知器は、周囲の温度が一定の温度以上になった時に作動する。

check

問題8
　定温式感知器は、周囲の温度の上昇率が一定値以上になったときに作動する。

check

問題9
　煙感知器は、煙により作動し、熱によっては作動しない。

check

問題10
　発信機は、手動によって火災信号を受信機に発信するものである。

check □□□

問題11
　受信機は、感知器又は発信機からの信号によって自動的に出火場所を表示し、音響装置を鳴動させる。

check □□□

問題12
　受信機の音響装置は、規定値以上の音圧が必要である。

check □□□

問題13
　非常警報設備は、火災の感知と音響装置による報知とを自動的に行う設備である。

▌その他防災設備 ▌

check □□□

問題14
　誘導灯には、蓄電池による非常電源が必要で、停電時に継続して20分間点灯できるものとする。

check □□□

問題15
　非常用の照明装置の予備電源は、停電時に充電を行うことなく20分間継続して点灯できるものとする。

check □□□

問題16
　煙感知器と連動する防火戸には、予備電源が必要である。

check □□□

問題17
　非常用エレベーターは、火災時における在館者の避難を主目的とした設備である。

check □□□

問題18
　屋内消火栓設備の非常電源には、非常電源専用受電設備、自家発電設備、蓄電池設備又は燃料電池設備の四種類がある。

check □□□

問題19
　避雷設備は、高さ20mを超える建築物において、その高さ20mを超える部分を雷撃から保護するように設ける。

check □□□

問題20
　ＬＰガス（プロパンガス）のガス漏れ警報器の検知部は、天井面の近くに設置する。

問題1　適当、問題2　不適当

スプリンクラー設備とは、天井などに多数設置されたスプリンクラーヘッドが火災時の熱を感知し、自動的に散水する設備である。**初期消火**にきわめて有効である。

屋内消火栓設備は、廊下などわかりやすい場所に所定の間隔以下で設置し、火災発生時、管理者や発見者が容易に消火活動が行えるようにした設備。主に**初期消火**に用いられ、**手動操作**により放水する。

【参考】閉鎖型スプリンクラー設備は、火災を自動的に感知して、散水して消火する設備である。

問題3　適当

連結送水管は、高層階に設置される消防隊専用の消火栓に送水するための設備。建物の外壁等に設置された送水口に**消防ポンプ車**の**ホースを接続**し、屋内に消火用水を圧送する。

問題4　適当

泡消火設備は、水と炭酸ガスを含んだ泡をフォームヘッドから放出させ、**冷却**と**窒息効果**により消火するもので、**一般火災**及び**油火災**に対して適している。なお、通電性があるので、電気火災には適していない。

問題5　不適当

水噴霧消火設備は、噴霧された水が瞬時に蒸発して水蒸気となり、燃焼物周囲の酸素を遮断して消火するもの。したがって、水が燃焼物周辺に流れることがないため、**油火災**にも適している。

問題6　適当

自動火災報知設備の**受信機**への**電源回路**は、蓄電池または交流低圧屋内幹線から他の配線を分岐せず**専用回路**とする。

問題7・8　不適当

自動火災報知設備の**差動式熱感知器**は、周囲の**温度上昇が一定の率以上**になった時に作動し、**定温式感知器**は、周囲の**温度が一定以上**になったときに作動するものである。

問題9　適当

煙感知器は光電式が最も一般的であり、これは発光器と受光器からなり、**煙**で光が遮断されることによって作動するものである。したがって、熱によっては作動しない。

問題10　適当

自動火災報知設備の**発信機**は、火災発見者が**手動**で押しボタンを押し、受信機に**発信**するもの。

問題11　適当
　受信機は信号を受け、出火場所を表示し、警報ベル等の音響装置を作動させる。その音量は、1m離れたところで90dB以上必要である。

問題12　適当
　自動火災報知設備の**非常ベル**等の**音響装置**は、**規定値以上の音圧**（1m離れた位置で90dB以上）が必要である。

問題13　不適当
　非常警報設備は、火災の発生を、建物内の人々に知らせるための装置で、火災発見者や通報を受けた管理者が**ボタンを押し**、非常ベルやサイレン、非常放送などを**作動**させるものである。自動的に行う設備ではない。

問題14　適当
　誘導灯の**非常電源**は、蓄電池により停電時に継続して**20分以上**点灯できるものとする。

問題15　不適当
　非常用照明装置には、**予備電源**（自動的に切換えられる蓄電池等）を設け、停電時**30分以上**点灯できるものとする。

問題16　適当
　煙感知器に連動する**防火戸**には、蓄電池や非常用発電機などの**予備電源**が必要である。

問題17　不適当
　非常用エレベーターは、高さ**31m以上**の高層建築物に設置されるもので、主として、**消防隊**が高層階の**消火活動**を行うための設備である。なお、非常用エレベーターを一般の避難経路として計画してはならない。

問題18　適当
　屋内消火栓設備をはじめ、消火や防災に関わる設備には、一般電源が停電したときのために**非常用電源設備**が必要である。非常電源には、**非常電源専用受電設備、自家発電設備、蓄電池設備又は燃料電池設備**の4種類があり、その配線は耐熱処理が必要である。

問題19　適当
　避雷設備は、建築物の高さ**20mを超える部分**を雷撃から保護するように設けなければならない。

問題20　不適当
　ＬＰガス（プロパンガス）のガス漏れ警報機の感知部は、ＬＰガスの比重が空気より重く、漏洩したとき床面近くに滞留しやすいので、**床上30cm以下**、ガス器具から**水平距離4m以内**に設置する。

Check Point 11 設備融合

❶ 省エネルギー・環境保全

1　外皮平均熱貫流率(U_A値)〔単位：$W/(m^2 \cdot K)$〕

住宅の外皮の断熱性を総合的に判断するための指標。

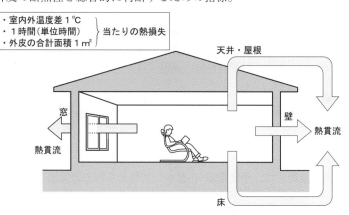

・室内外温度差1℃
・1時間(単位時間)　　}当たりの熱損失
・外皮の合計面積1m²

天井・屋根

窓

壁

熱貫流

熱貫流

床

$$外皮平均熱貫流率(U_A値) = \frac{単位温度差当たりの外皮熱損失量}{外皮総面積}$$

住宅の外皮(壁、天井、床等)を通じて、熱貫流によって失われる熱量を、**室内外の温度差1℃**につき、**外皮の合計面積1m²および1時間当たり**について表した数値。

2　年間熱負荷係数(ＰＡＬ＊)

ペリメーターゾーン(屋内周囲空間)での年間冷暖房負荷をその床面積で除した値で、この値が小さいほど、建物の外周域での熱損失が小さい。

$$ＰＡＬ＊ = \frac{屋内周囲空間の年間熱負荷}{延べ面積}$$

ペリメーター部分の窓の断熱性能を高めれば、ＰＡＬを小さくすることができる。

3　成績係数(ＣＯＰ)

冷凍機やヒートポンプが、**投入されたエネルギーの何倍の冷凍能力**を出せるかを示したもので、ＣＯＰが**大きいほど冷凍効率がよい**。

4　ライフサイクルCO_2(ＬＣCO_2)

建築物の**使用期間全体**(建設(資材製造を含む)から、**運用、廃棄に至るまでの期間**)の二酸化炭素の排出量。地球温暖化防止の観点から、建築が地球環境に及ぼす影響を図る指標。

5　環境総合性能評価システム（ＣＡＳＢＥＥ）

　建築物を環境性能に応じてランク付けし、地球環境問題に対応するサステナブル（持続可能）な建築の整備を推進することが目的である。

$$建築物の環境性能効率（BEE） = \frac{建築物の環境性能（Q）}{建築物の外部環境負荷（L）}$$

※数値が大きいほど、建築物の環境性能が高い

6　その他の省エネルギー手法
- ●ライフサイクルコスト（ＬＣＣ）の算出
- ●タイマー制御（タイムスケジュールによる）
- ●インバータ制御
- ●氷蓄熱方式
- ●外気冷房
- ●照明負荷の低減
- ●タスク・アンビエント照明
- ●太陽熱利用温水器
- ●コージェネレーションシステム

2　用　　語

◆各種設備用語と意味
- ●ファンコイルユニット ― 室内置型個別放熱器
- ●パッケージユニット ―― 熱源一体型空調機
- ●ヒートポンプ ――――― 夏冬兼用熱源方式
- ●クーリングタワー ――― 冷却塔
- ●クロスコネクション ―― 上下水混交配管
- ●フラッシュバルブ ――― 大便器洗浄弁
- ●ロータンク ―――――― 便器用タンク
- ●キュービクル ―――――― 受変電設備
- ●バスダクト ―――――― 幹線用ダクト
- ●フロアダクト ――――― 配線用床埋め込みダクト
- ●ダウンライト ――――― 天井埋め込みライト
- ●ドレンチャー ――――― 屋根・外壁用放水口

▌ 省エネルギー ▌

問題1
　外気冷房は、中間期や冬期において冷房負荷が存在するときに、省エネルギー効果が期待できる。

問題2
　電気室は、負荷までの経路が長くなるように配置した。

問題3
　外気負荷を低減するために、全熱交換型の換気設備を用いた。

問題4
　蓄熱槽を小さくするために、氷蓄熱を採用した。

問題5
　環境への配慮の度合いを、ライフサイクル二酸化炭素排出量（LCCO$_2$)により評価した。

問題6
　窓の断熱性能を高めて、PAL＊(年間熱負荷係数)の値を大きくした。

問題7
　COP(成績係数)が小さいルームエアコンを採用した。

問題8
　建築物の環境性能を高めるために、CASBEE（建築環境総合性能評価システム）により算出されるBEE（建築物の環境性能効率）の数値が小さくなるような環境対策を行った。

建築設備に関する用語・器具・目的の組合せについて、**適当か、不適当か**、判断しなさい。

check
問題9
　室指数 ──────────── 換気設備

check
問題10
　保守率 ──────────── 照明設備

check
問題11
　摩擦損失 ──────────── 給水設備

check
問題12
　同時使用率 ──────────── 電気設備

check
問題13
　膨張管 ──────────── 給湯設備

check
問題14
　アウトレットボックス ──────── 給水設備

check
問題15
　フロアダクト ──────────── 電気設備

check
問題16
　ファンコイルユニット ──────── 空気調和設備

check
問題17
　クーリングタワー ──────────── 排水設備

check
問題18
　キュービクル ──────────── 電気設備

解 説

問題1　適当

　外気冷房とは、外気温が室温より低い場合、外気を取り入れて室内を冷房すること。冬期でも冷房負荷が発生する場合（コンピュータ室や大規模商業施設のインテリア部分など）に有効である。

問題2　不適当

　電気室の位置は、配線の延長による送電ロスなどを考慮して、**負荷までの経路が短くなる**ように計画することが望ましい。

問題3　適当

　全熱交換器は、換気時、排気の顕熱と潜熱を回収することができるので、全熱交換型の換気設備を用いることによって、**外気負荷を低減**することができる。

問題4　適当

　氷蓄熱は、水の温度差（顕熱差）に加え、氷から水への融解潜熱も利用できるため、水蓄熱の場合より**小さな蓄熱槽**でより**大きな熱量**を蓄熱できる。

問題5　適当

　ライフサイクル二酸化炭素排出量（LCCO$_2$）とは、建築物などの原材料採取時から建設・保守管理・廃棄に至るまでの**生涯を通じてのCO_2の排出量**で、省エネ、長寿命、エコマテリアルの使用、廃棄物の適正処理などにより低減できるので、この値によって環境配慮の度合いを評価できる。

問題6　不適当

　ペリメーター年間熱負荷係数（PAL＊）は、ペリメーターゾーン（屋内周囲空間）での**年間冷暖房負荷**をその部分の床面積で除した値。この値が**小さいほど省エネ**とみなされる。ペリメーター部分の窓の断熱性能を高めれば、PALを小さくすることができる。

問題7　不適当

　成績係数（COP：Coefficient Of Performance）とは、空調設備の熱源機器などが投入された電力等のエネルギーに対し、どれだけの能力を出したかを示す係数。**成績係数が大きいほど性能・効率がよい**ので、環境に配慮し、<u>エアコンはCOPの大きい機器を採用すべきである。</u>

問題8　不適当

　建築物の環境性能を高めるために、**CASBEE（建築環境総合性能評価システム）**により算出される**BEE（建築物の環境性能効率）**は、「建築物の環境品質・性能」を「建築物の外部環境負荷」で除した値であり、<u>数値が大きいほど建築物の**環境性能が高い**</u>と評価する。

問題9　不適当
　室指数とは、**照明計算**を行うとき、室の奥行き、幅、天井高(灯具の高さ)の違いによる**照明効率**を求めるための係数である。**照明設備**に分類される。

問題10　適当
　保守率とは、照明器具の配置などを行う時の照明計算で、経年変化により灯具の明るさが次第に低下することをあらかじめ見込んでおくための係数である。

問題11　適当
　摩擦損失は、給水管内を水が流れる時、管壁と水との摩擦抵抗によって生じる給水圧力の損失。最も遠い部分にある水栓の必要給水圧を確保できるように、摩擦損失を計算した上で、配管径やポンプの能力を決める。

問題12　不適当
　同時使用率とは、給水器具総数に対するある期間の使用器具数の割合を表すもので、器具総数が多いほど値は小さくなる。給水方式、受水槽容量、ポンプの必要能力を決める際に必要な係数である。

問題13　適当
　膨張管とは、給湯設備や温水暖房設備で、温度上昇時の膨張量を吸収するための膨張タンク(エキスパンションタンク)に接続されるパイプ。

問題14　不適当
　アウトレットボックスとは、電線を引き出すために電気配管の端末や中間に取り付けられる箱型の器具。電気設備に分類される。

問題15　適当
　フロアダクトは、コンクリート床内に金属製ダクトを埋め込んで配線する床用電線管で、コンセントや電話線などを床面の必要な箇所で取り出すことができる。

問題16　適当
　ファンコイルユニットとは、ユニット内部のコイルで、熱交換した空気を送風ファンにより送り出し、室内を空調する機器。ボイラーや冷凍機などの熱源機器は、機械室に別に設けられる。

問題17　不適当
　クーリングタワー(冷却塔)とは、冷却水を通じて冷凍機の排出する熱を外気へ放出する装置である。空気調和設備に分類される。

問題18　適当
　キュービクルとは、変圧器などの機器を鋼製の箱の中に納めた受変電装置。電気設備に分類される。

① 駐 車 場

- はり下高さ≧2.3m（車路）、≧2.1m（駐車場所）
- 駐車方法

一般の駐車

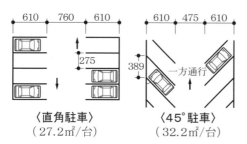

〈直角駐車〉
（27.2㎡/台）

〈45°駐車〉
（32.2㎡/台）

※車いす駐車の場合、
幅3.5m以上

② 面積・規模

面積

室名	面積	
保育所の保育室	1.98以上（㎡/人）	
保育所のほふく室	3.3以上（㎡/人）	
病院の病室	6.4以上（㎡/床）	小児病室は6.4㎡×2／3
事務所の事務室	5〜10程度（㎡/人）	
特別養護老人ホーム	10.65以上（㎡/人）	
小・中学校の普通教室	1.5〜1.8（㎡/人）	理科教室は3㎡/人程度
映画館・劇場の客席	0.5〜0.7（㎡/席）	

③ 寸法設計

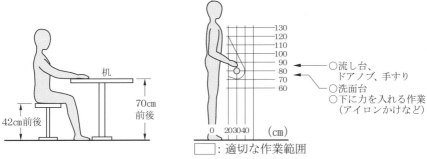

机

70cm
前後

42cm前後

130
120
110
100
90
80
70
60

○流し台、
　ドアノブ、手すり
○洗面台
○下に力を入れる作業
　（アイロンかけなど）

0　203040　（cm）

□：適切な作業範囲

高さの寸法

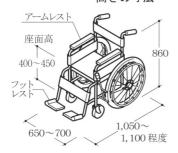

アームレスト

座面高

400〜450

フット
レスト

860

650〜700

1,050〜
1,100 程度

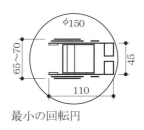

φ150

65〜70

45

110

最小の回転円

車いすの寸法

④ 屋根・開口部・仕上げ

〔屋根勾配〕

防雨・防水性が良いほど緩勾配

日本瓦＞繊維強化セメント板＞アスファルトシングル＞金属板平板＞金属板瓦棒＞アスファルトシート（陸屋根）

急 ＝＝＝＝＝〈勾配〉＝＝＝＝＝ 緩

〔開　口　部〕
- 外部に面する扉：雨仕舞を考慮（外開き）……防犯を考慮：内開き
- 通路に面する扉：通行人を考慮（内開き）

〔仕　上　げ〕
- 防火材料：石こうボード・繊維強化セメント板
- 防音・吸音材料：じゅうたん、テックス（天井材）

駐輪場・駐車場

check

問題1
　自転車1台当たりの駐輪スペース（幅×奥行）を、60cm×190cmとした。

check

問題2
　小型自動二輪車が平行に駐車できるように、1台当たりの幅を90cmとした。

check

問題3
　直角駐車形式の屋内駐車場において、自動車用車路の幅員を6.0mとした。

check

問題4
　屋内駐車場の駐車部分のはり下の高さは、1.6m以上とし、自動車用車路のはり下の高さは、2.0m以上とした。

check

問題5
　自走式の立体駐車場において、自動車用の斜路の本勾配を、1/5とした。

check

問題6
　屋内駐車場において、自動車1台当たりの駐車所要面積は、一般に、直角駐車より60度駐車のほうが小さい。

面　　積

check

問題7
　保育所の保育室の所要床面積の最低基準は、1.98㎡/人である。

check

問題8
　小学校の普通教室の所要床面積は、1.5〜1.8㎡/人である。

check

問題9
　中学校の普通教室の所要床面積は、1.5〜1.8㎡/人である。

check

問題10
　映画館・劇場の客席の所要床面積は、0.5〜0.7㎡/席である。

check ☐☐☐

問題11
事務室の所要床面積は、5～10㎡/人である。

check ☐☐☐

問題12
病院において、患者4人収容の一般病室の内法^{のり}面積を、20㎡とした。

▌ 高齢者・身体障がい者のための寸法設計 ▌

check ☐☐☐

問題13
コンセントの中心高さは、抜き差しを考慮して、床面から250㎜とした。

check ☐☐☐

問題14
高齢者に配慮して、またぎやすいように、浴槽の縁の高さを床面から400㎜、浴槽の深さを550㎜とした。

check ☐☐☐

問題15
車椅子の利用を考慮し、出入口の有効幅を85cmとした。

check ☐☐☐

問題16
車椅子の利用を考慮し、エレベーターの操作ボタンの高さを、床面から130cmとした。

check ☐☐☐

問題17
廊下の有効幅を、車椅子2台がすれ違うことを考慮して、200cmとした。

check ☐☐☐

問題18
駐車場において、小型自動車1台当たりの駐車スペース（幅×奥行）を、300cm×600cmとした。

check ☐☐☐

問題19
歩行用のスロープの勾配を、1/12とした。

check ☐☐☐

問題20
車椅子使用者用の屋外傾斜路の勾配を、1/10以下とした。

check ☐☐☐

問題21
屋外において、階段に併設する傾斜路の幅を、120cmとした。

問題1　適当
　自転車1台当たりの**駐輪スペース**（幅×奥行）は、器具等を用いず、同一方向で配列する場合、**60cm×190cm**程度必要である。

問題2　適当
　小型自動二輪車1台当たりの駐車スペースは、**幅90cm程度、長さ230cm程度**必要である。なお、大型の自動二輪を対象とする場合は、幅120cm程度必要である。

問題3　適当
　屋内駐車場における自動車用**車路の幅員**は、**5.5m以上**とする。

問題4　不適当
　屋内駐車場における<u>自動車用**車路**のはり下の高さ</u>は、**2.3m以上、駐車部分では2.1m以上**とする。

問題5　不適当
　自動車用斜路（スロープ）の**勾配**は、**1/6以下**とする。

問題6　不適当
　屋内駐車場において、1台当たりの**駐車面積**は、斜め駐車より<u>**直角駐車**の方が**小**さい</u>。
　　【参考】駐車に要する面積の比較
　　　　　　直角駐車（約27㎡/台）
　　　　　　60度駐車（約30㎡/台）
　　　　　　45度駐車（約32㎡/台）

問題7　適当
　保育所の**保育室**の所要床面積は、幼児1人につき、**1.98㎡以上**必要である。児童福祉施設最低基準第32条。

問題8　適当
　小学校の**普通教室**の所要床面積は、児童1人当たり、**1.5〜1.8㎡**程度必要である。

問題9　適当
　中学校の**普通教室**の所要床面積は、生徒1人当たり、**1.5〜1.8㎡**程度必要である。

問題10　適当
　映画館の**客席**の所要床面積は、1人当たり、**0.5〜0.7㎡**程度必要である。

問題11　適当
　一般的な事務所の**事務室**の所要床面積は、1人当たり、**5〜10㎡**程度必要である。

問題12　不適当
　病院の**一般病室の床面積**は、内法面積で**1床当たり6.4㎡以上**と定められており、患者4人収容の病室（4床室）では、25.6㎡以上必要になる。

問題13　不適当
　壁付きコンセントの取付け高さは、プラグを容易に抜き差しできるように、**床面から400mm程度**とする。

問題14　適当
　高齢者が利用する浴室は、またぎやすく、車椅子からも移乗しやすいように、浴槽の縁の高さを床面から400〜450mm程度、浴槽の深さを500〜550mm程度とするのが望ましい。

問題15　適当
　公共建築物において、車椅子使用者用**出入口の有効幅**は、**80cm以上**とし、できれば90cm以上が望ましい。

問題16　不適当
　エレベーターの**操作ボタン**は、**床から100cm前後の高さ**に設け、車椅子使用者が利用しやすいようにボタンの配列を横型とする。

問題17　適当
　車椅子2台がすれ違う**廊下の有効幅**は、**180cm以上**が望ましい。

問題18　不適当
　車椅子使用者が利用する小型乗用車1台当たりの**駐車スペース**は、公共建築物の場合には、**幅350cm以上、奥行600cm程度**とする。

問題19　適当
　歩行者用スロープの勾配は、原則として、**1/12以下**とする。

問題20　不適当
　車椅子使用者用の**屋外傾斜路の勾配**は、**1/12以下**とする（1/15以下とするのが望ましい）。

問題21　適当
　傾斜路の幅は、階段に代わるものにあっては**120cm以上**、階段に併設するものにあっては90cm以上とする。

屋根・開口部・工法等に関する次の記述について、**適当か**、**不適当か**、判断しなさい。

▌ 屋根・開口部 ▐

check
問題1
　一般に採用される屋根仕上げによる最小勾配は、金属板瓦棒葺、アスファルトシングル葺、日本瓦葺の順に急となる。

check
問題2
　切妻屋根は、大棟から両側に葺きおろした屋根である。

check
問題3
　陸屋根は、勾配が極めて小さく平坦な屋根である。

check
問題4
　寄棟屋根は、大棟から四方に葺きおろした屋根である。

check
問題5
　入母屋屋根は、上部を切妻とし、下部の屋根を四方に葺きおろした屋根である。

check
問題6
　腰折れ屋根は、勾配が上部と下部とで異なり、上部が急勾配、下部が緩勾配の屋根である。

check
問題7
　外部に面する扉は、一般に、雨仕舞の点からは外開きとする。

check
問題8
　浴室の扉は、防水の点からは、外開きがよい。

check
問題9
　中廊下に面する事務室の扉は、一般に、内開きとする。

check
問題10
　飲食店において、客用の出入口を、タッチスイッチ式の自動ドアとした。

check
問題11
　エスカレーターの勾配を、1/2とした。

問題12

check □□□

　枠組壁工法（ツーバイフォー工法）は、木材を使用した枠組に構造用合板等を打ち付けることにより、壁及び床を構成する工法である。

問題13

check □□□

　ツーバイフォー工法では、必ず、2インチ×4インチの部材だけが使用される。

問題14

check □□□

　プレカット方式は、木材の継手・仕口を工場で加工する方式であり、枠組壁工法（ツーバイフォー工法）特有の方式ではない。

問題15

check □□□

　木質パネル工法は、あらかじめ工場で生産した木質パネルを、主に壁等の構造上主要な部分に使用し、現場で組み立てる工法である。

問題16

check □□□

　プレファブ工法は、部材をあらかじめ工場で生産する方式で、品質の安定化、工期の短縮等を目的とした工法であり大量生産が可能である。

問題17

check □□□

　ボックスユニット構法は、建築物の一部又は全体を、空間を内包する大型の部品としてあらかじめ組み立てておく構法である。

問題18

check □□□

　丸太組工法は、丸太材や角材を使用して、壁体を井桁のように組み上げる工法であり、従来、校倉造りと呼ばれてきた工法に近いものである。

問題1　適当
　イ. 金属板瓦棒葺 ──────────── 最小勾配　2/10程度
　ロ. アスファルトシングル葺 ─────── 最小勾配　3/10程度
　ハ. 日本瓦引掛け桟瓦葺 ──────── 最小勾配　4/10程度
したがって、イ－ロ－ハの順に勾配が急になる。

問題2　適当
　切妻屋根とは、大棟から両側に流れをもつ屋根で、一般的に用いられる。

問題3　適当
　陸屋根は、勾配が小さい平坦な屋根で、特に雨仕舞に配慮する必要がある。

問題4　適当
　寄棟屋根は、四方に流れる隅棟(降り棟)を持つ屋根のうち大棟のあるもの。なお、隅棟(降り棟)が一点に集まる屋根は方形(ほうぎょう)と呼ばれ区別する。

問題5　適当
　入母屋屋根は、上部を切妻とし、下部の屋根を四方に葺きおろした屋根である。

問題6　不適当
　腰折れ屋根は、マンサードともいい、勾配が上部と下部で異なり、**上部が緩勾配、下部が急勾配**の屋根となった形式である。

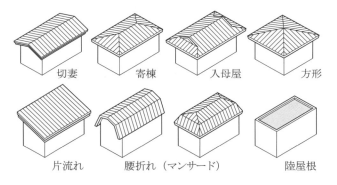

切妻　　　　寄棟　　　　入母屋　　　　方形

片流れ　　腰折れ（マンサード）　　　陸屋根

問題7　適当
　外部に面する扉は、室内側に雨水が浸入するおそれが少ない(**雨仕舞いがよい**)という点から**外開き**とすることが多い。

問題8　不適当
　浴室の扉は、脱衣室などに水が入らないように**浴室内へ開く内開き**とすることが望ましい。

問題9　適当

　廊下に面する**事務室の扉**は、廊下を通行する際の妨げにならないよう一般に、**内開き**とする。

問題10　適当

　飲食店では、出入口近くにレジがある場合が多く、付近を人が通ることで自動的に開くドアとすると、必要以外の時にもドアが開閉してしまうことがあるので、タッチ式の自動ドアとするのがよい。

問題11　適当

　エスカレーターの勾配は、原則として、**30度以下**とする（勾配1／2は30度以下となる）。

問題12　適当、問題13　不適当

　枠組壁工法（ツーバイフォー工法）は、基本材に**2×4インチ（ツーバイフォー）**寸法の木材を使用した枠組みに**構造用合板**等を打ち付け、**壁や床**を構成する工法である。他にも2×6、2×8、2×10などの呼称寸法の部材もある。

問題14　適当

　プレカット方式は、加工が複雑な木造在来軸組工法の現場作業の効率化を図るため、工場で**あらかじめ（プレ）**継手や仕口部分などを**加工（カット）**すること。ツーバイフォー工法特有の方式ではない。

問題15　適当

　木質パネル工法は、枠組壁工法のように現場で壁・床パネルを製作するのではなく、あらかじめ工場で**壁・床パネルを生産**し、**現場でパネルを接合して組み立てる**工法である。

問題16　適当

　プレファブ工法とは、プレ（あらかじめ）ファブリケーション（製作する）工法の略であり、部品は工場で規格通り生産され、高精度・均一品質での大量生産が可能である。

問題17　適当

　ボックスユニット構法（工法）は、スペースユニット工法ともいい、**工場**で住宅の各部分を**ボックス**（箱）**状に組立て**、現場でボックス相互を接合して完成させる方式であり、工期の短縮にも適している。

問題18　適当

　丸太組工法は、ログハウス工法ともいわれ、丸太や角材を横に重ね、**井桁**のように組み合せて壁体とする工法である。この構造方法は、東大寺正倉院における、三角形断面の角材を井桁状に組んだ壁を構造体とする**校倉作り**と基本的に同じである。

❶ 住　宅

- ●敷　　地 ⇨ 敷地がせまい場合は、南側道路が、日照採光上有利である。
- ●**食寝**分離 ⇨ 食事室と寝室の分離をする。
- ●**就寝**分離 ⇨ 夫婦、子供用に各個室を設ける。
- ●計画の基本
  - ○居室に最適な方位：東 ━━ 南東 ━━ 南
    - 適 ━━━→ 最適
  - ○外形は単純な形にする。
  - ○小住宅ではＤＫ、ＬＤとし、水廻りをまとめる。
  - ○動線を単純化する：水廻りを１カ所にまとめる
    - ⇨ 台所、食事室、居間を近接させるなど。
  - ○延べ床面積は、**１人当たり20〜25㎡以上**とする。

- ●**各部の計画**(各室の広さの基準)

室の種類	広さ
居　間	**3〜4㎡/人**(和室：２畳/人)**以上**
子供室	7.5㎡(4.5畳)以上
夫婦寝室	13㎡（８畳）以上。気積は**10m³/人以上**
ダイニング	４人掛け10㎡以上、６人掛け13㎡以上
玄　関	４㎡(土間２㎡：ホール２㎡)以上
収　納	延べ面積の10%以上、各個室面積の20%程度

〔**計画上の基本**〕
- ●日照の確保 ⇨〔敷地への配置、間口を長く〕
- ●通風の確保 ⇨〔奥行を短く〕
- ●寝室の確保 ⇨〔食寝分離〕
- ●プライバシーの確保 ⇨〔就寝分離〕

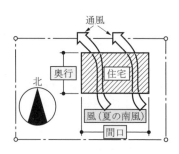

〔用　　語〕
- ●ユーティリティ：家事室。水廻りと近接して設けるのが一般的。
- ●ＬＫ：リビングキッチン（食事室兼居間兼台所）
- ●コアシステム：中央集中設備方式

平面例

□部分：コア(コアシステム)

② 集合住宅

- ●連続住宅 ──────── テラスハウス
- ●タウンハウス ──── コモンスペース
- ●通路形式による分類と特徴 ── 居住性は、通風と採光に左右される。

| 階段室型 | → | 集　中　型 | → | 片廊下型 | → | ツインコリドール型 | → | 中廊下型 |

（方位による）

居住性
プライバシー

良 ──────────────────→ 不良

○それぞれスキップフロア型の通路およびメゾネット型とすると、居住性およびプライバシーが向上する。
○メゾネット型は、小規模住戸では不適当である。

〔バルコニー〕
- ●プライバシーの向上
- ●ひさしの役割
- ●火災時の延焼防止・避難路

住宅に関する次の記述について、**適当か**、**不適当か**、判断しなさい。

❚ 住 宅 ❚

問題1
　寝室の気積を、1人当たり6m³として計画した。

問題2
　家事を能率的に行うために、サービスヤードへの動線を考慮して、ユーティリティを配置した。

問題3
　収納スペースは、延べ面積の20%程度とし、その一部をウォークインクロゼットとした。

問題4
　ダイニングキッチンを採用して、配膳・後片づけ作業の能率を高めた。

問題5
　バリアフリーに対応した住宅とは、外部からの侵入者を防ぐために防犯上の工夫をした住宅のことである。

問題6
　浴室の出入口において、脱衣室との段差の解消と水仕舞を考慮して、排水溝にグレーチングを設けた。

問題7
　階段の手すりの高さを、踏面の先端の位置で測って、110cmとした。

問題8

　高齢者の部屋は、就寝スペースとリビングスペースを確保できる広さとした。

問題9

　高齢者の寝室と便所・浴室・洗面所とは、近接させて配置した。

問題10

　室内の各出入口の戸は、できるだけ引戸とした。

問題11

　高齢者に配慮して、階段の勾配を7/11以下となるようにし、踏面の寸法を280mmとした。

問題12

　車椅子の使用に配慮し、玄関のくつずりと玄関ポーチの高低差を3cmとした。

問題13

　車椅子使用者が利用するキッチンタイプは、L字型よりI字型のほうが使いやすい。

問題14

　洗面所の水栓は、操作性を考慮して、シングルレバー式とした。

問題１　不適当
　寝室の気積(居住部分の容積)は、<u>一人当たり10m³以上必要である。</u>

問題２　適当
　サービスヤードは、物干し場や庭の手入れなどの準備を行う屋外スペースであり、洗濯やアイロン掛け等の家事スペースである**ユーティリティ**との関連が深く、両者の**動線**を考慮して配置する必要がある。

問題３　適当
　押入、ウォークインクロゼットなどの各居室に付属する**収納部面積**は、各室の15〜20%程度が多い(例：６畳の和室に一間間口の押入で約17%)。なお、**ウォークインクロゼット**とは、洋服を整理・収納するため通常の押入より広いスペースで人が入れるようにしたもの。

問題４　適当
　ダイニングキッチンは、食事室と台所が一つになっているので、食事と調理が直結して配膳や後片付けなどの**家事の能率**を高めることができる。

問題５　不適当
　バリアフリーに対応した住宅とは、高齢者や身体障害者の行動の障害となりやすい住宅内の段差や、廊下、出入口の幅の狭さなどの**各種障壁(バリア)を除去した**住宅のことである。住宅居住者の高齢化が予想できる場合には、十分な配慮が必要である。

問題６　適当
　浴室と脱衣室との**段差解消**と、出入り口の**水仕舞**を考慮して、出入口部分に**グレーチング(図参照)**の排水溝を設ける方法がある。

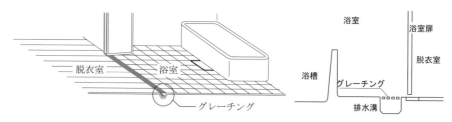

問題７　不適当
　階段の**手すり**の高さは、**踏面の先端**から計って70〜90cmの位置とする。

問題８　適当
　高齢者の部屋は、そこでの生活が長くなりやすいので、**就寝**のためのスペースと**居間**としてのリビングスペースを確保する広さとすることが望ましい。

問題9　適当
　高齢者や身障者の移動の困難性、高齢者の便所利用回数の増大などを考慮して、**寝室**と**便所・浴室・洗面所**との**近接**を図ることが望ましい。

問題10　適当
　開き戸の場合、使用者はノブを持って扉を開けながら体を前後に動かさなければならないので、杖の使用者や車椅子使用者には適さない。**引戸**（引違い及び引込戸）の場合には、開閉動作時の体の移動はほとんど必要無いため、**杖の使用者**や**車椅子使用者**に**適している**。

問題11　適当
　高齢者に配慮した住宅の階段については、「基本レベル（**勾配が22/21以下であり、**かつ、**踏面の寸法195㎜以上）**」と「推奨レベル（勾配6/7以下）」がある。設問の勾配7/11以下は「推奨レベル」より緩やかであり、踏面280㎜は「基本レベル」と比べても余裕のある望ましい値である。

問題12　不適当
　玄関のくつずりと玄関ポーチの**高低差**は、**2㎝以下**とする。

問題13　不適当
　車椅子での移動は、転回や前後の移動に比べ、横方向への移動が不便なため、**L字型**のほうが I 字型より**使いやすい**キッチンタイプになる。

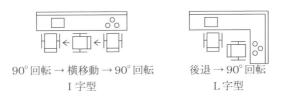

90°回転 → 横移動 → 90°回転　　　　後退 → 90°回転
　　　　　I 字型　　　　　　　　　　　　　L字型

問題14　適当
　手や指先の器用さが失われた場合を配慮して、**水栓**は従来の回転式バルブ方式より**シングルレバー式**とした方がよい。

問題1
　住戸の形式や規模を決めるうえで、居住者のライフサイクルや個性化への対応も大切な要素である。

問題2
　景観に変化をもたらすためには、低層住宅、中層住宅及び高層住宅を混用するのも一つの手法である。

問題3
　階段室型は、片廊下型に比べて、各住戸のプライバシーを確保しにくい。

問題4
　片廊下型は、各住戸の居住性は均質になるが、共用廊下側に居室を設けた場合、その居室のプライバシーを確保しにくい。

問題5
　片廊下型は、階段室型に比べて、エレベーターの設置台数を少なくすることができる。

問題6
　中廊下型は、片廊下型に比べて敷地に対する戸数密度は高いが、日照・通風・プライバシーに劣る。

問題7
　中廊下型は、日照条件を考慮すると、住棟を東西軸に配置することが望ましい。

問題8
　メゾネット型は、1住戸が2層以上で構成される住戸形式であり、一般に、1住戸当たりの床面積が小さくなる。

問題9
　メゾネット型は、フラット型に比べて、共用部分を節約でき、各住戸のプライバシーを確保しやすい。

問題10
　スキップフロア型は、共用廊下の面積は少ないが、エレベーターから各住戸への動線が長くなりがちである。

check

問題11
　ツインコリドール型は、中廊下型に比べて、通風や換気の点で劣っている。

check

問題12
　集中型は、高層化が可能であるが、避難路の計画が難しい。

check

問題13
　リビングアクセス型の住宅は、一般に、各住戸の表情を積極的に表に出すことを意図して、共用廊下側に居間や食事室を配置する。

check

問題14
　ポイントハウスは、塔状に高く、板状型の住棟ばかりで単調になりがちな住宅地の景観に変化をもたらすことができる。

check

問題15
　テラスハウス型は、各戸に専用庭をとることができ、プライバシーを保ちやすい。

check

問題16
　コーポラティブハウスは、複数の家族が共同で生活する集合住宅であり、高齢者用住宅として注目されている。

check

問題17
　コレクティブハウスは、住宅入居希望者が集まり、協力して企画・設計から入居・管理までを運営していく方式の集合住宅である。

check

問題18
　スケルトン・インフィル住宅においては、住居部分の間取りや内装仕上げ、設備等について、入居者の希望を反映することができる。

問題1　適当

　集合住宅でも、住戸の形式や規模を決定する際、居住者の**ライフサイクル**（家族の経年変化による周期）を考慮し、**高齢化**や家族の**個性化**に対応することが大切な要素である。

問題2　適当

　従来の集合住宅団地に多かった板状（長方形の箱型）中層住宅の配列は、景観の単調さを招きやすい。この対策として、**高・中・低層**など住棟等の**高さの混用**、板状、塔状など**形式の混用**を取り入れるのも一つの手法である。

問題3　不適当

　階段室型は、階段室部分でのみ共用部分と接するだけなので、住戸が共用通路に面する片廊下型に比べ各住戸の**プライバシー**を**確保しやすい**。

問題4・5　適当

　片廊下型は、各住戸の**居住性**は**均質**になるが、共用廊下と住戸の接する部分が多く、特に共用廊下側に居室を設けた場合、その居室の**プライバシーの確保**が**困難**である。

　階段室型のエレベーターの場合、各停止階ごとに2～3戸の利用に限定される。しかし、**片廊下型**にエレベーターを配置する場合、各階の居住者が廊下を利用するので1台当たりの住戸数を多くすることができ、**設置台数**を**少なくし**効率的配置ができる。

問題6　適当、問題7　不適当

　中廊下型は、片廊下型に比べて、共用通路部分の利用効率がよいので、敷地に対する**戸数密度**を**高める**ことができる。しかし、廊下の両側に住戸を配置するため、片側のみ住戸を配置する片廊下型に比べ、**日照や通風**の点で良好な状況が得られ難い。

　中廊下型を東西軸に配置した場合、各住戸の向きが南北に分かれてしまい日照条件に大きな差が生じる。したがって、住棟を南北軸に配置し、午前中の日照と午後の日照を各住戸に確保する計画が多い。

問題8　不適当、問題9　適当

　メゾネット型は、**1住戸が2層以上**で構成される型式であり、各戸内部に専用階段と、そのアプローチを要するため、一般に、1住戸当たりの**床面積**が**大きく**なる。

　各階に出入口を持つ**フラット型**に比べて、各住戸の出入口を持つ階のみに**共用部分を節約**でき、出入口を持たない階の**プライバシー**を**確保**することができる。

問題10　適当

　スキップフロア型は、1または2階おきに通路を設け、上下の空間を立体的に組み合わせた形式をとるので、エレベーター・共用階段などの**垂直交通部分**から各住戸への**動線が長くなりがち**である。

問題11　不適当
　ツインコリドール型は、ツイン廊下型とも呼ばれ、中廊下の中央部に吹抜けの光庭を設け、最小限の通風や採光を得ることができるようにした形式である。**中廊下型**に比べて、**通風・換気の点で優れている。**

問題12　適当
　集中型は、階段室やエレベーターなどの垂直交通部分のコアの周囲に各住戸を配置した形式で、高層化は可能であるが**2方向避難路の確保**などの計画が**難しい。**

問題13　適当
　リビングアクセス型は、**居間や食事室を共用廊下**及び**玄関**側に**配置**する形式で、各住戸の表情を積極的に表に出すことで、コミュニティーを促進するとともに、共用廊下と反対側に設けられる個室の居住性を確保する意図で採用される。なお、居間のプライバシーは、通行人の視線が気にならない程度に、住戸の床面より廊下の床面を下げたり、廊下と窓の間に緩衝空間を設けるなどの手法で確保する。

問題14　適当
　ポイントハウスとは、塔状住居ともよばれ、階段室、エレベーター等を中央に配し周囲に住戸を設けた形式。その形状で**団地の景観に変化**を与えることができる。

問題15　適当
　テラスハウスは、各戸に**専用の庭**を持つ低層（2階建が多い）連続住宅でプライバシーも確保しやすい。

問題16　不適当
　コーポラティブハウスとは、居住のための住宅建設を企画する人達が集まり、建設協同組合（コーポ）等を設立し、**土地・建物を共有化**する協議の下に各々の希望を取り入れ、協力して企画・設計から入居・管理までを行う方式により建設された集合住宅。

問題17　不適当
　コレクティブハウスとは、各住戸の他に共用の家事室やラウンジなどの共用空間を設けることによって、複数の家族間のコミュニティを形成し、家事などを分担し合う**共同居住型の集合住宅**で、北欧で発達し、我が国でも高齢者の集合住宅形式として注目されている。

問題18　適当
　スケルトン・インフィル住宅は、集合住宅の骨組ともいえる**構造躯体**や**共用設備**（スケルトン：第一段階）と住戸内部の**内装・間仕切り**や**専有設備**（インフィル：第二段階）とに明確に分けて、**二段階供給方式**により供給される集合住宅である。両者の明確な分離によって、スケルトンの耐久性とインフィルの更新性・可変性がより大きく発揮される。インフィルにおいては、入居者の希望を反映することができる。

商業建築

❶ 店　舗

〔計画の基本〕

- 敷地及び店頭部分はできるだけ道路に長く接している方が有利。
- 店頭のショーウィンドウは、直射光が入らないようにし、また内部を明るくする。
- 店員の動線と客の動線は、別々にして考える。
- 商品が効果的に見えるようにする。
- 売場の床は、高低差をつけないほうがよい。

什器の配置と動線

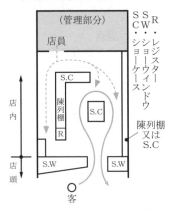

❷ 事　務　所

〔計画の基本〕

- 貸事務所の**レンタブル比**は、適切な値とする。

$$\text{レンタブル比} = \frac{\text{収益部分の床面積}}{\text{延べ面積または基準階床面積}}$$

- ○ **全　体**のレンタブル比 ⇨ **65～75%**
- ○ **基準階**のレンタブル比 ⇨ **75～85%**
- **モジュール割り**や**コアプラン**などの計画手法により無駄のない、什器配置を自由に行える平面とする。
- 事務室面積は、大部屋の場合、**5～10㎡/人**である（最近のＯＡ機器化、オフィスランドスケープの導入などで8～12㎡/人）。

コアプランの例

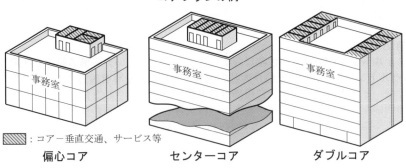

▨：コア—垂直交通、サービス等

偏心コア　　　　　　センターコア　　　　　ダブルコア

③ 劇場・映画館

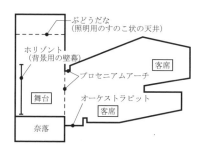

劇場の断面

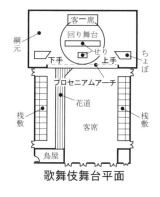

歌舞伎舞台平面

- 舞台の**下手**とは、客席側からみて左側をいい、**上手**とは、客席側からみて右側をいう。
- **奈落**とは、舞台の床下の空間で、回り舞台やせりなどの機械設備が設置される。
- **フライズ**（**フライロフト**）とは、舞台上部に設けられた空間で、幕や舞台照明などの吊物が収納される。舞台の**床面からフライロフト上部までの高さ**を、少なくともプロセニアムアーチの**開口部の高さの2.5倍以上**とする。
- 一般的な劇場における1人当たりの客席所要面積は、一般に、0.5〜0.7㎡程度である。
- 劇場におけるプロセニアムステージの**舞台の幅**は、プロセニアムの幅の**2倍以上**は必要である。

④ 宿泊施設

- 延べ面積に対する客室部分の床面積（客室のみの床面積）の合計の割合は、シティホテルで30%程度、ビジネスホテルで50%程度である。
- 延べ面積に対する客室部門の床面積（客室階の廊下や併設するサービス・設備諸室を含む床面積）の合計の割合は、シティホテルで45〜50%程度、ビジネスホテルでは70%程度である。
- 客室の大きさは、一般に1人室（シングルルーム）で10〜20㎡、2人室（ツインルーム）で20〜30㎡程度が多い（シティホテルは、ビジネスホテルより1室当たりの客室床面積が大きい傾向にある）。

商業建築に関する次の記述について、**適当か**、**不適当か**、判断しなさい。

▌店　　舗 ▌

check

問題1
　高級品や固定客を対象とする店舗の形式を閉鎖型とした。

check

問題2
　小規模の物品販売店において、ショーケースで囲まれた店員用の通路幅を110cmとした。

check

問題3
　一般的なレストランの厨房の床面積を、レストラン全体の床面積の10%とした。

check

問題4
　百貨店の売場部分の床面積の合計（売場内通路を含む）を、延べ面積の60%とした。

▌事　務　所 ▌

check

問題5
　レンタブル比は、延べ面積に対する収益部分の床面積の合計の割合をいい、延べ面積の65～75%程度が一般的である。

check

問題6
　貸事務所ビルの基準階において、レンタブル比を75%とした。

check

問題7
　ダブルコア形式にすると、2方向避難が確保しやすい。

check

問題8
　センターコア方式は、構造計画上望ましく、高層の場合に用いられる。

check

問題9
　分離コア方式は、自由な事務室空間はとりにくいが、防災上・耐震構造上、有利である。

check

問題10
　机の配置形式については、一般に、対向式より並行式のほうが多くの机を配置することができる。

check

問題11
　フリーアクセスフロアは、床を二重とし、ＯＡ機器等の配線を円滑に行うことができる。

check

問題12
　モデュール割りを用いると、執務空間の標準化や合理化を図ることができる。

▐ 劇場・その他 ▐

check

問題13
　舞台の下手とは、客席側からみて右側をいう。

check

問題14
　奈落は、舞台の床下の空間で、回り舞台やせりなどの機械設備が設置される。

check

問題15
　プロセニアムアーチとは、舞台と客席との間に設けられる額縁状のものをいう。

check

問題16
　劇場におけるプロセニアムステージの舞台幅を、プロセニアムの開口幅の1.5倍とした。

check

問題17
　フライズ（フライロフト）は、舞台上部に設けられた空間で、幕や舞台照明などの吊物が収納される。

check

問題18
　延べ面積に対する客室部分の床面積の合計の割合は、一般に、ビジネスホテルよりシティホテルのほうが大きい。

check

問題19
　シティホテルにおいて、ツインベッドルーム１室当たりの床面積を15㎡とした。

解　説

問題1　適当

　高級品や固定客を対象とする店舗では、商品管理上、**店頭形式を閉鎖型**とし、店舗**入り口を1箇所**とする。

問題2　適当

　物品販売店舗のショーケースで囲まれた**店員用通路幅**は、客との対応、商品の出入、包装、金銭出納等に対応するため、**90〜130cm**程度必要である。

問題3　不適当

　レストランの厨房の床面積は、レストラン全体の床面積の**25〜45%**が一般的である。

問題4　適当

　百貨店の売場部分の床面積の合計（売場内通路を含む）は、延べ面積の**50〜60%**が一般的である。

問題5・6　適当

　レンタブル比は、「延べ面積」に対する収益部分の床面積の割合であり、低すぎると収益が上がらず、高すぎるとテナント（借り手）のサービスに悪影響を及ぼすので、一般に**65〜75%**が適当とされている。

　1階や地階では共用部分の面積も多くなるので、収益性を考慮すると、**基準階**でのレンタブル比を**75〜85%**と高めておくことが必要である。

問題7　適当

　縦交通（階段・エレベーター）と便所などを、ひとまとめにしたコアを執務空間の両側にとる**ダブルコア方式**は、通路を両側のコアに接続するだけで**2方向避難を確保することができる**。

問題8　適当

　執務空間の中央にコアがある**センターコア方式**は、**構造コア**として偏心が少なく、**好ましい配置**であり、**高層、超高層**に多く採用されている。

問題9　不適当

　分離コア型は、コアが執務空間から独立している型式で、**設備計画への配慮が必要**となるうえ、**耐震構造上もコアの接合部の変位が大きくなるため不利**であるが、**自由な執務空間**を確保しやすい。

問題10　不適当

　事務室の机の配列方法で、机を向かい合わせに配置する**対向式**のほうが、机を同一方向に配置する並行式より所要面積が小さくなる。したがって、並行式より対向式のほうが**多くの机を配置**することができる。

問題11　適当
　フリーアクセスフロアとは、ＯＡ機器などの配線・配管を床下に行えるようにした**二重床**である。

問題12　適当
　モジュール割り（モデュラーコーディネーション）とは、建物各部の寸法系列を設定し、これを応用して設計を行うことである。事務室の机や各種事務用機器の配列に応用して、執務空間の標準化、合理化を図ることができる。
　【参考】システム天井は、モジュール割りに基づいて、設備機能を合理的に配置することができるユニット化された天井である。

問題13　不適当
　下手とは、観客席から見て舞台の**左側**。上手は右側。

問題14　適当
　奈落は、舞台や花道の一部の床下の空間。回り舞台やせり（舞台下部から演技者や大道具を昇降させる装置）などの機械装置が設置される。

問題15　適当、問題16　不適当
　プロセニアムアーチとは、**舞台と客席との間の開口部**。固定式のものと、ポルタールタワーとブリッジによる可動式のものとがある。
　プロセニアムステージとは、客席と舞台を仕切る開口部周囲の額縁（**プロセニアムアーチ**）を有する劇場のこと。その舞台幅は、一般に**プロセニアム幅の2倍以上**とする。

問題17　適当
　フライズ（フライロフト）は、舞台上部の空間で、各種の幕、照明器具等が吊られて収納されている。これら吊物の支持、操作のため簀の子あるいはぶどう棚と呼ばれる構造物をフライズにおくことが多い。

問題18　不適当
　シティホテルは、**宿泊以外**のレストラン、宴会場、結婚式場、会議場などパブリックスペース部門の比率が**大きい**。一方、**ビジネスホテル**は、宿泊室はコンパクトにまとめられているが、主に業務上の宿泊者を対象としているので、**宿泊部門**に対するパブリックスペースの比率が**小さい**。したがって、「延べ面積」に対する「客室部分の床面積の合計」の割合は、一般に、ビジネスホテルで50％程度、シティホテルで30％程度となり、ビジネスホテルより**シティホテル**のほうが**小さい**。

問題19　不適当
　ホテルの客室の床面積は、一般に**シングルルーム**で**10～20㎡**、**ツインルーム**で**20～30㎡**程度が多い。なお、シティホテルは、宿泊機能をコンパクトにまとめたビジネスホテルより、1室当たりの客室床面積が大きい傾向にある。

① 学　校

小学校の配置例

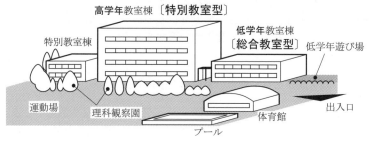

高学年教室棟〔**特別教室型**〕

低学年教室棟〔**総合教室型**〕　低学年遊び場

特別教室棟

運動場　理科観察園

プール

体育館

出入口

- 小学校の運営方式
  - 低学年 ⇨ **総合教室型**
  - 高学年 ⇨ **特別教室型**
  - **低学年**と**高学年**では、心身の発育状態が異なるので、それぞれの教室群を**分離**して配置する。
- 教室の大きさは７ｍ×９ｍ程度、**小学校**で生徒１人当たり1.5〜1.8㎡程度。
- 出入口は２カ所以上必要で、安全上から**引戸**とする。

② 幼稚園・保育所

- **保育室**は便所と**近接**させる。
  大便器ブースの高さは、園児の身長までの高さとし、大人が上から見守れるようにする(1.0〜1.2m程度)。
- 必要床面積 ⇨ **ほふく室＞３歳保育室＞４〜５歳保育室**

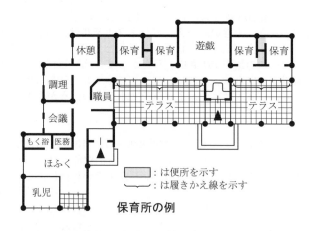

休憩　保育　保育　遊戯　保育　保育

調理　職員　テラス　テラス

会議

もく浴　医務　ほふく

乳児

▨：は便所を示す

╰╯：は履きかえ線を示す

保育所の例

③ 図 書 館

地域図書館 —— 諸室の配置例

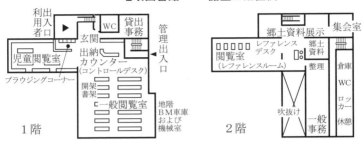

- **開架書架** ⇨ 利用者が直接書籍を見て選択、あるいは取り出せる書架(書棚)。
- **レファレンスルーム** ⇨ 調査研究が目的の利用者に対して、参考図書（資料）を教え、提供し、閲覧するスペースをいう。
- 閲覧室の床の仕上げは、歩行音の発生が少なくなるように、タイルカーペットなどとする。
- **ブックディテクションシステム**
  （BDS：磁気感知装置）
  ⇨ 本の管理のため出納デスクと出入口の間に設ける。

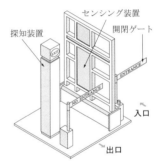

ブックディテクションシステム（BDS）

④ 美術館・博物館

- 展示室の床面積 ⇨ 延べ面積の30～50％程度
- 展示室の採光・照明 ⇨ 自然光に近い白色光
  絵画の必要照度 ⇨ **日本画 200 lx程度**
  　　　　　　　　　洋　画 500 lx程度
- 燻蒸室・収蔵庫・荷解き室 ⇨ 近接
  学芸員の研究部門・収蔵庫 ⇨ 近接

■ 学校・幼稚園・保育所 ■

問題1
小学校において、高学年は総合教室型とし、低学年は特別教室型とした。

問題2
幼稚園・保育所では、幼児の用便の介助やしつけを行うために、便所は保育室に隣接して設けるのが望ましい。

問題3
1人当たりの保育室面積は、3歳児学級より5歳児学級のほうを広くする。

問題4
保育所の乳児室は幼児の保育室に近接して配置する。

問題5
幼児用の大便器ブースの扉の高さは、大人が外から安全を確認することができる1.2m程度とする。

■ 図書館・美術館・博物館 ■

問題6
地域図書館において、一般閲覧室と児童閲覧室は分けて配置したが、貸出カウンターは共用とした。

問題7
新聞や雑誌などを気軽に読む空間として、レファレンスルームを設けた。

問題8
地域図書館分館の計画で、貸出し用の図書をできるだけ多く開架式として提供した。

問題9
博物館の小規模な展示室は、来館者の逆戻りや交差が生じないように、一筆書きの導線計画とした。

問題10
　美術館の展示室の床面積の合計は、延べ面積の30〜50％のものが多い。

問題11
　美術館において、日本画を展示する壁面の照度を、700lx程度とした。

▍医 療 施 設 ▍

問題12
　診療所において、診察室は、処置室と隣接させて配置した。

問題13
　診療所において、X線撮影室の床材には、電導性のものを使用した。

▍その他の公共施設 ▍

問題14
　特別養護老人ホームは、常時介護が必要で在宅介護を受けることが困難な高齢者が、入浴や食事等の介護、医師による健康管理や療養上の指導等を受ける施設である。

問題15
　老人憩いの家は、地域の高齢者の交流、レクリエーションなどのための施設である。

問題16
　老人デイサービスセンターは、在宅介護を受けている高齢者が、送迎等により通所して、入浴や日常動作訓練、生活指導等のサービスを受ける施設である。

問題17
　介護老人保健施設は、病院における入院治療の必要はないが、家庭に復帰するための機能訓練や看護・介護が必要な高齢者のための施設である。

解説

問題1　不適当

総合教室型は、すべての学習活動を**クラスルーム**で行う方式。**特別教室型**は、学級数に応じてクラスルームを設置し、**特別教科**（理科・美術・技術・家庭・音楽など）は、**特別教室**で行う方式。小学校では、**低学年**のための**総合教室型**と、**高学年**のための**特別教室型**とを**併用**した方式が多い。

問題2　適当

幼稚園・保育所では、幼児の用便の介助やしつけを行うため、**便所**はなるべく**保育室**に**近接**して設けることが望ましい。

問題3　不適当

幼稚園の計画にあたって、**3歳児（年少）学級**は、動きの多い遊びを通しての学習活動が主体になるため、保育室の一人当たり床面積は、4・5歳児（年長・年中）学級より**広く必要**である。

【関連】保育所の保育室の床面積は、幼児1人当たり1.98㎡以上。

問題4　不適当

乳児保育には、乳児の就寝を妨げないよう、できるだけ静かな場所が要求され、ほふく室など専用の空間も必要になる。したがって、**乳児室**と活動的な**幼児**の保育室とは**離して設ける**ことが望ましい。

問題5　適当

幼稚園の**幼児用**の**便所ブース**の高さは、用便時のしつけや安全確認のため、大人が上から見守ることができる**1.0～1.2m**程度の高さとする。

問題6　適当

成人用一般閲覧室と**児童閲覧室は**、利用する図書の範囲が異なるので**分離**して配置するが、図書館機能のコントロールデスクとなる**貸出しカウンター**は、運営効率上、**共用**して差し支えない。

問題7　不適当

レファレンスルームは、参考調査室・参考図書室などとも呼ばれ、図書館の利用者が学習・研究・調査をするための各種資料を備え、同時に利用者の要求に応じて、適切な援助ができるよう専任館員を配置した室をいう。なお、設問の記述は**ブラウジングコーナー**である。

問題8　適当

地域図書館の**分館**では、地域住民が気軽に図書を選び借り出せるように**開架式**として提供するのが望ましい。

問題9　適当

博物館の平面計画において、**小規模館**では展示室の配置を、利用者の動線が逆戻りや交差の少ない**一筆書き**（順路連続式）の計画とすることが多い。大規模館では、連続して長距離を移動しながら鑑賞する時の疲労を防止するため、ホール、休憩コーナー、廊下等から自由に見たい展示室に出入する計画とすることが多い。

【参考】ミュージアムショップは、エントランスホールの出入り口付近に計画することが多い。

問題10　適当

展示室の床面積の合計は、収蔵室・学芸員室など保管・研究部門の床面積、管理部門等との配分で、一般に、**延べ面積の30〜50％**程度のものが多い。

問題11　不適当

日本画を展示する壁面の照度は、**200 lx**程度である。なお、**洋画**を展示する壁面の照度は、**500 lx**程度で、日本画よりも明るく設定する。

問題12　適当

処置室とは、病院・診療所において、診察後の比較的軽度の治療上の処置や検査を行うための室。**診察室**に**隣接**させて配置する。

問題13　不適当

Ｘ線撮影室の**床材**には、電気的に**絶縁性**のあるものを使用する。

【関連】診療所において、Ｘ線撮影室は、診察室及び処置室に近接させる。

問題14　適当

特別養護老人ホーム（介護老人福祉施設）は、常時介護を必要とし、自宅で介護を受けられない高齢者を入所させるための施設である。

問題15　適当

老人憩いの家は、地域の高齢者に開放され、各種相談及び高齢者間の交流、レクリエーションなどの便宜を総合的に提供する通所施設である。

問題16　適当

老人デイサービスセンターは、在宅介護を受けている高齢者が、送迎バスなどを利用して通所し、入浴・リハビリ（機能快復訓練）・生活指導などのサービスを受ける施設である。

問題17　適当

介護老人保健施設は、医療施設での治療が終り、**病状安定期**にある要介護高齢者に対し、**入所**または**通所**により、**看護・機能訓練**などの医療ケアと**介護福祉サービス**とを併せて提供し、**家庭復帰**を援助する施設である。

地域計画・各論融合

1 地域計画

1 住宅地の計画

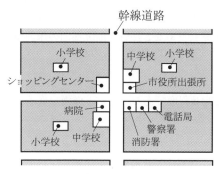

近隣住区：1マス
地区（住区群）：2マス以上

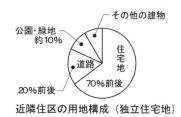

近隣住区の用地構成（独立住宅地）

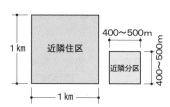

	広さ(ha)	戸数・人数	施　　設
近隣分区	15〜25	**500〜1,500戸** 約2,000人	**幼稚園**、保育所、**診療所**、街区公園、ポスト、管理事務所、**集会所**、日用品店舗
近隣住区	100	**2,000〜2,500戸** 約8,000〜10,000人	**小学校**、消防・警官派出所、図書館、店舗群、集会所、郵便局、**近隣公園**
地　区 （住区群）		4,000戸以上 約16,000人以上	**中学校**、病院、消防署・警察署、市役所の出張所、商店街、地区公園

2 都市に関する理論

● ラドバーン ⇨ 歩車**分離**

　クル・ド・サック（袋小路）と歩行者専用道による**歩車完全分離**。

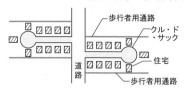

● ボンエルフ ⇨ 歩車**共存**

❷ 各論融合（用語）

〔各種計画用語と意味〕

- リネン室 ——————— 寝具庫
- パントリー ——————— 配膳室
- クローク ——————— 荷物一時預所
- ホワイエ ——————— 客溜り空間
- ＩＣＵ ——————— 集中治療室
- デイルーム ——————— 談話室
- レファレンスコーナー ——— 参考資料調査コーナー
  （レファレンスルーム）
- ブラウジングコーナー ——— 新聞雑誌閲覧コーナー
- クリーンルーム ————— 無塵・無菌室
- メディアセンター ————— 情報(学習)センター
- オープンスペース ————— 自由(学習)空間
- キックプレート ————— 扉下部の保護板
- リフター ——————— 昇降機械
- レバーハンドル ————— 棒状の握り（ドアや水栓）
- ワイドスイッチ ————— 大型操作ボタン付スイッチ
- ノーマライゼーション ——— 障がい者が健常者と同等の社会生活を営める環境施策・思想
- グリッドプラン、ダブルコリドール：平面計画用語
- ライフサイクルコスト、ファシリティマネージメント：建築経済用語

check

問題1
　近隣分区（500〜1,500戸）には、幼稚園、診療所、集会所、街区公園等が計画される。

check

問題2
　近隣住区（2,000〜2,500戸）には、小学校、図書館、郵便局、近隣公園等が計画される。

check

問題3
　地区（4,000戸以上）には、中学校、地区公園等が計画される。

check

問題4
　ボンエルフは、住宅地の道路において、歩行者と自動車の共存を図るための手法である。

次の用語の組合せについて、**適当か**、**不適当か**、判断しなさい。

check

問題5
　パントリー ——————————————— レストラン

check

問題6
　クローク ——————————————— ホテル・レストラン

check

問題7
　リネン室 ——————————————— 病院・ホテル

check

問題8
　ホワイエ ——————————————— 劇場・音楽ホール

check

問題9
　オープンスペース ——————————————— 学校

check

問題10
　メディアセンター ——————————————— 病院

check

問題11
　学芸員室 ——————————————— 美術館

問題12
　レファレンスコーナー ──────── 図書館

問題13
　ブラウジングコーナー ──────── 図書館

問題14
　デイルーム ───────────── 図書館

問題15
　ＩＣＵ ─────────────── 病院

問題16
　クリーンルーム ─────────── ホテル

問題17
　ドライエリア ──────────── 地下室

■■■ 解　説 ■■■

問題1・2・3　適当

500戸程度の住宅団地は、住宅地の構成理論上は日常消費生活に必要な共同施設をもてる程度のまとまり（**近隣分区**）とされ、必要な共同施設は日用品店舗、保育所、幼稚園、診療所、集会所、街区公園などである。

近隣分区が2～4集まった次の段階の構成単位（**近隣住区**：戸数2,000戸程度）では、小学校、図書館、郵便局が必要となり、**地区公園**は近隣住区が3～5集まった段階での必要な共同施設である。

問題4　適当

ボンエルフとは、歩行者の安全と快適性を維持するとともに、自転車や低速走行の自動車の通行を可能にした**歩車共存**方式のコミュニティ道路である。車の走行速度を強制的に歩行者と同じ程度に抑えるために、ハンプ（路面を部分的に盛り上げる）手法とシケイン（道路を大きく蛇行させる）という手法が用いられる。

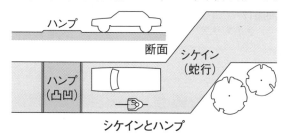

シケインとハンプ

問題5　適当

パントリーとは、食料や食器類を貯蔵する室。**レストランやホテル**に必要なスペース。貯蔵室として厨房に近く配置する場合と、客室に近く配置して配膳室として使う場合とがある。

問題6　適当

クロークとは、オーバー、コートなどの携帯品預かり所。高級**レストラン、劇場、ホテル**などに設ける。

問題7　適当

リネン室は、シーツ、枕カバーなどの寝具の整理・集積・準備室。**ホテル・病院**などに設けられる。

問題8　適当

ホワイエとは、**劇場やコンサートホール**の入口からロビーや客席部に至る通行広間。

問題9　適当

オープンスペースは、教科を限定しない学習スペース、作業スペースなど、**小学校**の教室計画に採用されることが多い。

問題10 不適当
メディアセンターとは、従来の**学校図書館**の機能を拡大発展させ、図書・印刷物、視聴覚教材、コンピュータソフトなど学習活動に有効に利用されるメディアを収集利用するために整備した施設。

問題11 適当
学芸員室は、**美術館、博物館**等で各種資料の収集、調査研究を行う専門職員（学芸員）の執務室。

問題12 適当
レファレンスコーナーとは、主に調査・研究者などの**図書**に関する各種の質問に応えるためのコーナー。

問題13 適当
ブラウジングコーナーは、新聞雑誌閲覧コーナーともいわれ、気軽に新聞・雑誌類を閲覧できるコーナー。小規模館では休憩コーナーやロビー的な扱いとすることもある。

問題14 不適当
デイルームは、**病院**などの施設で、入院患者の憩いの場や面会などに利用する室。

問題15 適当
ＩＣＵとは、**病院**における**集中治療室**（インテンシブ・ケア・ユニット）のことで、重症患者の高度集中治療看護のための病室。

問題16 不適当
クリーンルームとは、換気・空調設備に高性能フィルターなどを用いて浮遊粉じんを極めて少なくした「無塵・清浄室」。**精密機械工場や研究室**などに設けられる。なお、**病院**等において無塵・無菌に近い状況とした場合には、**バイオクリーンルーム**とよばれる。

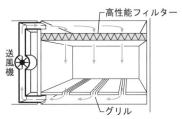

問題17 適当
ドライエリアとは、**地下室**の採光・換気・防湿・通路などの確保のため設けられる空堀。

建 築 史

① 日本建築史

時　代	建　築　物	様　式　——　特　徴		
古　代	伊勢神宮内宮正殿	神明造り　——　棟持柱		
	出雲大社本殿	大社造り　——　妻入り		
飛　鳥	法隆寺金堂	和様　——　エンタシスの柱、雲形組物		
奈　良	薬師寺東塔	和様　——　三手先組物		
平　安	東三条殿	寝殿造り　——　中門廊、渡殿		
鎌　倉	東大寺南大門	大仏（天竺）様　——　挿肘木		
	円覚寺舎利殿	唐様　——　火打窓、海老虹梁		
桃　山	二条城二の丸御殿	書院造り　——　押板床		
	妙喜庵待庵	草庵風茶室　——　室床		
江　戸	日光東照宮社殿	権現造り　——　近世の神社建築の様式		
	桂離宮	数寄屋風書院造り　——　八条宮の別荘		
近　代 現　代	東京都庁舎	建 築 家	丹下　健三	
	東京カテドラル			
	国立屋内総合競技場			
	東京文化会館		前川　國男	
	京都国際会館		大谷　幸夫	
	国立西洋美術館		ル・コルビュジエ	
	ニコライ堂		ジョサイア・コンドル	

② 西洋建築史

時　代	建　築　物	様　式	
古　代	パルテノン神殿	古代ギリシャ建築	
	パンテオン	古代ローマ建築	
中　世	ハギア・ソフィア寺院	ビザンチン建築（イスタンブール）	
	パリ(ノートルダム)大聖堂	ゴシック建築（パリ）	
近　世	サンピエトロ大聖堂	バロック建築（ヴァチカン）	
近　代 現　代	ファンズワース邸	建 築 家	ミース・ファン・デル・ローエ
	落水荘		フランク・ロイド・ライト
	マイレア邸		アルヴァ・アアルト
	サヴォア邸		ル・コルビュジエ

建築史融合

世紀	日本史		西洋史	
BC5 〜 AD2 〜 6	古代〜飛鳥	伊勢神宮内宮正殿	古代	BC447　パルテノン神殿 （古代ギリシャ建築） 72　コロッセウム 120　パンテオン （古代ローマ建築）
7		法隆寺五重塔・金堂		532　ハギア・ソフィア寺院 （ビザンチン建築）
8	奈良	730　　　薬師寺東塔 　　　　　法隆寺東院夢殿 770 頃　唐招提寺金堂	中世	
9 10 11	平安	1124　中尊寺金色堂		1250　パリ大聖堂 （ゴシック建築）
12 13 14	鎌倉	1199　東大寺南大門 　　　　　　（再建） 円覚寺舎利殿		1386　ミラノ大聖堂 （ゴシック建築）
15	室町			1420　フィレンツエ大聖堂 （ルネサンス建築）
16	桃山		近世	1546　サン・ピエトロ大聖堂 （バロック建築）
17 18	江戸	1615 〜 1651 頃　桂離宮 1634 〜 1636　日光東照宮社殿		1671　ヴェルサイユ宮殿鏡の間 （バロック建築） 1823〜1847　大英博物館 （ネオクラシシズム建築）

近代史		
年代	日本	西洋
1800 〜		1851　クリスタルパレス（パクストン）
1930 〜	1936 国会議事堂	1931　サヴォア邸（ル・コルビュジエ） 1936　落水荘（フランク・ロイド・ライト）
1940 〜	1947 藤村記念堂（谷口吉郎）	1946〜50　ファンズワース邸 （ミース・ファン・デル・ローエ）
1950 〜	1951 旧神奈川県立近代美術館（坂倉準三） 1955 広島平和記念資料館（丹下健三） 1959 国立西洋美術館（ル・コルビュジエ）	1955　ロンシャンの教会 （ル・コルビュジエ）
1960 〜	1961 東京文化会館（前川國男） 1964 国立屋内総合競技場（丹下健三）	1973　シドニーオペラハウス （ヨルン・ウッツォン）

No. 1 日本の歴史的な建築物に関する次の記述のうち、**最も不適当な**ものはどれか。

1. 中尊寺金色堂（岩手県）は、外観が総漆塗りの金箔押しで仕上げられた方三間の仏堂である。
2. 日光東照宮（栃木県）は、本殿と拝殿とを石の間で繋ぐ権現造りの霊廟建築である。
3. 住吉大社本殿（大阪府）は、四周に回り縁がなく、内部は内陣と外陣に区分されている等の特徴をもった住吉造りの建築物である。
4. 出雲大社本殿（島根県）は、神社本殿の一形式の大社造りであり、平入りの建築物である。
5. 厳島神社社殿（広島県）は、両流れ造りの屋根をもつ本殿と拝殿、祓殿、舞台、回廊などで構成された建築物である。

No. 2 住宅作品（建設地）とその設計者との組合せとして、**最も不適当な**ものは、次のうちどれか。

1. シュレーダー邸（オランダ）——————— ヘリット・リートフェルト
2. 聴竹居（京都府）——————————— 藤井厚二
3. 旧日向家熱海別邸（静岡県）————— ジョサイア・コンドル
4. ヒラルディ邸（メキシコ）——————— ルイス・バラガン
5. シルバーハット（東京都）——————— 伊東豊雄

check

No. 3 建築環境工学に関する用語とその説明との組合せとして、**最も不適当なもの**は、次のうちどれか。

1. BOD ―――――― 生物化学的酸素要求量(水質汚濁を評価する指標)
2. MRT ―――――― 予測不満足者率(温熱環境に不満足・不快さを感じる人の割合)
3. VOC ――――― 揮発性有機化合物(揮発性を有し、大気中で気体状となる有機化合物の総称)
4. CASBEE ――― 建築環境総合性能評価システム(建築物の環境性能を総合的に評価する手法)
5. ET* ――――― 新有効温度(気温、湿度、気流、放射、着衣量、代謝量を総合的に評価できる熱平衡式に基づいた指標)

check

No. 4 換気に関する次の記述のうち、**最も不適当な**ものはどれか。

1. 換気回数は、室容積をその室の単位時間当たりの換気量で除して算出される。
2. 必要換気量は、室内の汚染質の発生量を、その汚染質について、室内の許容濃度と外気中の濃度の差で除して算出される。
3. 温度差による換気量は、室内外の温度差の平方根に比例する。
4. 温度差換気における中性帯の位置は、開口部の大きいほうに近づく傾向がある。
5. 風圧力による換気量は、外部風速に比例する。

No. 5　ア～オの材料・物質の熱伝導率の大小関係として、**最も適当な**ものは、次のうちどれか。ただし、各材料・物質の温度は20℃とする。

ア．普通コンクリート
イ．せっこうボード
ウ．グラスウール
エ．アルミニウム
オ．水

1. ア＞エ＞イ＞オ＞ウ
2. ウ＞イ＞オ＞ア＞エ
3. エ＞ア＞イ＞オ＞ウ
4. エ＞ア＞オ＞イ＞ウ
5. エ＞イ＞ア＞オ＞ウ

No. 6　住宅の結露に関する次の記述のうち、**最も不適当な**ものはどれか。

1. 冬期において、外壁の室内側表面結露を防止するためには、断熱強化により、外壁の室内側壁面温度を上昇させることが有効である。
2. 冬期において、二重サッシの間の結露を防止するためには、屋外側よりも室内側のサッシの気密性能を高くするとよい。
3. 冬期において、非暖房室に隣接する暖房室がある場合、一般に、非暖房室は、暖房室に比べて結露を生じにくい。
4. 冬期において、木造住宅の小屋裏では、夜間の放射冷却の影響を受けて、外気温よりも低温になることがあり、結露が生じやすくなる。
5. 夏期において、地下室に生じる結露は、換気をすることによって増加する場合がある。

No. 7 日照・日射・採光に関する次の記述のうち、**最も不適当な**ものはどれか。

1. 日射遮蔽係数が大きい窓ほど、日射遮蔽効果が大きい。
2. 可照時間は、天候や障害物の影響を受けない。
3. 昼光率は、採光性能を表す指標であり、直射日光は考慮されない。
4. 設計用全天空照度は、薄曇りの日より快晴の青空のほうが小さな値となる。
5. 我が国において、大気透過率は、一般に、夏期より冬期のほうが高くなる。

No. 8 色彩に関する次の記述のうち、**最も不適当な**ものはどれか。

1. 色彩によって感じられる距離感覚は異なり、一般に、実際の位置よりも暖色は近くに、寒色は遠くに感じる。
2. マンセル表色系において、明度は物体表面の反射率の高低を表しており、明度5の反射率は約20%である。
3. マンセル表色系において、各色相のうちで最も彩度の高い色を、一般に、純色といい、純色の彩度は色相や明度によって異なる。
4. 光の色の三原色は、赤、黄、青である。
5. マンセル色相環において、対角線上にある二つの色は、相互に補色の関係にある。

No. 9 音に関する次の記述のうち、**最も不適当な**ものはどれか。

1. 人間の聴覚特性に近い周波数特性の重み付けを行って測定される音圧レベルを、騒音レベル（A特性音圧レベル）という。
2. 周波数の高い音に比べて周波数の低い音のほうが、壁や塀などの背後に音が回り込みやすい。
3. 同じ厚さの一重壁の場合、一般に、壁の単位面積当たりの質量が2倍になると、垂直入射の音響透過損失は約6dB大きくなる。
4. 音が球面状に一様に広がる点音源の場合、音源からの距離が2倍になると、音圧レベルは約6dB低くなる。
5. 音源の音響出力を2倍にすると、同じ受音点での音圧レベルは約6dB高くなる。

No. 10 我が国における屋外気候等に関する次の記述のうち、**最も不適当なも**のはどれか。

1. 日最高気温が25℃以上の日を夏日、日最低気温が0℃未満の日を冬日という。
2. 月平均気温の最高気温と最低気温の差を年較差といい、高緯度地域で大きく、低緯度地域で小さくなる傾向がある。
3. 一般に、全天積算日射量は夏至の頃に最大となるが、月平均気温は地面の熱容量のため、夏至より遅れて最高となる。
4. ある地域の日平均外気温が暖房開始温度を下回る条件で、暖房設定温度と日平均外気温との差を1年間にわたって加算した値を、暖房デグリーデーという。
5. ある地域の季節ごとの風速の出現頻度を棒グラフに表したものを、風配図という。

No. 11 一戸建て住宅の計画に関する次の記述のうち、**最も不適当な**ものはどれか。

1. サービスヤードは、洗濯物を干すなど、屋外で家事を行うための場所であり、ユーティリティの近くに設ける。
2. 屋内階段における適正な手摺の高さは、踏面の先端の位置から120cmとする。
3. パッシブデザインは、建築物が受ける自然の熱、風及び光を活用して暖房効果、冷却効果、照明効果等を得る設計手法である。
4. コア型は、水まわりや階段などを1箇所にまとめて配置した平面形式である。
5. 和室を京間とする場合の柱と柱の内法寸法は、基準寸法の整数倍である。

No. **12** 集合住宅の計画に関する次の記述のうち、**最も不適当な**ものはどれか。

1. 世帯人数が4人となる住戸の都市居住型の誘導居住面積水準の目安は、95m² である。

2. L＋DK型は、居間の独立性を保ちやすく、食事の準備や後片づけなど家事労働の効率化を図ることができる。

3. コレクティブハウスは、住宅入居希望者が集まり、協力して企画・設計から入居・管理までを運営していく方式の集合住宅である。

4. コンバージョンは、事務所ビルを集合住宅にする等、既存の建築物に改造を加えて用途変更・転用する手法である。

5. 複数の集合住宅の計画において、景観に変化をもたらすために、低層住宅、中層住宅及び高層住宅を混用するのも一つの手法である。

No. **13** 事務所ビル・商業建築の計画に関する次の記述のうち、**最も不適当な**ものはどれか。

1. 事務所ビルのダブルコアプランにおいて、ブロック貸しや小部屋貸しの賃貸方式は、一般に、レンタブル比を高めることができる。

2. 機械式駐車場において、垂直循環式は、一般に、収容台数が同じであれば、多層循環式に比べて、設置面積を小さくすることができる。

3. 量販店において、売場部分の床面積の合計（売場内の通路を含む。）は、一般に、延べ面積の60〜65％程度である。

4. ホテルにおいて、延べ面積に対する客室部分の床面積の合計の割合は、一般に、シティホテルよりビジネスホテルのほうが大きい。

5. レストランにおいて、厨房の床面積は、一般に、延べ面積の25〜40％程度である。

No. 14 教育施設等の計画に関する次の記述のうち、**最も不適当な**ものはどれか。

1. 小学校において、低学年は特別教室型とし、高学年は総合教室型とした。
2. 地域図書館において、固定の壁を最小限とし、床に段差をつくらない等、フレキシビリティの高い計画とした。
3. 中学校において、図書室の出納システムは、開架式とした。
4. 保育所において、乳児室を幼児の保育室から離れた位置に設けた。
5. 小学校の敷地内において、環境教育の教材として、自然の生態系を観察できるビオトープを設置した。

No. 15 文化施設の計画に関する次の記述のうち、**最も不適当な**ものはどれか。

1. 美術館において、展示室の人工照明の光源を、自然光に近い白色光とした。
2. 美術館において、鑑賞動線の途中に、休憩のできるスペースを設けた。
3. 劇場において、演目に応じて舞台と客席の配置を変化できる機構を備えた、プロセニアムステージ形式を採用した。
4. 劇場において、客席側から見て右側を、舞台の上手（かみて）といい、周囲の諸室の関係性を含めて計画した。
5. 映画館において、通常の客席部分の1人当たりの床面積を、通路を含めて0.7m² として計画した。

No. 16 建築計画における各部寸法に関する次の記述のうち、**最も不適当なも**のはどれか。

1. 物販店舗において、車椅子使用者に配慮して、最上段の商品棚の高さを1,000mm、奥行きを400mmとした。

2. 図書館の通路において、車椅子使用者同士がすれ違うことができるように、通路幅を2,100mmとした。

3. 駐輪場において、自転車1台当たりの平置き駐輪スペースの幅を700mm、奥行きを2,000mmとした。

4. 飲食店において、立位で食事をするためのカウンターの高さを、床面から700mmとした。

5. 乳幼児連れの親子が利用する便所のブースの広さは、ベビーカーを折りたたまずに入ることを考慮して、内法寸法で幅を2,000mm、奥行きを2,000mmとした。

No. 17 高齢者、車椅子使用者等に配慮した一戸建て住宅の改修計画に関する次の記述のうち、**最も不適当な**ものはどれか。

1. 車椅子使用者が利用する浴室においては、浴槽の深さを50cm、エプロンの高さを40cmとした。

2. 車椅子使用者が利用するキッチンカウンターの下部には、高さ65cm、奥行き45cmのクリアランスを設けた。

3. 車椅子使用者に配慮して、腰掛け便座の両側に手摺を設け、手摺同士の間隔を70cmとした。

4. 高齢者の転倒防止のため、玄関の床面と上がり框の色を類似色調にして色差を小さくする計画とした。

5. 階段の手摺については、両壁に設置する余裕がなかったので、高齢者が下りるときの利き手側に設置した。

No. 18 まちづくりに関する次の記述のうち、**最も不適当な**ものはどれか。

1. ボンエルフは、住宅地の道路において、通過交通を排除し、歩行者と自動車の動線を完全に分離させるための手法である。

2. 視覚障害者誘導用ブロックには、線状の突起のある移動方向を指示する線状ブロックと、点状の突起のある注意喚起を行う点状ブロックとがある。

3. ポケットパークは、一般に、休息、語らいの場の整備や都市景観の向上を目的としてつくられる小公園である。

4. イメージハンプは、車の運転者にとって心理的に速度抑制を促すために、車道の色や材質の一部を変えることによって、自動車の速度を低下させるための手法である。

5. シケインは、住宅地の道路において、車道部分を蛇行や屈折させることによって、自動車の速度を低下させるための手法である。

No. 19 建築設備に関する用語とその説明との組合せとして、**最も不適当な**ものは、次のうちどれか。

1. HEMS ———— 住宅内の家電機器、給湯機器や発電設備等をネットワーク化し、設備等の制御やエネルギーの可視化を行うシステムである。

2. CAV方式 ———— 変風量方式のことであり、空調対象室の熱負荷の変動に応じて、給気量を変動させる空調方式である。

3. FRP ———— 繊維強化プラスチックのことであり、軽量で耐食性に優れ、成形性、加工性もよいことから、浴槽や水槽の材料として広く用いられている。

4. VP管 ———— 硬質ポリ塩化ビニル管の一種であり、軽量で施工性がよく、かつ、耐食性に優れていることから、排水管など広範囲に用いられている。

5. UPS ———— 無停電電源装置のことであり、停電等の際に、一時的に電力供給を行うために用いられている。

No. 20 空気調和設備に関する次の記述のうち、**最も不適当な**ものはどれか。

1. ファンコイルユニットと定風量単一ダクトとを併用した方式は、定風量単一ダクト方式のみの場合に比べて、必要とするダクトスペースを小さくすることができる。
2. 最下層に蓄熱槽を設けた開放回路配管方式は、密閉回路配管方式に比べて、一般に、ポンプの動力が大きくなる。
3. 暖房時において、ガスエンジンヒートポンプは、ヒートポンプ運転により得られる加熱量とエンジンの排熱量とを合わせて利用することができる。
4. 同一量の蓄熱をする場合、氷蓄熱方式は、水蓄熱方式に比べて、蓄熱槽の容量を小さくすることができる。
5. 空気熱源マルチパッケージ型空調機方式では、屋外機から屋内機に冷水を供給して冷房を行う。

No. 21 給排水衛生設備に関する次の記述のうち、**最も不適当な**ものはどれか。

1. 給水配管において、ウォーターハンマーの発生を防止するために、管内の水圧や流速が著しく大きくならないようにする。
2. 断水時に備えて、上水受水槽と井水の雑用水受水槽とを管で接続し、弁で切り離すことは、クロスコネクションに該当しない。
3. 大便器において、ロータンク方式は、洗浄弁方式に比べて、給水管径を小さくすることができる。
4. 建築物内において、雨水立て管は、排水立て管、通気立て管のいずれとも兼用してはならない。
5. 排水管は管内に汚物や油脂類が付着した際に清掃しやすいように、掃除口を排水横管の起点や、配管長が長い排水横管の途中などに設ける。

No. 22 給湯設備の加熱装置に関する次の記述のうち、**最も不適当な**ものはどれか。

1. 潜熱回収型のガス給湯機は、ガス燃焼時の排気ガスに含まれる排熱を給水の予熱として利用することで、従来のガス給湯機より熱効率を向上させた給湯機である。
2. 自然冷媒ヒートポンプ給湯機は、冷媒として二酸化炭素を使って大気から熱をとり、貯湯して給湯する装置である。
3. ハイブリッド給湯システムは、燃焼式加熱機とヒートポンプ給湯機を組み合わせて、それぞれの特徴を活かした加熱システムである。
4. 電気温水器は、電気により加熱して給湯する装置であり、瞬間式と貯湯式がある。
5. 平板型の太陽熱集熱器は、真空にしたガラス管の内部にヒートパイプを挿入して貯湯槽と連結し、貯湯槽内の水を太陽熱により加熱する装置である。

No. 23 電気設備に関する次の記述のうち、**最も不適当な**ものはどれか。

1. インバータ機器などから流出した高調波電流は、コンデンサなどの電力機器に、過熱・焼損などの影響を及ぼすことがある。
2. 許容電流値は、主に周囲温度、布設方法により異なる。
3. 燃料電池は、水の電気分解の逆反応を利用した発電装置である。
4. 太陽電池は、半導体の一種であり、太陽エネルギーを直接電気エネルギーに変換する。
5. かご形三相誘導電動機の始動方式の一つであるスターデルタ始動は、直入れ始動に比べて始動電流が大きくなる。

No. 24 防災・消防設備に関する次の記述のうち、**最も不適当な**ものはどれか。

1. 非常用の照明設備の予備電源は、蓄電池と自家用発電装置とを併用したものとすることができる。
2. アトリウム空間のような天井の高さが20m以上の場合は、火災を有効に検知するため、煙感知器を用いる。
3. 避雷設備は、高さ20mを超える建築物において、その高さ20mを超える部分を雷撃から保護するように設ける。
4. 非常用エレベーターは、火災時における消防隊の消火活動などに使用することを主目的とした設備である。
5. 不活性ガス消火設備は、常時人が在室しない電気室などの電気火災の消火に適している。

No. 25 環境・省エネルギー等に関する次の記述のうち、**最も不適当な**ものはどれか。

1. 空気調和設備において、冷水ポンプの台数制御による変流量方式を採用すると、搬送動力を低減することができる。
2. 機器・建材トップランナー制度においては、照明器具や変圧器がその対象となっている。
3. タスク・アンビエント照明方式は、一般に、全般照明方式に比べて、室内の冷房負荷が大きくなる。
4. カーボンニュートラルは、二酸化炭素をはじめとする温室効果ガスの「排出量」から、植林、森林管理等による「吸収量」を差し引いて、合計を実質的にゼロにすることである。
5. 年間を通じて安定した給湯需要のある建築物に対して、コージェネレーションシステムを採用することは、省エネルギー効果を期待できる。

学科Ⅰ（建築計画）　解答番号

〔No. 1〕	4	〔No. 2〕	3	〔No. 3〕	2	〔No. 4〕	1	〔No. 5〕	4
〔No. 6〕	3	〔No. 7〕	1	〔No. 8〕	4	〔No. 9〕	5	〔No. 10〕	5
〔No. 11〕	2	〔No. 12〕	3	〔No. 13〕	1	〔No. 14〕	1	〔No. 15〕	3
〔No. 16〕	4	〔No. 17〕	4	〔No. 18〕	1	〔No. 19〕	2	〔No. 20〕	5
〔No. 21〕	2	〔No. 22〕	5	〔No. 23〕	5	〔No. 24〕	2	〔No. 25〕	3

● 建築法規　出題一覧（直近10年間）●

分類項目		平27年	平28年	平29年	平30年	令元年	令2年	令3年	令4年	令5年	令6年
建築基準法	用語の定義	1	1			1	1	1			1
	面積、高さ等の算定(計算)			1	1				1	1	
	手続き(確認済証の交付等)	1	1	1	1	1	1	1	1	1	1
	手続き(融合・その他)	1	1	2	1	1	1	1	1	1	1
	採光・換気		1			1	1	1		1	1
	建築設備、一般構造融合・その他	2	2	1	2	1	1	2	2	1	1
	構造強度、構造計算	3	3	2	3	3	3	3	3	3	3
	耐火建築物等とする特殊建築物					1					
	防火地域・準防火地域内	1	1	1	1	1	1	1	1	1	1
	防火区画等	1	1	1	1	1	1	1	1	1	1
	内 装 制 限	1	1	1	1	1	1	1	1	1	1
	避難規定、防火・避難融合	1	1	1	1	1	1	1	1	1	1
	道路・壁面線	1	1	1	1	1	1	1	1	1	1
	用 途 地 域	2	2	2	2	2	2	2	2	2	2
	容積率・建蔽率	2	2	2	2	2	2	2	2	2	2
	高さの制限(計算)	1	1	1	1	1	1	1	1	1	1
	高さの制限	1	1	1	1	1	1	1	1	1	1
	雑則・その他、基準法融合	1	1	1	1	1	1	1	1	1	1
その他の関連法令	建 築 士 法	2	2	2	2	2	2	2	2	2	2
	バリアフリー法					1				1	
	建築物省エネ法									1	
	耐震改修促進法		1					1			
	都市計画法						1				
	品確法			1							
	長期優良住宅法				1						
	建 設 業 法		1								
	融合・その他	3	1	2	2	2	2	2	3	1	3
合　　計		25	25	25	25	25	25	25	25	25	25

1 用語の定義

1 建築物と建築物として扱われる工作物 ⇨ 法2条一号、令138条（法88条）

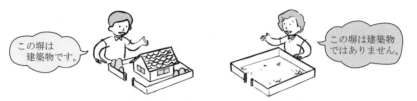

この塀は
建築物です。

この塀は建築物
ではありません。

2 特殊建築物 ⇨ 法2条二号、法別表第1、令115条の3、令19条1項

法別表第1

	（い）	令115条 の3		（い）	令115条 の3
	用途			用途	
（1）	不特定多数の人 が利用する建築 物 劇　場	―	（4）	商業・サービス 関係の建築物 百貨店	3号
（2）	就寝がともなう 建築物 病　院	1号 （令19条 1項）	（5）	倉庫などの大火となることが 予想される建築物	―
（3）	公共施設で多く の人が使用する 建築物 体育館	2号	（6）	出火の危険度 が高い建築物 自動車車庫	4号

3 建築（新築、改築、増築、移転）と大規模の修繕・模様替
　　⇨ 法2条十三号・十四号・十五号

移転

大規模という
意味は工事費が多
いという意味では
ありません。

4 防火関係用語
① 主要構造部 ⇨ 法2条五号
② 延焼のおそれのある部分 ⇨ 法2条六号
③ 耐火構造等
　●耐火構造 ⇨ 法2条七号 ➡ 耐火建築物 ▷法2条九号の二
　●準耐火構造 ⇨ 法2条七号の二 ➡ 準耐火建築物 ▷法2条九号の三

● 防火構造 　⇨ 法2条八号

5　政令で定める用語
①　敷　地 ⇨ 令1条一号
②　地　階 ⇨ 令1条二号
③　避難階 ⇨ 令13条一号
④　耐水材料・準不燃材料・難燃材料
　　 ⇨ 令1条四・五・六号

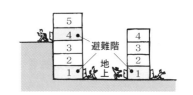

2 面積・高さ等の算定方法

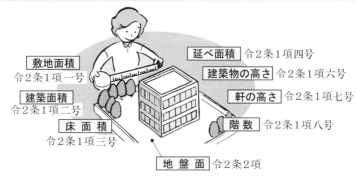

敷地面積	令2条1項一号
延べ面積	令2条1項四号
建築物の高さ	令2条1項六号
建築面積	令2条1項二号
軒の高さ	令2条1項七号
床面積	令2条1項三号
階数	令2条1項八号
地盤面	令2条2項

3 手続き

確認済証の交付の必要な建築物 ⇨ 法6条、法87条～法93条の2

建築物の条件	規　模	建築行為
特殊建築物 (法6条1項1号)	延べ面積＞200㎡	● 用途変更(法87条1項) ㊟類似の用途は不要(令137条の18)
木造 (法6条1項2号)	階数≧3 延べ面積＞500㎡ 高さ＞13m、軒高＞9m	● 建築(新築、増築、改築、移転)※防火・ 準防火地域外での10㎡以内の増改築・ 移転は不要
木造以外 (法6条1項3号)	階数≧2 延べ面積＞200㎡	● 大規模の模様替・修繕 ● 附属する建築設備の設置（法87条の 4、令146条）
都市計画区域内・ 準都市計画区域内等 (法6条1項4号)	規模にかかわらず	● 建築（防火・準防火地域外での10㎡以 内の増改築・移転は不要）
工作物(法88条)	令138条	● 築造

● 中間検査申請　　⇨ 法7条の3、法7条の4
● 完了検査申請　　⇨ 法7条、法7条の2
● 仮使用の認定申請 ⇨ 法7条の6
● 定期報告　　　　⇨ 法12条
● 建築工事届　　　⇨ 法15条
● 建築物除却届　　⇨ 法15条

いろいろな届け出があるなあ。

だれがどこに提出するのかまちがえないようにね。

■ 用語の定義 ■

check □□□
問題1　〈ヒント条文〉➡ 法2条一号
地下の工作物内に設ける倉庫は、「建築物」である。

check □□□
問題2　〈ヒント条文〉➡ 法2条二号
老人福祉施設の用途に供する建築物は、「特殊建築物」ではない。

check □□□
問題3　〈ヒント条文〉➡ 法2条四号
娯楽のために継続的に使用する室は、「居室」である。

check □□□
問題4　〈ヒント条文〉➡ 法2条三号
建築物に設ける消火用のスプリンクラー設備は、「建築設備」である。

check □□□
問題5　〈ヒント条文〉➡ 令1条二号
床が地盤面下にある階で、床面から地盤面までの高さが1m以上のものは、建築基準法上の「地階」である。

check □□□
問題6　〈ヒント条文〉➡ 法2条五号
構造上重要でない最下階の床は、「主要構造部」である。

check □□□
問題7　〈ヒント条文〉➡ 令1条三号
風圧又は地震その他の震動若しくは衝撃を支える火打材は、「構造耐力上主要な部分」である。

check □□□
問題8　〈ヒント条文〉➡ 法2条六号
耐火建築物の3階で、道路中心線から4m以下の距離にある建築物の部分は、原則として、「延焼のおそれのある部分」に該当する。

check □□□
問題9　〈ヒント条文〉➡ 法23条かっこ書
建築物の周囲において発生する通常の火災による延焼を抑制するために当該外壁又は軒裏に必要とされる性能を、「準防火性能」という。

check □□□
問題10　〈ヒント条文〉➡ 法2条七号かっこ書
「耐火性能」とは、通常の火災が終了するまでの間当該火災による建築物の倒壊及び延焼を防止するために当該建築物の部分に必要とされる性能をいう。

問題11 〈ヒント条文〉➡ 法2条九号の三イ

　耐火建築物以外の建築物で、主要構造部を準耐火構造とし、外壁の開口部で延焼のおそれのある部分に所定の防火設備を有するものは、建築基準法上の「準耐火建築物」である。

問題12 〈ヒント条文〉➡ 法2条十六号

　建築物に関する工事を請負契約によらないで自らする者は、「建築主」である。

問題13 〈ヒント条文〉➡ 法2条十三号

　建築物を同一敷地内に移転することは、「建築」である。

問題14 〈ヒント条文〉➡ 令1条一号

　用途上不可分の関係にある2以上の建築物のある一団の土地は、「敷地」である。

問題15 〈ヒント条文〉➡ 令1条四号

　れんがは、「耐水材料」である。

問題16 〈ヒント条文〉➡ 令13条一号かっこ書

　避難上有効なバルコニーがある階は、建築基準法上の「避難階」である。

面積、高さ等の算定

問題17 〈ヒント条文〉➡ 令2条1項四号

　容積率の算定に当たっては、建築物の屋上部分にある装飾塔の床面積は、当該建築物の建築面積の1/8を限度として、延べ面積には算入しない。

解　説

問題 1　正しい
法 2 条一号。正しい。

問題 2　誤り
法 2 条二号、法別表第 1、令19条 1 項、令115条の 3 第一号。老人福祉施設は、令19条 1 項より、「**児童福祉施設等**」に該当する。また、児童福祉施設等は、令115条の 3 第一号より、法別表第 1 ⑵項の用途に類する「特殊建築物」である。誤り。

問題 3　正しい
法 2 条四号。正しい。

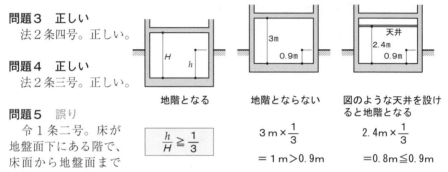

地階となる

地階とならない

図のような天井を設けると地階となる

問題 4　正しい
法 2 条三号。正しい。

問題 5　誤り
令 1 条二号。床が地盤面下にある階で、床面から地盤面までの高さがその階の天井の高さの1/3以上のものを「地階」という。誤り。**上図**参照。

$$\frac{h}{H} \geqq \frac{1}{3}$$

$3\,\mathrm{m} \times \dfrac{1}{3}$

$= 1\,\mathrm{m} > 0.9\,\mathrm{m}$

$2.4\,\mathrm{m} \times \dfrac{1}{3}$

$= 0.8\,\mathrm{m} \leqq 0.9\,\mathrm{m}$

問題 6　誤り
法 2 条五号。「主要構造部」は、壁・柱・床・はり・屋根又は階段をいうが、構造上重要でない最下階の床は除かれている。誤り。

問題 7　正しい
令 1 条三号。正しい。

問題 8　正しい
法 2 条六号。**延焼のおそれのある部分**とは、「**隣地境界線**」「**道路中心線**」又は「**同一敷地内の 2 以上の建築物**（各建築物の延べ面積を合計して500㎡以内となる場合は、1 つの建築物とみなす）**相互の外壁間の中心線**」から **1 階は 3 m 以下（以内）**、**2 階以上は 5 m 以下（以内）**の距離にある建築物の部分をいう。したがって、耐火建築物の 3 階で、道路中心線から 4 m 以下（以内）の距離にある建築物の部分は、「延焼のおそれのある部分」である。正しい。

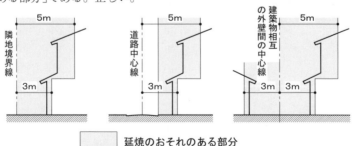

延焼のおそれのある部分

問題9　誤り

法23条かっこ書。**準防火性能**とは「建築物の**周囲**において発生する通常の火災による延焼の抑制に一定の効果を発揮するために**外壁**に必要とされる性能」であるから、**外壁**に限られ、**軒裏**は**含まれない**。誤り。

問題10　正しい

法2条七号かっこ書。正しい。

問題11　正しい

法2条九号の三イ。正しい。

問題12　正しい

法2条十六号。正しい。

問題13　正しい

法2条十三号。「**建築**」とは、建築物を**新築**し、**増築**し、**改築**し、又は**移転**することをいう。正しい。

問題14　正しい

令1条一号。正しい。

問題15　正しい

令1条四号。正しい。

問題16　誤り

令13条一号かっこ書。「避難階」とは、直接地上へ通ずる出入口のある階をいう。したがって、避難上有効なバルコニーのある階は、避難階ではない。誤り。

・1階だけが避難階とは限らない。

問題17　誤り

令2条1項四号。階段室、昇降機塔、装飾塔等の屋上部分についての**緩和規定**があるのは、**高さの算定**（令2条1項六号ロ）と**階数の算定**（同項八号）である。これらの**屋上部分**は、**延べ面積**には**必ず算入しなければならない**。誤り。

〈ヒント条文〉➡ 令2条1項

　図のような事務所に関する次の記述のうち、建築基準法上、**誤っているもの**はどれか。ただし、国土交通大臣が高い開放性を有すると認めて指定する構造の部分はないものとする。

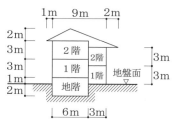

東西断面図

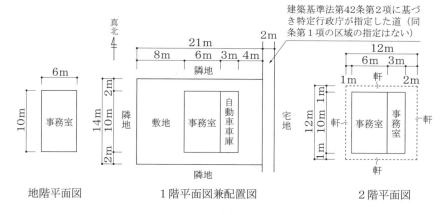

地階平面図　　　1階平面図兼配置図　　　2階平面図

1. 敷地面積は、280㎡である。
2. 建築面積は、100㎡である。
3. 建築基準法第52条第1項の場合における延べ面積は、240㎡である。
4. 建築物の高さは、9mである。
5. 階数は、3である。

1. 令2条1項一号ただし書。

法42条2項の指定道路は、原則として、その中心線からの水平距離2mの線が道路境界線とみなされ、この線と道との間の部分は敷地面積に算入しない。したがって、この敷地の場合は、道の端から1m後退した線が道路境界線とみなされるので、**敷地面積**は、

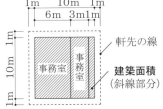

$$14m × (21 - 1)m = 280㎡$$

となる。

2. 令2条1項二号。建築面積は、外壁の中心線で囲まれた部分の水平投影面積になるが、同号かっこ書により、1m以上突き出た軒やひさし等がある場合は、その先端から1m後退した線で囲まれた部分が建築面積に算入される。したがって、**建築面積**は、

$$10m × 10m = 100㎡$$

となる。

3. 令2条1項四号イ及び3項一号。法52条1項の場合の延べ面積(容積率算定用延べ面積)には、自動車車庫の床面積は、延べ面積の**1/5**を限度として算入されない。

　① 延べ面積の算定:
$$地階(6m × 10m) + 1階(9m × 10m) + 2階(9m × 10m) = 240㎡$$

　② 除外部分の限度の算定:延べ面積$240㎡ × 1/5 = 48㎡$
$$車庫面積 = 3m × 10m = 30㎡$$

　　したがって、車庫($30㎡$)を全て除外できる。

　③ **容積率算定用延べ面積**の算定:$240㎡ - 30㎡ = 210㎡$

となる。

4. 令2条1項六号。**建築物の高さ**は地盤面からの高さによるので9mとなる。

5. 令2条1項八号。建築物の部分によって異なる場合の階数は、最大なものによるので、**階数**は3である。

正答 ➡ ❸

手続き（確認済証の交付等）

　次の行為のうち、全国どの場所においても、建築基準法上、確認済証の交付を受ける**必要があるか**、**不要か**、判断しなさい。ただし、高さについて特記なきものは、高さ13m以下、軒高9m以下とする。

check □□□
問題1　〈ヒント条文〉➡ 法6条1項
　鉄骨造平家建て、延べ面積100㎡の自動車車庫の新築

check □□□
問題2　〈ヒント条文〉➡ 法6条1項
　木造2階建て、延べ面積220㎡、高さ8mの一戸建て住宅の新築

check □□□
問題3　〈ヒント条文〉➡ 法6条1項
　木造2階建て、延べ面積300㎡、高さ8mの事務所の新築

check □□□
問題4　〈ヒント条文〉➡ 法6条1項
　鉄筋コンクリート造平家建て、延べ面積190㎡の事務所の新築

check □□□
問題5　〈ヒント条文〉➡ 法6条1項
　鉄骨造2階建て、延べ面積100㎡の一戸建て住宅の大規模の修繕

check □□□
問題6　〈ヒント条文〉➡ 法6条1項
　鉄筋コンクリート造平家建て、延べ面積200㎡の一戸建て住宅の大規模の模様替

check □□□
問題7　〈ヒント条文〉➡ 法87条1項
　木造2階建て、高さ8m、延べ面積250㎡の一戸建て住宅から美術館への用途変更

check □□□
問題8　〈ヒント条文〉➡ 法87条1項
　補強コンクリートブロック造平家建て、延べ面積90㎡の事務所から集会場への用途変更

check □□□
問題9　〈ヒント条文〉➡ 法88条1項、令138条1項
　鉄骨造、高さ8mの高架水槽の築造

check □□□
問題10　〈ヒント条文〉➡ 法85条2項
　工事を施工するために現場に設ける鉄骨造3階建て、延べ面積250㎡の仮設事務所の新築

▌手続き（その他）▌

次の記述について、建築基準法上、**正しいか、誤っているか**、判断しなさい。

問題11　〈ヒント条文〉➡ 法7条の3第2項

建築主は、特定工程に係る工事を終えた日から4日以内に建築主事等に到達するように、中間検査の申請をしなければならない。

問題12　〈ヒント条文〉➡ 法7条の3第6項

特定工程後の工程に係る工事は、当該特定工程に係る中間検査合格証の交付を受けた後でなければ、これを施工してはならない。

問題13　〈ヒント条文〉➡ 法6条の2、法7条の2、法7条の4

建築主は、建築基準法第6条第1項の規定による確認、中間検査及び完了検査の申請を、同一の指定確認検査機関に行うことができる。

問題14　〈ヒント条文〉➡ 法6条の2第5項

指定確認検査機関は、確認済証の交付をしたときは、所定の期間内に、確認審査報告書を作成し、所定の書類を添えて、これを特定行政庁に提出しなければならない。

問題15　〈ヒント条文〉➡ 法6条の2第6項

指定確認検査機関が確認済証の交付をした建築物の計画について、特定行政庁が建築基準関係規定に適合しないと認め、その旨を建築主及び指定確認検査機関に通知した場合において、当該確認済証は、その効力を失う。

問題16　〈ヒント条文〉➡ 法15条1項

建築物を除却しようとする旨の届出は、当該建築物の除却の工事を施工する者が、特定行政庁に行う。

問題17　〈ヒント条文〉➡ 法7条の6第1項

建築基準法第6条第1項第一号の建築物の新築において、指定確認検査機関が、安全上、防火上及び避難上支障がないものとして国土交通大臣が定める基準に適合していることを認めたときは、当該建築物の建築主は、検査済証の交付を受ける前においても、仮に、当該建築物を使用することができる。

問題18　〈ヒント条文〉➡ 法7条の2第1項

指定確認検査機関が、工事完了の日から4日が経過する日までに、完了検査を引き受けた場合においては、建築主は、建築主事等に完了検査の申請をすることを要しない。

問題19　〈ヒント条文〉➡ 法9条1項

特定行政庁は、建築基準法令の規定に違反した建築物については、当該建築物の建築主に対して、当該工事の施工の停止を命ずることができる。

問題 1　不要

　法 6 条 1 項一号及び三号。**自動車車庫**は、法別表第 1 (6)項の**特殊建築物**であるが、延べ面積が200㎡を超えていないので、法 6 条 1 項一号に該当せず、また、同項三号の規模にも該当せず、不要。

問題 2　不要

　法 6 条 1 項二号。二号の規模に該当せず、不要。

問題 3　不要

　法 6 条 1 項二号。二号の規模に該当せず、不要。

問題 4　不要

　法 6 条 1 項三号。三号の規模に該当せず、不要。

問題 5　必要

　法 6 条 1 項三号。**鉄骨造 2 階建ては三号**の規模に該当するので、必要。

問題 6　不要

　法 6 条 1 項三号。平家建てで、延べ面積200㎡以下なので不要。

問題 7　必要

　法87条 1 項。**用途を変更して、法 6 条 1 項一号に該当する200㎡を超える特殊建築物**（美術館は令115条の 3 第二号により、法別表第 1 (3)項に該当）とする場合は、法 6 条 1 項が適用されるので必要。

問題 8　不要

　法87条 1 項により、用途を変更して法 6 条 1 項一号の特殊建築物とする場合（令137条の18各号に定める類似の用途間の変更を除く）には法 6 条 1 項の規定が適用されるが、その用途に供する部分の床面積の合計が**200㎡以下**であれば法 6 条 1 項一号に該当しないので不要。

問題 9　不要

　法88条 1 項、令138条 1 項四号。高さが**8 m 以下**の高架水槽なので、不要。

問題10　不要

　法85条 2 項。工事を施工するために現場に設ける仮設事務所は、法 6 条の規定の適用が除外されているので、不要。

問題11　正しい

　法 7 条の 3 第 2 項。正しい。

問題12　正しい

　法 7 条の 3 第 6 項。正しい。

問題13　正しい

法6条の2第1項、法7条の2第1項、法7条の4第1項。指定確認検査機関から確認を受けたときは、法6条1項に規定する建築主事等の確認とみなす。指定確認検査機関による中間検査と完了検査も同様の制度であるので、建築主は、確認、中間検査及び完了検査の申請を、同一の指定確認検査機関に行うことができる。正しい。

問題14　正しい

法6条の2第5項。正しい。

問題15　正しい

法6条の2第6項。正しい。

問題16　誤り

法15条1項。建築物の除却の工事を施工する者は、工事に係る部分の床面積の合計が10㎡を超える場合、建築主事等を経由して、その旨を都道府県知事に届け出なければならない。「特定行政庁」ではない。誤り。

問題17　正しい

法7条の6第1項二号。正しい。

問題18　正しい

法7条の2第1項。正しい。

問題19　正しい

法9条1項。正しい。

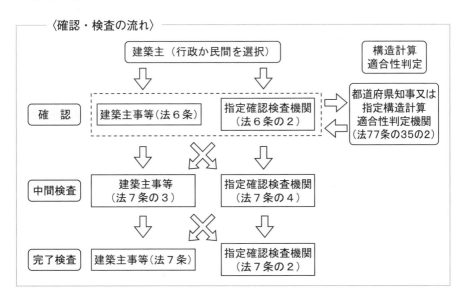

〈確認・検査の流れ〉

一般構造等

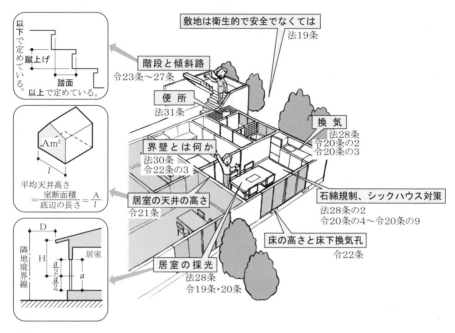

以下で定めている。蹴上げ／踏面／以上で定めている。

平均天井高さ
$$= \frac{\text{室断面積}}{\text{底辺の長さ}} = \frac{A}{l}$$

（図：Am²、l）

隣地境界線／D／H／居室／$\frac{a}{2}$／$\frac{a}{2}$／a

- 敷地は衛生的で安全でなくては　法19条
- 階段と傾斜路　令23条〜27条
- 便所　法31条
- 界壁とは何か　法30条　令22条の3
- 居室の天井の高さ　令21条
- 居室の採光　法28条　令19条・20条
- 換気　法28条　令20条の2　令20条の3
- 石綿規制、シックハウス対策　法28条の2　令20条の4〜令20条の9
- 床の高さと床下換気孔　令22条

① 採　光

- 必要な採光有効面積＝**居室の床面積**×令19条3項表の**割合**
- 採光有効面積＝**開口部面積**×**採光補正係数**
- 開口部で採光に有効な部分の面積を算定する場合、用途地域を考慮しなければならない。つまり、**採光補正係数**は、**用途地域**により**3種類**に分類される。
- 天窓がある場合の採光補正係数…**3倍**
- 幅90cm以上の縁側（ぬれ縁を除く）がある場合の採光補正係数…**0.7倍**

② 換　気

1　換気設備
- 換気のための窓その他の開口部は、その居室の床面積に対して、**1/20以上**としなければならない。
- 劇場、集会場等の居室には、**機械換気設備、中央管理方式の空気調和設備又は国土交通大臣の認定を受けた設備**を設けなければならない（**自然換気設備**は、**不可**）。

2　換気設備が不要な火気使用室
- **密閉式燃焼器具**のみを設けた場合には、換気設備を設けなくてもよい（令20条の3第1項一号）。

- 次の小規模な住宅や住戸の**火気使用室**(同二号)
  - 床面積の合計は、100㎡以内
  - 発熱量の合計が12kW以下の火を使用する器具のみを設けた場合
  - 火気使用室の床面積の1/10以上かつ0.8㎡以上の換気上有効な開口部を設けたもの
- **調理室を除き**、発熱量の合計が6kW以下の火を使用する器具のみを設けた室で、換気上有効な開口部を設けた場合は、換気設備を設けなくてもよい(同三号)。

3 技術的基準
- 換気設備を設けるべき調理室等には、火を使用する設備の近くに排気フードを有する排気筒を設ける場合は、**排気フード**は**不燃材料**で造らなければならない。
- 自然換気設備の排気筒には、その頂部及び排気口を除き、開口部を設けない。

4 便所の換気等
- 水洗便所には、採光及び換気のため直接外気に接する窓を設けるか、**これに代わる照明及び換気のための設備**を設けなければならない。

③ そ の 他

1 石綿規制、シックハウス対策
- 建築物の**居室内**には、ホルムアルデヒドの発散による衛生上の支障がないよう、**換気設備を設けなければならない。**

2 天井・床の高さ
- 居室の天井の高さは、**2.1m以上**としなければならない。
- 住宅の居室の床が木造である場合の措置
  - その直下の地盤面から床の上面までの高さは、原則として、**45cm以上**とする。
  - 外壁の床下部分には、壁の長さ**5m以下**ごとに、面積**300cm²以上**の所定の換気孔を設ける。

3 階段・傾斜路
- 幅、蹴上げ、踏面の寸法
  - 幅、踏面 ⇨ 規定寸法**以上**が適合
  - 蹴 上 げ ⇨ 規定寸法**以下**が適合
- 回り階段の踏面の寸法は、踏面の**狭い方の端**から30cmの位置において測定した値とする。
- 階段に代わる傾斜路の勾配は、**1/8**をこえてはならない。
- 踊場の位置
  - 小学校の児童用、劇場等〔令23条1項表(1)、(2)〕:**高さ3m以内**ごと
  - その他〔令23条1項表(3)、(4)〕:**高さ4m以内**ごと
- 直階段の踊場の踏幅は、**1.2m以上**とする。

4 建築設備
- 合併処理浄化槽は、満水にして**24時間以上漏水しない**ことを確かめなければならない。
- 公共下水道の処理区域内の便所は、くみ取便所としてはならない。

　次の記述について、建築基準法上、**正しい（適合）**か、**誤っている（不適合）**か、判断しなさい。

▊ 換　　気 ▊

check

問題1　〈ヒント条文〉➡ 法28条2項
　住宅の居室には、原則として、換気のための窓その他の開口部を設け、その換気に有効な部分の面積は、その居室の床面積に対して、1/20以上としなければならない。

check

問題2　〈ヒント条文〉➡ 令129条の2の5第1項
　建築物（換気設備を設けるべき調理室等を除く。）に設ける自然換気設備の給気口は、居室の天井の高さの1/2以下の高さの位置に設け、常時外気に開放された構造としなければならない。

check

問題3　〈ヒント条文〉➡ 令129条の2の5第2項
　機械換気設備は、換気上有効な給気機及び排気機、換気上有効な給気機及び排気口又は換気上有効な給気口及び排気機を有する構造としなければならない。

check

問題4　〈ヒント条文〉➡ 法28条3項かっこ書、令20条の3第1項
　住宅の浴室（常時開放された開口部はないものとする。）において、密閉式燃焼器具のみを設けた場合には、換気設備を設けなくてもよい。

check

問題5　〈ヒント条文〉➡ 法28条3項かっこ書、令20条の3第1項
　旅館の調理室（換気上有効な開口部があるものとする。）において、発熱量の合計が2kWの火を使用する器具のみを設けた場合には、換気設備を設けなくてもよい。

check

問題6　〈ヒント条文〉➡ 法28条の2、令20条の6
　木造2階建ての長屋において、建築材料には、クロルピリホスを添加しなかった。

check

問題7　〈ヒント条文〉➡ 令28条
　水洗便所には、採光及び換気のため直接外気に接する窓を設け、又はこれに代わる設備をしなければならない。

▊ その他の一般構造等 ▊

check

問題8　〈ヒント条文〉➡ 法28条1項、令20条2項
　一戸建て住宅の居室に設ける開口部で、川に面するものについて、採光に有効な部分の面積を算定する場合、当該川の反対側の境界線を隣地境界線とした。

check

問題9 〈ヒント条文〉➡ 令21条1項
　木造2階建ての一戸建て住宅において、便所の天井の高さを、2.0mとした。

check

問題10 〈ヒント条文〉➡ 令22条
　木造2階建ての一戸建て住宅において、1階の床の高さは、直下の地面からその床の上面までを45cmとしたので、床下をコンクリートで覆わないこととした。

check

問題11 〈ヒント条文〉➡ 令22条
　共同住宅の最下階の居室の床が木造である場合における外壁の床下部分には、壁の長さ4mごとに、面積300cm^{2}の換気孔を設けた。

check

問題12 〈ヒント条文〉➡ 令26条1項
　一戸建て住宅の階段に代わる傾斜路の勾配を、1/7とした。

check

問題13 〈ヒント条文〉➡ 令23条1項ただし書、2項
　木造2階建ての一戸建て住宅において、回り階段の部分における踏面の寸法を、踏面の狭い方の端から30cmの位置において、16cmとした。

check

問題14 〈ヒント条文〉➡ 令23条1項ただし書
　木造2階建て、延べ面積150㎡の一戸建て住宅の階段（直階段）における、蹴上げの寸法を20cm、踏面の寸法を20cmとした。

check

問題15 〈ヒント条文〉➡ 令23条3項、令26条2項
　木造2階建ての一戸建て住宅において、階段に代わる高さ1.2mの傾斜路に幅10cmの手すりを設けたので、当該傾斜路の幅の算定に当たっては、手すりはないものとみなした。

check

問題16 〈ヒント条文〉➡ 令24条1項、2項
　小学校における児童用の高さ3.2mの直階段に設ける踊場の踏幅を、120cmとした。

check

問題17 〈ヒント条文〉➡ 令23条1項表(3)、(4)
　病院における患者用の階段の踏面の寸法を、26cmとした。

check

問題18 〈ヒント条文〉➡ 令25条4項
　木造2階建ての一戸建て住宅において、高さ1m以下の階段の部分には、手すりを設けなかった。

check

問題19 〈ヒント条文〉➡ 法19条1項ただし書
　敷地内の排水に支障がなかったので、建築物の敷地は、これに接する道の境よりも低くした。

解　説

問題1　正しい

　法28条2項。正しい。

問題2　正しい

　令129条の2の5第1項二号。正しい。

問題3　正しい

　令129条の2の5第2項一号。正しい。

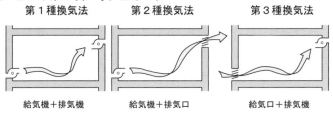

第1種換気法　　　　　　第2種換気法　　　　　　第3種換気法

給気機＋排気機　　　　　給気機＋排気口　　　　　給気口＋排気機

問題4　正しい

　法28条3項かっこ書、令20条の3第1項一号。正しい。

問題5　誤り

　法28条3項かっこ書、令20条の3第1項三号かっこ書。発熱量の合計が**6kW以下の火を使用する設備又は器具を設けた室で換気上有効な開口部を設けたもの**には、換気設備を**設けなくてもよい**が、**調理室**は**除かれている**ので換気設備を設けなければならない。誤り。

問題6　適合

　法28条の2第三号、令20条の6第一号。適合。

問題7　正しい

　令28条。正しい。

問題8　不適合

　法28条1項、令20条2項一号。敷地が川に面する場合にあっては、隣地境界線は、その川の幅の**1/2**だけ**外側**にあるものとみなす。不適合。

問題9　適合

　令21条1項。便所は居室（法2条四号）ではないので、天井の高さについての規定はない。適合。

問題10　適合

　令22条一号及び同条ただし書。適合。

問題11　適合

　令22条二号。適合。

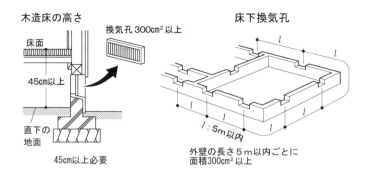

木造床の高さ

床下換気孔

換気孔 300cm² 以上

床面

45cm以上

直下の
地面

45cm以上必要

l : 5m以内

外壁の長さ 5 m以内ごとに
面積300cm²以上

問題12 不適合
　令26条１項一号。階段に代わる傾斜路の勾配は、１／８を超えてはならない。
１／７＞１／８なので、不適合。

問題13　適合
　令23条１項ただし書及び同条２項。
　右図参照。適合。

問題14　適合
　令23条１項ただし書より、蹴上げの寸法
は、23cm以下であれば、また、踏面の寸法は、
15cm以上であればよい。いずれも適合。

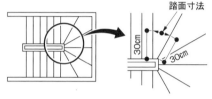

踏面寸法

30cm

30cm

問題15　適合
　令23条３項、令26条２項。令23条〜令25条の規定（蹴上げ、踏面の規定を除く）は、
傾斜路に準用される。したがって、手すりは幅10cmを限度として、ないものとみ
なされる。適合。

問題16　適合
　令24条１項及び２項。適合。

問題17　適合
　令23条１項表(3)、(4)。適合。

問題18　適合
　令25条４項。高さが１m以下の階段には令25条１項〜３項の規定は適用されない。
適合。

問題19　適合
　法19条１項ただし書。適合。

準工業地域内において、図のような断面を有する住宅の1階の居室の開口部（幅1.5m、面積3.0㎡）の「採光に有効な部分の面積」として、建築基準法上、**正しい**ものは、次のうちどれか。ただし、図に記載されていないことについては、考慮しないものとする。

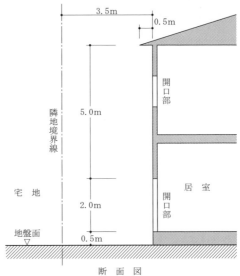

断　面　図

1.　4.8 ㎡
2.　6.3 ㎡
3.　9.0 ㎡
4.　11.0 ㎡
5.　12.0 ㎡

計算のポイント

●**住居**系地域の採光補正係数は、$\left(\dfrac{d}{h} \times 6\right) - 1.4$

●**工業**系地域の採光補正係数は、$\left(\dfrac{d}{h} \times 8\right) - 1$

●**商業**系地域の採光補正係数は、$\left(\dfrac{d}{h} \times 10\right) - 1$

解 説

法28条1項、令20条1項、2項二号。

採光に有効な部分の面積は、開口部の面積に地域又は区域ごとに定められる**採光補正係数**を乗じて求める。

①開口部の面積

条件より、1階の窓の面積は、3㎡である。

②採光補正係数

工業系地域の採光補正係数は、次式により求める。

$$\frac{d（隣地境界線までの水平距離）}{h（開口部の中心までの垂直距離）} \times 8 - 1.0$$

右図より$d = 3$ m、$h = 6$ mであるから、採光補正係数は、

$$\left(\frac{3}{6} \times 8\right) - 1.0 = 3.0$$

③ 採光に有効な部分の面積

採光に有効な部分の面積は、

$3㎡ \times 3.0 = 9.0㎡$

となる。

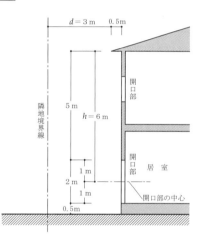

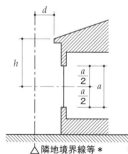

△ 隣地境界線等 ＊

＊：同一敷地内に他の建築物がある場合は、その建築物の外壁面。

正答 ➡ ③

構造耐力など
法20条

木　造
令40条〜49条

令46条4項（軸組）

張り間方向算定用見付面積（平側）

風

張り間方向の
風圧力を受ける軸組の長さ

けた行方向算定用見付面積（妻側）

風

けた行方向の
風圧力を受ける軸組の長さ

令43条の表の見方		住宅	
		最上階	その他の階
(1)	重量建築		
(2)	軽い屋根 （金属板等）		
(3)	重い屋根 （瓦等）		

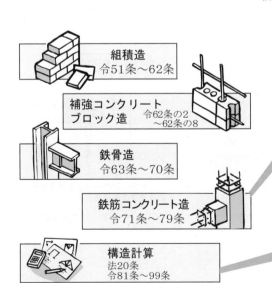

組積造
令51条〜62条

補強コンクリート
ブロック造
令62条の2
〜62条の8

鉄骨造
令63条〜70条

鉄筋コンクリート造
令71条〜79条

構造計算
法20条
令81条〜99条

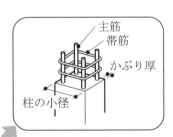

主筋
帯筋

かぶり厚

柱の小径

風圧力　　積雪荷重

積載荷重

固定荷重

地震力

1 構造方法（仕様規定）

1 木 造

- 柱の有効細長比は、**150以下**とする。
- 構造耐力上主要な部分である柱の小径を決める場合、柱の**樹種**は**関係しない**。
- **張り間方向及びけた行方向の軸組の長さの合計**
  それぞれの方向につき、**床面積**及び**見付面積**をもとに求めた数値以上とする。
- **引張力**を負担する木造の筋かい
  ⇨ 厚さ**1.5cm以上**、幅**9cm以上**（または**径9mm以上の鉄筋**）
- **圧縮力**を負担する筋かい ⇨ 厚さ**3cm以上**、幅**9cm以上**

2 鉄 骨 造

- 構造耐力上主要な部分の有効細長比 ⇨ はりの圧縮材：**250以下**
  柱 の 圧 縮 材：**200以下**
- 高力ボルト、ボルト又はリベットの相互間の中心距離 ⇨ その径の**2.5倍以上**
- ボルト孔の径 ⇨ ボルトの径が20mm**未満**：ボルトの径＋**1mm**
  ボルトの径が20mm**以上**：ボルトの径＋**1.5mm**
- 鋳鉄 ⇨ **圧縮**応力、**接触**応力が生ずる部分の**みに使用**する
  （引張応力が生ずる部分には、使用してはならない）

3 鉄筋コンクリート造

- コンクリートのかぶり厚さ ⇨ 直接土に**接しない**耐力壁：**3cm以上**
  直接土に**接する**耐力壁：**4cm以上**
- 原則として、コンクリートの打込み中及び打込み後**5日間**は、コンクリートの**温度が2度を下らない**ようにする。
- **普通**コンクリートの**4週圧縮強度**は、原則として、**12N/mm²以上**とする。
- 耐力壁の厚さは、**12cm以上**とする。
- 構造耐力上主要な部分である床版の厚さは、原則として、**8cm以上**とし、かつ、短辺方向における有効張り間長さの**1/40以上**とする。
- 構造耐力上主要な部分である柱
  ○小 径 ⇨ 構造耐力上主要な支点間距離の**1/15以上**
  ○主筋の本数 ⇨ **4本以上**（帯筋と緊結）
  ○柱の主筋の断面積の和 ⇨ コンクリートの断面積の**0.8%以上**
- はりの構造
  複筋ばりとし、あばら筋をはりの丈の**3/4以下**の間隔で配置する。

2 構造計算等

- **積 載 荷 重**
  倉庫業を営む倉庫における床の積載荷重は、**3,900N/㎡未満**としない。
- **積 雪 荷 重** （20N/㎡·cm）
  ⇨ 積雪荷重＝積雪の**単位荷重**×屋根の**水平投影面積**（㎡）×**垂直積雪量**（cm）
- **風 圧 力** ⇨ 建築物に作用する風圧力＝**速度圧**×**風力係数**
- **地盤の許容応力度** ⇨ 令93条の表から読み取る。

構造強度等に関する次の記述について、建築基準法上、**正しい（適合）**か、**誤っている（不適合）**か、判断しなさい。（問題1～14については、構造計算等による安全性の確認は行わないものとし、国土交通大臣が定めた構造方法及び国土交通大臣の認定は考慮しないものとする。）

▋木　　造▋
（茶屋、あずまや等又は延べ面積10㎡以内の物置、納屋等ではないものとする）

check

問題1　〈ヒント条文〉➡ 令42条1項ただし書
　木造2階建て、延べ面積150㎡、高さ7mの一戸建て住宅において、構造耐力上主要な部分である柱の下部に土台を設けず、当該柱を鉄筋コンクリート造の布基礎に緊結した。

check

問題2　〈ヒント条文〉➡ 令43条6項
　構造耐力上主要な部分である柱の有効細長比を、180とした。

check

問題3　〈ヒント条文〉➡ 令43条1項表(2)
　木造2階建て、延べ面積150㎡、高さ8mの建築物において、屋根を金属板でふいた場合、1階の柱の小径は、横架材の相互間の垂直距離の1/33以上としなければならない。

check

問題4　〈ヒント条文〉➡ 令46条4項
　木造2階建て、延べ面積150㎡、高さ8mの建築物において、張り間方向及びけた行方向に配置する壁を設け又は筋かいを入れた軸組の長さの合計は、原則として、それぞれの方向につき、床面積及び見付面積をもとに求めた所定の数値以上となるようにしなければならない。

check

問題5　〈ヒント条文〉➡ 令45条2項
　構造耐力上主要な部分である圧縮力を負担する木材の筋かいは、厚さ1.5cmで、幅9cmの木材を使用した。

▋鉄　骨　造▋

check

問題6　〈ヒント条文〉➡ 令65条
　構造耐力上主要な部分である柱における圧縮材の有効細長比を、210とした。

check

問題7　〈ヒント条文〉➡ 令68条1項
　ボルトの相互間の中心距離を、その径の2.5倍とした。

check

問題8　〈ヒント条文〉➡ 令64条2項
　鋳鉄は、引張り応力が生ずる構造耐力上主要な部分に、使用することができる。

check

問題9　〈ヒント条文〉➡ 令67条1項
　構造耐力上主要な部分の設計において、鋼材の接合を溶接接合とした。

■ **鉄筋コンクリート造** ■（平屋建て、延べ面積は、100㎡とする）

check

問題10　〈ヒント条文〉➡ 令79条1項
　直接土に接する耐力壁の鉄筋に対するコンクリートのかぶり厚さは、4cm以上としなければならない。

check

問題11　〈ヒント条文〉➡ 令77条
　構造耐力上主要な部分である柱の主筋は、4本以上とし、間隔を20cm以下とした帯筋と緊結しなければならない。

check

問題12　〈ヒント条文〉➡ 令78条の2第1項
　耐力壁の厚さは、12cm以上としなければならない。

check

問題13　〈ヒント条文〉➡ 令77条の2第1項
　構造耐力上主要な部分である床版の厚さは、原則として、8cm以上とし、かつ、短辺方向における有効張り間長さの1/40以上とする。

check

問題14　〈ヒント条文〉➡ 令77条
　構造耐力上主要な部分である柱の小径は、その構造耐力上主要な支点間の距離の1/20以上とすることができる。

■ **構 造 計 算** ■

問題15　〈ヒント条文〉➡ 令93条表
　密実な砂質地盤の長期に生ずる力に対する許容応力度は、国土交通大臣が定める方法による地盤調査を行わない場合、200kN/㎡とすることができる。

問題16　〈ヒント条文〉➡ 令86条1項
　積雪荷重は、原則として、積雪の単位荷重に屋根の水平投影面積及びその地方における垂直積雪量を乗じて計算しなければならない。

問題17　〈ヒント条文〉➡ 令85条1項表(7)
　店舗の売場に連絡する廊下における柱の構造計算をする場合の積載荷重については、実況に応じて計算しない場合、2,400N/㎡に床面積を乗じて計算することができる。

問題1　適合
　令42条1項一号。木造の建築物において、構造耐力上主要な部分である柱で最下階に使用するものの下部には、原則として、土台を設けなければならないが、柱を基礎に緊結した場合等は除く。適合。

問題2　不適合
　令43条6項。柱の**有効細長比**は、**150以下**とする。不適合。

問題3　誤り
　令43条1項表(2)。**屋根を金属板**でふいた場合、**2階建ての1階の柱の小径**は、柱間隔や建築物の用途に応じて、**横架材**の相互間の**垂直距離**の**1/25以上又は1/30以上**としなければならない。誤り。

問題4　正しい
　令46条4項。正しい。

問題5　不適合
　令45条2項。圧縮力を負担する筋かいは、厚さ3cm以上、幅9cm以上の木材を使用しなければならない。不適合。

問題6　不適合
　令65条。構造耐力上主要な部分である柱における圧縮材の**有効細長比**は、**200以下**としなければならない。不適合。

問題7　適合
　令68条1項。適合。

問題8　誤り
　令64条2項。鋳鉄は、圧縮応力又は接触応力以外の応力（引張り応力）が生ずる構造耐力上主要な部分には、使用してはならない。誤り。

問題9　適合
　令67条1項。適合。

問題10　正しい
　令79条1項。鉄筋に対するコンクリートのかぶり厚さは、耐力壁にあっては3cm以上であるが、設問の耐力壁は**直接土に接している**ので、かぶり厚さを**4cm以上**とする。正しい。

問題11　誤り

令77条一号、二号及び三号。柱の**主筋**は、**4本以上**とし、**帯筋と緊結**する。帯筋の**間隔**は、原則として、**15cm以下**で、かつ、最も細い主筋の径の15倍以下としなければならない。誤り。

問題12　正しい

令78条の2第1項一号。正しい。

問題13　正しい

令77条の2第1項一号。正しい。

問題14　誤り

令77条五号。鉄筋コンクリート造において、構造耐力上主要な部分である柱の小径は、原則として、構造耐力上主要な支点間の距離の1/15以上としなければならない。誤り。

問題15　正しい

令93条表。正しい。

問題16　正しい

令86条1項。正しい。

問題17　誤り

令85条1項表(7)。**店舗の売場に連絡する廊下**は、(ろ)の欄(5)の「その他の場合」の数値によるので、**3,200 N/㎡**とする。誤り。

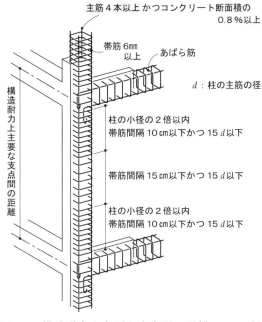

主筋4本以上 かつコンクリート断面積の0.8％以上

帯筋6mm以上

あばら筋

d：柱の主筋の径

構造耐力上主要な支点間の距離

柱の小径の2倍以内
帯筋間隔 10cm以下かつ15d以下

帯筋間隔 15cm以下かつ15d以下

柱の小径の2倍以内
帯筋間隔 10cm以下かつ15d以下

❶ 防火制限の厳しい特別な地域

◆ 法22条区域の制限（法22条〜法24条）

◆ 防火地域・準防火地域の構造制限（法61条、令136条の2）

「耐火建築物（1号イ）」又は 「イと同等以上の延焼防止時間となる建築物（1号ロ）」
防火地域 階数3以上、又は、延べ面積100m²超
準防火地域 地上4階建て以上、又は、延べ面積1,500m²超

「準耐火建築物（2号イ）」又は 「耐火建築物若しくは準耐火建築物又はこれらと同等以上の延焼防止時間と なる建築物（2号ロ）」
防火地域 階数2以下、かつ、延べ面積100m²以下
準防火地域 地上3階建て、かつ、延べ面積1,500m²以下 地上2階建て以下、かつ、延べ面積500m²超1,500m²以下

木造建築物等（3号）
準防火地域 地上2階建て以下、かつ、延べ面積500m²以下

鉄骨造など木造建築物等以外の建築物（4号）
準防火地域 地上2階建て以下、かつ、延べ面積500m²以下

門・塀の構造（5号）
防火地域 高さ2mを超える門・塀は、**延焼防止上支障のない構造**
準防火地域 木造建築物等に附属する高さ2mを超える門・塀は、 **延焼防止上支障のない構造**

❷ 建築物の防火上の区画

◆ 木造建築物の区画

●防火壁・防火床（法26条、令113条）

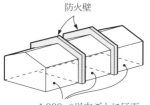

防火壁

防火床

1,000m²以内ごとに区画

1,000m²以内ごとに区画

●界壁・間仕切壁・隔壁（令114条）

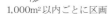

共同住宅等の**界壁**
学校等の**間仕切壁**
（準耐火構造）

建築面積が一定規模を
超える場合
隔壁（準耐火構造）

住戸

住戸

一定長さ以内

◆ 耐火建築物又は準耐火建築物の防火区画　▷令112条

●面積区画（１項〜６項）

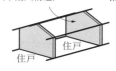

特定防火設備（19項）

準耐火構造の床・壁
（１時間）

一定面積ごとに区画

●高層区画（７〜10項）

**11階以上の
部分はより
きびしく区画
するのか。**

●竪穴区画（11〜15項）

竪穴区画

３階建住宅
の場合でも区画
するかな？

火災の時に
この竪穴から
火災が拡大する
のを防ぐんだ。

●異種用途区画（18項）

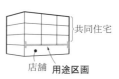

共同住宅

店舗　用途区画

③ 内装の制限　　（令128条の3の2〜令128条の5）

- ●対象建築物
  - ①無 窓 の 居 室　（令128条の3の2）
  - ②特 殊 建 築 物　（令128条の4第1項）
  - ③大 規 模 建 築 物　（令128条の4第2・3項）
  - ④火 を 使 用 す る 室　（令128条の4第4項）
- ●適用場所と仕上材料（令128条の5）

④ 避難施設

<避難経路>災害時に建築物から安全に避難できるように避難経路の過程ごと規定している。

室内 →廊下→階段→出口→屋外通路→ 道路

◆　室内
- ●排煙設備（令126条の2・3）

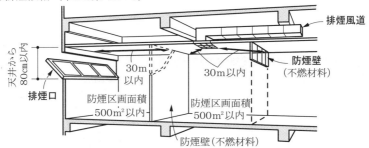

天井から80cm以内

排煙口

30m以内

30m以内

排煙風道

防煙壁（不燃材料）

防煙区画面積500m²以内

防煙区画面積500m²以内

防煙壁（不燃材料）

- ●非常用の照明装置（令126条の4・5）

あっ突然電気が消えたぞ。何かあったのか。

暗くて何も見えない。

非常用照明がついてよかった。

160

◆ **廊下**（令119条）

●廊下の幅

居室	居室
中廊下	
居室	居室

	便所	倉庫
片廊下		
居室		居室

●階段 （令120条〜令124条）

次の記述について、建築基準法上、**正しいか**、**誤っているか**、判断しなさい。

防火地域・準防火地域内

地階及び防火壁等はないものとし、防火地域及び準防火地域以外の地域、地区等は考慮しないものとする。

check

問題1 〈ヒント条文〉➡ 法61条1項、令136条の2第一号
防火地域内にある延べ面積80㎡、3階建ての事務所は、耐火建築物又はこれと同等以上の延焼防止時間となる建築物としなければならない。

check

問題2 〈ヒント条文〉➡ 法61条1項ただし書、令136条の2第五号
準防火地域内にある木造建築物等に附属する高さ2mの塀は、延焼防止上支障のない構造としなくてもよい。

check

問題3 〈ヒント条文〉➡ 法27条、法別表第1(6)項
準防火地域内の建築物で、3階を映画スタジオの用途に供するものを新築する場合は、耐火建築物としなければならない。

check

問題4 〈ヒント条文〉➡ 法61条1項、令136条の2第二号
準防火地域内にある3階建て、延べ面積300㎡の診療所（患者の収容施設がないもの）は、耐火建築物としなければならない。

check

問題5 〈ヒント条文〉➡ 法65条2項
建築物の敷地が防火地域及び準防火地域にわたる場合においては、建築物の位置にかかわらず、その全部について防火地域内の建築物に関する規定を適用する。

check

問題6 〈ヒント条文〉➡ 法62条、令136条の2の2
防火地域内において、一戸建て住宅を新築する場合、屋根の構造は、市街地における通常の火災による火の粉により、防火上有害な発炎をしないもの及び屋内に達する防火上有害な溶融、亀裂その他の損傷を生じないものとしなければならない。

check

問題7 〈ヒント条文〉➡ 法63条
準防火地域内の外壁が準耐火構造の建築物は、その外壁を隣地境界線に接して設けることができる。

check

問題8 〈ヒント条文〉➡ 法64条
防火地域内の高さ2mの広告塔で、建築物の屋上に設けるものは、その主要な部分を不燃材料で造り、又は覆わなければならない。

警報設備等は設けられていないものとする。

問題9 〈ヒント条文〉➡ 法26条１項

　延べ面積1,800㎡の物品販売業を営む店舗で、耐火建築物及び準耐火建築物以外のものは、床面積1,000㎡以内ごとに防火壁又は防火床で区画しなければならない。

問題10 〈ヒント条文〉➡ 令112条11項

　主要構造部を準耐火構造とした３階建ての事務所（各階に居室を有するもの）においては、１階から３階に通ずる階段の部分とその他の部分とを防火区画しなくてもよい。

問題11 〈ヒント条文〉➡ 令112条16項

　防火区画（建築基準法施行令第112条第18項に規定するものを除く。）を構成する床に接する外壁については、その接する部分を含み幅90cm以上の部分を準耐火構造とするか、外壁面から50cm以上突出した準耐火構造のひさし等で防火上有効に遮らなければならない。

問題12 〈ヒント条文〉➡ 令112条18項

　１階の一部を床面積150㎡の自動車車庫とし、その他の部分を事務所の用途に供する３階建ての建築物においては、自動車車庫の部分とその他の部分とを防火区画しなければならない。

問題13 〈ヒント条文〉➡ 令114条１項

　長屋の各戸の界壁（自動スプリンクラー設備等設置部分その他防火上支障がないものとして国土交通大臣が定める部分の界壁を除く。）は、その規模にかかわらず、準耐火構造とし、天井を強化天井とする場合を除き、小屋裏又は天井裏に達せしめなければならない。

問題14 〈ヒント条文〉➡ 令114条３項

　建築面積が300㎡の建築物の小屋組が木造である場合においては、原則として、小屋裏の直下の天井の全部を強化天井とするか、桁行間隔12m以内ごとに小屋裏に準耐火構造の隔壁を設けなければならない。

問題15 〈ヒント条文〉➡ 令113条１項

　防火壁に設ける開口部の幅及び高さは、それぞれ2.5m以下とし、かつ、これに特定防火設備で所定の構造であるものを設けなければならない。

問題1　正しい

　法61条1項、令136条の2第一号。**防火地域内**では、階数が3以上の建築物は、「耐火建築物（一号イ）」又は「これと同等以上の延焼防止時間となる建築物（一号ロ）」としなければならない。

問題2　正しい

　法61条1項ただし書、令136条の2第五号。正しい。

問題3　正しい

　法27条2項二号、法別表第1(6)項。**映画スタジオ**は、令115条の3第四号により、法別表第1(6)項の特殊建築物に該当し、3階以上の階を映画スタジオの用途としているので、耐火建築物としなければならない特殊建築物である。

問題4　誤り

　法61条1項、令136条の2第二号。**準防火地域内**で、地上3階建て1,500㎡以下の建築物は、「準耐火建築物（二号イ）」又は「これと同等以上の延焼防止時間となる建築物（二号ロ）」とすることができる。したがって、当該診療所は耐火建築物としなくてもよい。なお、患者の収容施設がない診療所には、法27条の適用はない。

問題5　誤り

　法65条2項。建築物が防火地域及び準防火地域にわたる場合は、原則として、その全部について防火地域内の制限を受ける。したがって、建築物の敷地が防火地域及び準防火地域にわたる場合においても、<u>建築物がそれぞれの地域にまたがっていない場合</u>は、この規定は適用されない。

問題6　正しい

　法62条、令136条の2の2。正しい。

問題7　誤り

　法63条。防火地域又は準防火地域内の建築物で、外壁が「耐火構造」のものは、その外壁を隣地境界線に接して設けることができる。「準耐火構造」ではない。誤り。

問題8　正しい

　法64条。建築物の**屋上**に設けるものなので、高さに関係なく**不燃材料**で造り、又は覆わなければならない。

問題9　正しい

　法26条1項。延べ面積が**1,000㎡を超える**建築物（耐火建築物及び準耐火建築物を除く）は、原則として、防火上有効な構造の防火壁又は防火床によって有効に**区画**し、かつ、各区画における床面積の合計をそれぞれ**1,000㎡以内**とする。

問題10　誤り

　令112条11項。主要構造部を準耐火構造とした建築物等であって、地階又は3階以上の階に居室を有するものの竪穴部分（階段の部分等）については、原則として、その**竪穴部分以外の部分と防火区画**しなければならない。

問題11　正しい

　令112条16項ただし書。開口部を介した延焼を防ぐため、防火区画に接する外壁は、**外壁**のうちこれらに接する部分を含み**幅90cm以上**を**準耐火構造**としなければならないが、外壁面から**50cm以上**突出した**準耐火構造**の**ひさし**、**袖壁等**を設置した場合は**除かれている**。

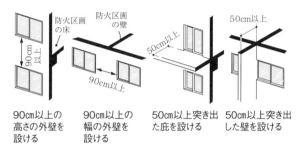

| 90cm以上の
高さの外壁を
設ける | 90cm以上の
幅の外壁を
設ける | 50cm以上突き出
た庇を設ける | 50cm以上突き出
した壁を設ける |

問題12　正しい

　令112条18項。建築物の一部が、法27条1項各号、2項各号又は3項各号のいずれかに該当する場合、その部分とその他の部分とを防火区画（異種用途区画）しなければならない。1階の一部が床面積**150㎡の自動車車庫**の用途に供するものは、法27条3項一号（法別表第1(い)欄(6)項）に該当するので、**防火区画**しなければならない。

問題13　正しい

　令114条1項。正しい。

問題14　誤り

　令114条3項。建築面積が**300㎡を超えていない**ので、強化天井又は小屋裏に隔壁を設けなくてもよい。

問題15　正しい

　令113条1項四号。防火壁に設ける開口部の幅及び高さ又は防火床に設ける開口部の幅及び長さは、それぞれ**2.5m以下**とし、かつ、これに所定の特定防火設備を設ける。

Ⅱ
建築法規

次の記述について、建築基準法上、**正しいか**、**誤っているか**、判断しなさい。

内 装 制 限

　内装の制限を受ける「窓その他の開口部を有しない居室」及び「火災が発生した場合に避難上支障のある高さまで煙又はガスの降下が生じない建築物の部分として、国土交通大臣が定めるもの」はないものとする。

check

問題1　〈ヒント条文〉➡ 令128条の4第1項～3項
　特定主要構造部を耐火構造とした学校は、その規模にかかわらず、内装制限を受けない。

check

問題2　〈ヒント条文〉➡ 令128条の4第1項
　自動車車庫は、その規模にかかわらず、内装制限を受けない。

check

問題3　〈ヒント条文〉➡ 令128条の4第1項一号表(2)
　特定主要構造部を耐火構造とした児童福祉施設は、その規模にかかわらず、内装制限を受けない。

check

問題4　〈ヒント条文〉➡ 令128条の5第1～3項
　内装制限を受ける特殊建築物の居室から地上に通ずる主たる廊下の壁及び天井の室内に面する部分の仕上げは、準不燃材料又は難燃材料でしなければならない。

避 難 規 定

check

問題5　〈ヒント条文〉➡ 令121条1項、2項
　主要構造部が不燃材料で造られている2階建て共同住宅（避難階は1階）で、2階における居室の床面積の合計が180㎡であるものは、2以上の直通階段を設けなくてもよい。

check

問題6　〈ヒント条文〉➡ 令121条1項
　避難階以外の階で、その階を客席を有する集会場の用途に供するものには、その階から避難階又は地上に通ずる2以上の直通階段を設けなければならない。

check

問題7　〈ヒント条文〉➡ 令119条表
　病院における患者用の廊下の幅は、両側に居室がある場合、1.6m以上としなければならない。

問題8　〈ヒント条文〉➡ 令126条の2第1項
　延べ面積600㎡の旅館の階段の部分には、排煙設備を設けなくてもよい。

問題9　〈ヒント条文〉➡ 令126条の3第1項
　排煙設備を設けなければならない建築物において、排煙設備の排煙口及び風道は、原則として、不燃材料で造らなければならない。

問題10　〈ヒント条文〉➡ 令126条の4第1項
　共同住宅の住戸には、その床面積にかかわらず、非常用の照明装置を設けなければならない。

問題11　〈ヒント条文〉➡ 令126条の4第1項かっこ書
　飲食店の用途に供する居室から地上に通ずる廊下、階段その他の通路で採光上有効に直接外気に開放されたものには、非常用の照明装置を設けなくてもよい。

問題12　〈ヒント条文〉➡ 令126条の6
　非常用エレベーターを設置している建築物であっても、非常用の進入口を設けなければならない。

問題13　〈ヒント条文〉➡ 令126条の7
　建築物に非常用の進入口を設けなければならない場合、それぞれの進入口の間隔は、40m以下としなければならない。

問題14　〈ヒント条文〉➡ 令125条1項
　寄宿舎の避難階においては、階段から屋外への出口の一に至る歩行距離の制限を受けない。

問題15　〈ヒント条文〉➡ 令126条1項
　飲食店の2階にあるバルコニーの周囲に設ける手すり壁等の安全上必要な高さは、1.1m以上としなければならない。

問題16　〈ヒント条文〉➡ 令118条
　映画館における客席からの出口の戸は、内開きとしてはならない。

解　説

問題1　正しい

令128条の4第1項〜3項。**学校**は、令128条の4第1項一号の特殊建築物に該当せず、また同条2項及び3項の規模の建築物からも除かれているので**内装制限は受けない。**

問題2　誤り

令128条の4第1項二号。**自動車車庫**は、その構造及び床面積に関係なく、原則として、**内装制限を受ける。** 誤り。

問題3　誤り

令128条の4第1項一号表(2)。**児童福祉施設**は、令19条1項、令115条の3第一号より、法別表第1(2)項の用途に類する特殊建築物である。したがって、特定主要構造部を**耐火構造**とした場合、**3階以上の部分の床面積の合計が300㎡以上**であれば**内装制限を受ける。**

問題4　誤り

令128条の5第1〜3項。令128条の4第1項第一号〜三号により、内装制限を受ける特殊建築物の居室から地上に通ずる主たる廊下の壁及び天井の室内に面する部分の仕上げは、原則として、準不燃材料又は準不燃材料に準ずるものとして国土交通大臣が定める方法、材料の組合せによるものとしなければならない。**難燃材料を使用することはできない。**

参考　内装制限を受ける居室

		構造・規模	仕上げ
①一定規模以上の特殊建築物	劇　場　等	対象階と床面積を構造ごとに規定、劇場等は客席の規定による	難燃（3階建以上の天井は準不燃、床から1.2m以下の壁は除く）
	病　院　等		
	百貨店等		
②自動車車庫、自動車修理工場		全て適用	準　不　燃
③上記①の地階の居室		全て適用	
④大規模建築物（学校等を除く）		階数3以上、500㎡超	難燃（床から1.2m以下の壁は除く）
		階数2、1,000㎡超	
		階数1、3,000㎡超	
⑤火気使用室		階数2以上の住宅等の最上階以外、住宅以外（特定主要構造部が耐火構造を除く）	準　不　燃

問題5　正しい

令121条1項五号及び2項。**共同住宅**の用途に供する階で、その階の居室の床面積が**100㎡を超える**ものは2以上の直通階段を設けなければならないが、2項により、**主要構造部が不燃材料**で造られているものは、**100㎡を200㎡**とするので、**設けなくてもよい。**

問題6　正しい
令121条1項一号。正しい。

問題7　正しい
令119条表。正しい。

問題8　正しい
令126条の2第1項三号。**階段**の部分には、排煙設備を**設けなくてもよい**。

問題9　正しい
令126条の3第1項二号。正しい。

問題10　誤り
令126条の4第1項一号。共同住宅の住戸の部分は除かれている。

問題11　正しい
令126条の4第1項かっこ書。飲食店の用途に供する居室から地上に通ずる通路には、原則として、非常用の照明装置を設けなければならないが、**採光上有効に直接外気に開放された通路**は**除かれている**ので、設けなくてもよい。正しい。

問題12　誤り
令126条の6第一号。建築物の**高さ31m以下**の部分にある**3階以上の階**には、原則として、**非常用の進入口**を設けなければならないが、非常用エレベーターや代替進入口を設置している場合には、設けなくてもよい。誤り。

問題13　正しい
令126条の7第二号。正しい。

問題14　誤り
令125条1項。寄宿舎は、法別表第1(2)項の特殊建築物に該当し、令117条で規定する適用の範囲に含まれる。したがって、避難階においては、階段から屋外への出口の一に至る歩行距離は令120条に規定する**数値以下**としなければならない。誤り。

問題15　正しい
令126条1項。**飲食店**は、令115条の3第三号より、法別表第1(4)項の用途に類する特殊建築物に該当し、令117条で規定する適用の範囲に含まれる。したがって、令126条1項が準用される。

問題16　正しい
令118条。正しい。

都市計画区域等の制限
（道路・用途地域）

❶ 道路と建築物

〔道路と敷地〕⇨（法42条、43条）

都市計画区域及び準都市計画区域内では「道路」と「道」とは区別してて、道路と呼ぶには条件があるんだ(42条)。それに建物の敷地はその道路に一定の長さ接してなくちゃいけないんだ(43条)。

道路の**条件**ねえ…？（42条1項）
えーと、まず道路の幅はある程度以上なくちゃだめよねえ。そのほかに条件は、
① 道路法、都市計画法などによるものであること
　　　　　　　　　　　　　　　　　　（一号、二号）
それから、
② 法律ができる前からあるもの（三号）
③ 計画道路は全て道路だったかしら？（四号）
④ 自分が作った道も道路にできるんだったかなあ？
　　　　　　　　　　　　　（五号、令144条の4）

だけど、幅の狭い道は、すべて道路とみなされないなんてちょっと困るんじゃないの？

その場合は、幅の足りない分だけ将来半分ずつ振り分けるということで特定行政庁から道路と見なしてもらうことができるよ。（42条2項）

こちらは川があるから道路の中心から振り分けるわけにはいきません。

〔道路の定義〕

　次のものは、建築基準法上の道路である。

- 道路法による道路で幅員４m（または６m）以上のもの
- 都市再開発法等による道路で幅員４m（または６m）以上のもの
- 都市計画法等による新設の事業計画のある道路で、**２年以内にその事業が施行される予定**のものとして特定行政庁が指定するもの
- 建築基準法第３章の規定が適用されるに至った際現に建築物が建ち並んでいる幅員４m未満の道で、**特定行政庁の指定**したもの

〔特定行政庁から位置の指定を受ける道の基準〕

- 砂利敷その他**ぬかるみとならない構造**とする
- 縦断勾配は**12%以下**
- 道及びこれに接する敷地内の排水に必要な**側溝**、**街渠**（がいきょ）等を設ける
- 必要に応じて、角地の隅角を挟む辺の長さ２mの二等辺三角形の部分を道に含む**隅切り**を設ける

〔そ　の　他〕

① 私道の廃止の制限

- **特定行政庁**は、私道の変更又は廃止を**禁止**し、又は**制限**することができる

② 道路内の建築制限

- 敷地を造成するための擁壁は、**道路に突き出して築造してはならない**
- **予定道路内**には、敷地を造成するための擁壁等を**突き出して築造してはならない**
- **特定行政庁の許可**を受ければ、道路内に**公衆便所等**を建築することができる
- 道路内の公共用歩廊は、**特定行政庁の許可**を受けなければ、建築することができない

③ 接道義務

- 建築物の敷地は、建築基準法上の道路に**２m以上接**しなければならない

④ 仮設建築物への制限の緩和

- 災害があった場合において建築する官公署等の応急仮設建築物の敷地であっても、道路に２m以上接しなくてよい（法85条２項により、**法第３章が適用されない**）

② 用途地域の建築制限

1 別表第２の見方※(1) ⇨ 法48条、別表第２

用途地域（項）			建築できる（できない）建築物		
住居系地域	低層住居専用地域	（い）第１種	建築できる建築物	（い）	厳しい ↑ ↓ 厳しい
		（ろ）第２種		（ろ）（い）	
	中高層住居専用地域	（は）第１種		（は）（ろ）（い）	
		（に）第２種	建築できない建築物	（に）（ほ）（へ）（と）（り）（ぬ）（る）	
	住居地域	（ほ）第１種		（ほ）（へ）（と）（り）（ぬ）（る）	
		（へ）第２種		（へ）（と）（り）（ぬ）（る）	
	（と）準住居地域			（と）（り）（ぬ）（る）	
商業系	（り）近隣商業地域			（り）（ぬ）（る）	
	（ぬ）商業地域			（ぬ）（る）※(2)	
工業系地域	（る）準工業地域			（る）	
	（を）工業地域			（を）※(3)	
	（わ）工業専用地域			（わ）（を）	
（か）用途地域の指定なし				（か）	

※(1)：上表では、（ち）項・田園住居地域を除く。

※(2)：（る）項三号は除かれる。

※(3)：（る）項三号を含む。

● 商業地域及び準工業地域内での禁止項目は少ない

● 商業地域から住居系地域へ、準工業地域から工業専用地域へと禁止項目が多くなる

● 工業・工業専用地域では、工場についての禁止項目がない

● 準工業地域から住居系地域に向かって工場の建築制限が厳しくなる

表のすべてを覚えることは無理ですが、**すべての地域に建築することができる**建築物や、**ほとんどの地域で建築できない**ものは、覚えておくと便利です。

たとえば
★すべての地域で建築可
・神社・寺院・600㎡の老人福祉センターなど
★ほぼ全部の地域で建築可
・住宅・老人ホームなど
★建築可の地域の方が少ない
・個室付き浴場業としての公衆浴場やキャバレーなどです。

2　別表第２で定める制限の特例

用途地域	建　築	建物の用途	条　文
第１種低層住居専用地域	できる	兼用住宅は？	令130条の３
	できる	公益上必要な建物は？	令130条の４
第２種低層住居専用地域	できない	附属建築物は？	令130条の５
	できる	店舗・飲食店等は？	令130条の５の２
第１種中高層住居専用地域	できる	店舗・飲食店・公益上必要な建物は？	令130条の５の３・５の４
	できない	附属建築物は？	令130条の５の５
第２種中高層住居専用地域	できる	工場は？	令130条の６
	できない	運動施設・畜舎は？	令130条の６の２・７
第１種住居地域	できる	大規模な建築物は？	令130条の７の２
第２種住居地域	できる	附属自動車車庫は？	令130条の８
近隣商業地域	できない	建築物は？	令130条の９の５
準工業地域	できない		
工業専用地域	できない	運動施設は？	令130条の６の２

〔**用途地域内で建築することができるもの・できないものの判定**〕
①　法別表第２(い)～(は)・(ち)は、建築することが**できる**もの
　　法別表第２(に)～(と)・(り)～(か)は、建築することが**できない**もの
　を記している。
②　制限の緩和(令で示している内容)に注意…**兼用住宅、公益上必要なもの**等
③　異なる用途地域にわたる場合…**割合の大きい**用途地域の制限を受ける

〔**建築基準法上、用途地域と直接関係のある規定**〕
●建築物の各部分の高さの限度(斜線制限)…**法56条**
●延べ面積の敷地面積に対する割合(容積率)の限度…**法52条**
●建築面積の敷地面積に対する割合(建蔽率)の限度…**法53条**
●日影による中高層の建築物の高さの限度…**法56条の２**

〔**防火地域等の場合**〕

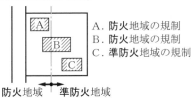

A.**防火**地域の規制
B.**防火**地域の規制
C.**準防火**地域の規制

防火地域　　準防火地域

〔**用途地域内の建築制限**〕

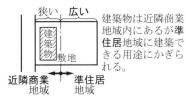

建築物は近隣商業地域内にあるが**準住居**地域に建築できる用途にかぎられる。

狭い　広い
近隣商業地域　準住居地域

173

都市計画区域内における道路等に関する次の記述のうち、建築基準法上、**正しいか**、**誤っているか**、判断しなさい。

道路と敷地及び壁面線

check

問題1　〈ヒント条文〉➡ 法42条1項
建築基準法第3章の規定が適用されるに至った際現に存在する幅員5mの私道は、建築基準法上の道路に該当しない。

check

問題2　〈ヒント条文〉➡ 令144条の4第1項
建築基準法第42条1項第五号の規定により、特定行政庁から位置の指定を受けて道を築造する場合、その道の幅員を6m以上とすれば、袋路状道路とすることができる。

check

問題3　〈ヒント条文〉➡ 法45条1項
特定行政庁は、私道の変更又は廃止を禁止し、又は制限することができる。

check

問題4　〈ヒント条文〉➡ 法68条の7第4項、法44条1項
地区計画等の区域においては、建築基準法第68条の7第1項の規定により特定行政庁が指定した予定道路内に、敷地を造成するための擁壁を突き出して築造することができる。

check

問題5　〈ヒント条文〉➡ 法44条1項
特定行政庁が避難及び通行の安全上支障がないと認めて建築審査会の同意を得て許可した建築物でなければ、道路内の地盤面下に建築することができない。

check

問題6　〈ヒント条文〉➡ 法44条1項
道路内であっても、特定行政庁の許可を受ければ、公衆便所を建築することができる。

check

問題7　〈ヒント条文〉➡ 法44条1項
道路内の公共用歩廊は、特定行政庁の許可を受けなければ、建築することができない。

check

問題8　〈ヒント条文〉➡ 法85条2項
災害があった場合において建築する停車場、官公署等の応急仮設建築物の敷地であっても、道路に2m以上接しなければならない。

check

問題9　〈ヒント条文〉➡ 法43条1項
都市計画法による幅員4mの道路に2m接している敷地には、建築物を建築することができる。

┃用途地域┃

> 次の記述について、建築基準法上、**建築することができるか、原則として建築することができないか**、判断しなさい。

問題10 〈ヒント条文〉➡ 法別表第2（い）項、令130条の3
　第一種低層住居専用地域内における2階建て、延べ面積200㎡の喫茶店兼用住宅で喫茶店の部分の床面積が50㎡のもの

問題11 〈ヒント条文〉➡ 法別表第2（ろ）項、令130条の5の2
　第二種低層住居専用地域内における延べ面積300㎡、2階建ての学習塾

問題12 〈ヒント条文〉➡ 法別表第2（は）項
　第一種中高層住居専用地域内における2階建て、延べ面積280㎡の旅館

問題13 〈ヒント条文〉➡ 法別表第2（に）項
　第二種中高層住居専用地域内の病院

問題14 〈ヒント条文〉➡ 法別表第2（ほ）項
　第一種住居地域内における2階建て、延べ面積500㎡のカラオケボックス

問題15 〈ヒント条文〉➡ 法別表第2（へ）項
　第二種住居地域内における客席の部分の床面積の合計が150㎡の映画館

問題16 〈ヒント条文〉➡ 法別表第2（と）項
　準住居地域内における2階建て、延べ面積300㎡の劇場で、客席の部分の床面積の合計が220㎡のもの

問題17 〈ヒント条文〉➡ 法別表第2（り）項
　近隣商業地域内における延べ面積300㎡の2階建て老人福祉センター

問題18 〈ヒント条文〉➡ 法別表第2（る）項
　準工業地域内のキャバレー

問題19 〈ヒント条文〉➡ 法別表第2（を）項
　工業地域内の共同住宅

問題20 〈ヒント条文〉➡ 法別表第2（わ）項
　工業専用地域内における2階建て、延べ面積300㎡の飲食店

解 説

問題1 誤り

法42条1項三号。法第3章が適用される際、現に存在する幅員4m（6m区域は6m）以上の道は、建築基準法上の道路である。誤り。

問題2 正しい

法42条1項五号、令144条の4第1項一号ニ。正しい。

問題3 正しい

法45条1項。正しい。

問題4 誤り

法68条の7第4項、法44条1項。地区計画に基づき指定された予定道路には、**道路内の建築制限**が適用されるので、敷地を造成するための擁壁を突き出して築造してはならない。誤り。

問題5 誤り

法44条1項一号。建築物は、道路内に、又は道路に突き出して建築してはならないが、地盤面下に設ける建築物は除かれている。したがって、**地盤面下に設ける建築物**は、**特定行政庁**の許可及び**建築審査会**の同意がなくても建築できる。

問題6 正しい

法44条1項二号。正しい。

問題7 正しい

法44条1項四号。正しい。

問題8 誤り

法85条2項。災害があった場合において建築する停車場、官公署等の**公益上必要**な用途に供する**応急仮設建築物**には、法第3章（法43条）の規定が適用されない。誤り。

問題9 正しい

法43条1項。建築物の敷地は、原則として、道路（法42条1項各号）に**2m以上接**しなければならない。設問の道路は、法42条1項二号に該当する。正しい。

問題10 できる

法別表第2（い）項二号、令130条の3第二号。建築できる。

問題11　できない

法別表第2（ろ）項二号、令130条の5の2第五号。**学習塾**は、その用途に供する部分の床面積の合計が**150㎡以内**なら**建築**できるが、<u>300㎡なので新築できない</u>。

問題12　できない

<u>法別表第2（は）項。各号に該当なし。新築できない</u>。

問題13　できる

<u>法別表第2（に）項。各号に該当なし。建築できる</u>。

問題14　できない

<u>法別表第2（ほ）項三号。新築できない</u>。

問題15　できない

<u>法別表第2（へ）項三号。建築できない</u>。

問題16　できない

<u>法別表第2（と）項五号。新築できない</u>。

問題17　できる

<u>法別表第2（り）項。各号に該当なし。建築できる</u>。

問題18　できる

<u>法別表第2（る）項。各号に該当なし。建築できる</u>。

問題19　できる

<u>法別表第2（を）項。各号に該当なし。新築できる</u>。

問題20　できない

<u>法別表第2（わ）項五号に該当。新築できない</u>。

都市計画区域等の制限
（容積率の計算）

① 容 積 率

1 容積率の制限の原則（法52条1項及び2項）

建築することができる
最大延べ面積 ＝ 敷地面積 × 容積率
の限度

道路が12m以上の場合は敷地面積に都市計画できめられた容積率を乗じた値が建築できる最大延べ面積となります。

都市計画では40/10なのに前面道路が6mなので、24/10になっちゃった！こういう場合は、制限の厳しい方を採用しなければならないんですね。

←12m以上　　　　　←6m

　「**指定容積率**」または「**道路幅員による容積率**」のうち、**厳しい方**（数値の小さい方）を採用する。

2 容積率の算定

● 自動車車庫の緩和
建築物の自動車車庫の床面積は、各階の床面積の合計（延べ面積）の**1/5**まで、容積率算定用の延べ面積には算入しない

● 住宅・老人ホーム等の地階の緩和
天井が地盤面からの高さ**1m以下**にある住宅・老人ホーム等の地階の床面積は、住宅・老人ホーム等の部分の床面積の合計の**1/3**まで、容積率算定用の延べ面積には算入しない

● 昇降機の昇降路の部分の不算入
昇降機の昇降路の部分は、容積率算定用の延べ面積には算入しない

● 共同住宅・老人ホーム等の共用廊下等の不算入
共同住宅・老人ホーム等の共用の廊下や**階段部分の床面積**は、容積率算定用の延べ面積には算入しない

● 住宅・老人ホーム等に設ける機械室等の不算入
住宅・老人ホーム等に設ける特定行政庁が認定した機械室等は、容積率算定用の延べ面積には参入しない

● 特定道路に接続する道路に面する場合の緩和
前面道路の幅員は**6m以上12m未満**であることが必要な条件

● 異なる容積率制限の地域等にわたる場合
それぞれの地域等の限度を計算して合計する

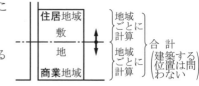

住居地域　敷地　商業地域　地域ごとに計算　合計（建築する位置は問わない）

❷ 容積率の計算

基本原則

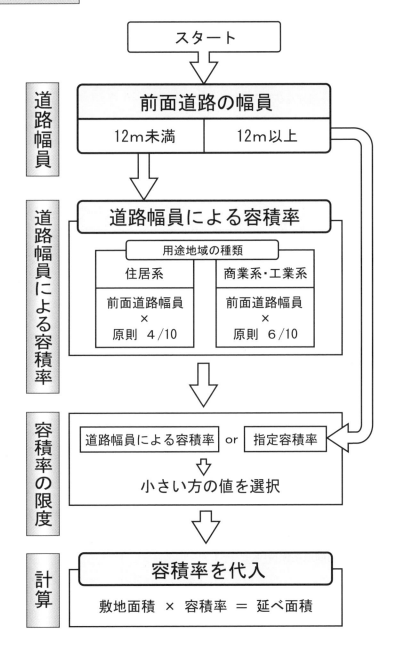

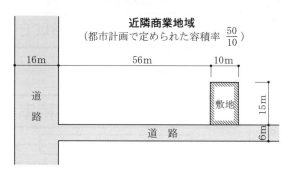

　図のような敷地において、建築基準法上、新築することができる建築物の**延べ面積（同法第52条第１項に規定する容積率の算定の基礎となる延べ面積）**の最高限度は、次のうちどれか。ただし、図に記載されているものを除き、地域、地区等及び特定行政庁の指定等はないものとする。また、建築物には容積率の算定の基礎となる延べ面積に算入しない部分及び地階はないものとする。

近隣商業地域
（都市計画で定められた容積率 $\frac{50}{10}$ ）

16m　　　56m　　　10m

道路

道路

敷地

15m

6m

1.　360 m²
2.　432 m²
3.　540 m²
4.　648 m²
5.　750 m²

計算のポイント

特定道路（幅員15m以上の道路）に接続している場合（法52条９項、令135条の18）

⇓

$$\frac{(12-前面道路幅員)\times(70-L)}{70}$$

により計算した値だけ**前面道路幅員にプラス**
（**L**：特定道路から敷地までの距離）

[注] 前面道路幅員 **６ m未満**は適用しない

解 説

　法52条１項、２項、９項、令135条の18。容積率の限度は、法52条１項による都市計画で定められた容積率（指定容積率）の限度と、同条２項（前面道路の幅員が12m未満の場合）による用途地域別の容積率の限度（商業・工業系地域の場合：前面道路幅員×6/10）を比較し、厳しい方の制限による。

　なお、敷地が、幅員15m以上の道路（特定道路）に接続する幅員６m以上12m未満の前面道路に特定道路から70m以内の部分において接している場合、前面道路の幅員（６m）に令135条の18に定める数値(Wa)を加算したものを前面道路幅員とみなす。

$$Wa = \frac{(12 - Wr)(70 - L)}{70} = \frac{(12 - 6)(70 - 56)}{70} = 1.2m$$

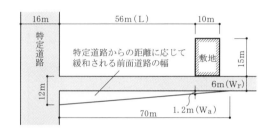

したがって、前面道路の幅員は　６m＋1.2m＝7.2m　とみなすことができる。

・指定容積率：50/10　……………………………………　①

・道路幅員による容積率：7.2×6/10＝43.2/10　………　②

　①よりも②が厳しいので、この敷地の容積率の限度は　43.2/10　となる。

・求める延べ面積の最高限度：敷地面積×容積率

$$= 10m \times 15m \times 43.2/10 = 648m^2 \quad である。$$

正答

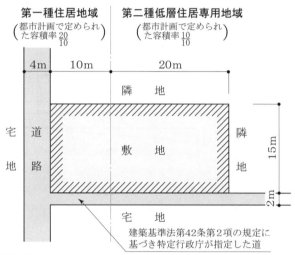

check ☑☑☑ 改

図のような敷地において、建築基準法上、建築することができる建築物の**延べ面積（同法第52条第1項に規定する容積率の算定の基礎となる延べ面積）の最高限度**は、次のうちどれか。ただし、図に記載されているものを除き、地域、地区等及び特定行政庁の指定等はないものとし、建築物には、容積率の算定の基礎となる延べ面積に算入しない部分及び地階はないものとする。

第一種住居地域
(都市計画で定められた容積率 $\frac{20}{10}$)

第二種低層住居専用地域
(都市計画で定められた容積率 $\frac{10}{10}$)

4m 10m 20m

隣　地

宅　地　　道　路　　敷　地　　隣　地

15m

2m

宅　地

建築基準法第42条第2項の規定に基づき特定行政庁が指定した道

1. 450 ㎡
2. 504 ㎡
3. 540 ㎡
4. 560 ㎡
5. 672 ㎡

計算のポイント

● **2以上の前面道路に接している場合**（法52条2項）
⇩
最大の幅員の道路を前面道路とする

● **2以上の用途地域にまたがる場合**（法52条7項）
⇩
各地域ごとに算出し、**合算する**

解 説

　法52条１項及び２項により、延べ面積の敷地面積に対する割合（容積率）の限度は、同条１項による用途地域別の容積率（指定容積率）の限度と、同条２項による前面道路（前面道路が２以上あるときは幅員の最大のもの）の幅員が12m未満の場合による用途地域別の容積率の限度（前面道路幅員×$\frac{4}{10}$又は$\frac{6}{10}$）を比較し、厳しい方の制限による。

　また、敷地が容積率制限を受ける地域の２以上にわたる場合の延べ面積は、法52条７項により、それぞれの地域ごとに算定したものの合計以下としなければならない。

　なお、計算上のポイントは、法42条２項による指定道路があるので、道路中心線から２mとった道路境界線とみなされる線と道との間は、敷地面積には算入しない。

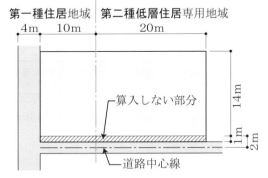

〔第一種住居地域の部分〕

●指定容積率による限度　$\frac{20}{10}$ ----------------------------------（イ）

●前面道路の幅員による限度　$4（m）×\frac{4}{10}=\frac{16}{10}$ -------（ロ）

　（イ）＞（ロ）　したがって、容積率は$\frac{16}{10}$となる。

◎ 敷地面積に対する延べ面積の最高限度

　$10m×(15-1)m×\frac{16}{10}=224㎡$ -----------------①

〔第二種低層住居専用地域の部分〕

●指定容積率による限度　$\frac{10}{10}$ ----------------------------------（ハ）

●前面道路の幅員による限度　$4（m）×\frac{4}{10}=\frac{16}{10}$ -------（ニ）

　（ハ）＜（ニ）　したがって、容積率は$\frac{10}{10}$となる。

◎ 敷地面積に対する延べ面積の最高限度

　$20m×(15-1)m×\frac{10}{10}=280㎡$ -----------------②

したがって、最高限度は、①＋②＝224㎡＋280㎡＝504㎡となる。

正答　➡ ❷

II

建築法規

183

　図のような店舗を併用した一戸建て住宅を新築する場合、建築基準法上、容積率の算定の基礎となる**延べ面積**は、次のうちどれか。ただし、自動車車庫等の用途に供する部分、エレベーター及び機械室等はないものとし、地域、地区等及び特定行政庁の指定等は考慮しないものとする。

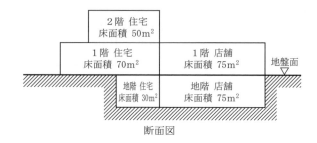

断面図

1. 195 m²
2. 200 m²
3. 250 m²
4. 270 m²
5. 300 m²

計算のポイント

● 地階床面積が延べ面積の**1/3を超えた**場合

　⇨ 延べ面積の1/3 のみ除外

● 地階床面積が延べ面積の**1/3を超えない**場合

　⇨ 地階面積 のみ除外

[注]この場合の地階は、一般の地階と定義が異なり、天井が地盤面からの高さ1m以下にあるものをいう。

解　説

　法52条3項。容積率の算定の基礎となる延べ面積には、住宅の用途に供する地階で、その天井が地盤面からの高さ1m以下にあるものの床面積は、住宅部分の床面積の合計の1/3を限度として算入しない。

　住宅部分の床面積の合計は、$50 + 70 + 30 = 150m^2$なので、除外できる地階面積は、$150 \times 1/3 = 50m^2$である。したがって、地階部分の床面積30m²は全て除外して算定するので、容積率算定用の延べ面積は$50 + 70 + 75 + 75 = 270m^2 (300 - 30)$となる。

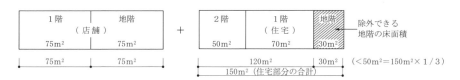

正答 ➡ ❹

都市計画区域等の制限
（建蔽率の計算）

① 建蔽率

◆ **建蔽率の制限（法53条）**

| 建築することができる
最大建築面積 | ＝ | 敷地面積 | × | その敷地の
建蔽率 |

建蔽率の緩和

- ●防火地域内（建蔽率8/10の地域外）
  - 耐火建築物等 ⎫
- ●準防火地域内 ⎬ …建蔽率*+1/10 ⎫
  - 耐火建築物等・準耐火建築物等 ⎭ ⎬ …建蔽率*+2/10
- ●特定行政庁指定の角地…………………建蔽率*+1/10 ⎭
- ※都市計画で定められた建蔽率

建蔽率の適用除外

- ●防火地域内（建蔽率8/10）⎫
  - 耐火建築物等 ⎬ …建蔽率10/10（適用除外）

用語

● **耐火建築物等**

　耐火建築物又は耐火建築物と同等以上の延焼防止性能を有するものとして令135条の20第1項で定める建築物

● **準耐火建築物等**

　準耐火建築物又は準耐火建築物と同等以上の延焼防止性能を有するものとして令135条の20第2項で定める建築物

- ●異なる建蔽率制限の地域等にわたる場合、それぞれの地域等の限度を計算して合計する

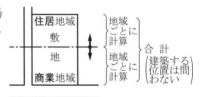

```
┌──────────────┐
│   スタート    │
└──────┬───────┘
       ▼
```

用途地域・建蔽率の確認（1項）

第一種・第二種低層住居専用地域 第一種・第二種中高層住居専用地域 田園住居地域 工業専用地域	3／10、4／10 5／10、6／10
第一種・第二種住居地域 準住居地域 準工業地域	5／10、6／10 8／10
近隣商業地域	6／10、8／10
商業地域	8／10
工業地域	5／10、6／10
用途地域の指定のない区域	3／10、4／10 5／10、6／10 7／10

建蔽率の決定

緩和措置の確認（3項）

①	●防火地域内（建蔽率が8／10の 　地域外）の耐火建築物等 ●準防火地域内の耐火建築物等 　又は準耐火建築物等	＋1／10
②	街区の角地（特定行政庁の指定）	＋1／10
③	上記①及び②に該当	＋2／10

建蔽率を代入

敷地面積×建蔽率＝建築面積

計算

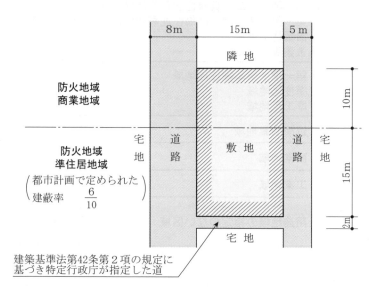

check

図のような敷地において、耐火建築物を新築する場合、建築基準法上、新築することができる建築物の**建築面積の最高限度**は、次のうちどれか。ただし、図に記載されているものを除き、地域、地区等及び特定行政庁の指定・許可等はなく、図に示す範囲に高低差はないものとする。

1. 246 m²
2. 255 m²
3. 276 m²
4. 285 m²
5. 297 m²

計算のポイント

● **幅員４ｍ未満の道に接している場合**（法42条２項の道路）

　⇨ 道路中心線から２ｍまでの部分を敷地面積に算入しない

● **２以上の用途地域にまたがる場合**（法53条２項）

　⇨ 各地域ごとに算出し、合算

解 説

　法53条１項、２項、３項、６項。建築面積の最高限度を求める場合、敷地が異なる用途地域（建蔽率制限の異なる地域）の２以上にわたる場合は、２項により、それぞれの地域ごとに建築面積の限度を求めて合計する。また、３項一号イより、建蔽率が８/10以外の地域で、防火地域内にある耐火建築物は、都市計画で定められた建蔽率に１/10を加えたものを建蔽率とし、６項一号より、建蔽率が８/10の地域で、防火地域内にある耐火建築物は、建蔽率は適用しない（10/10）。

　令２条１項一号。敷地が、法42条２項による指定道路に接している場合、指定道路の中心線から２m後退した線を道路境界線とみなし、後退した部分に含まれる敷地部分は敷地面積に算入しない。

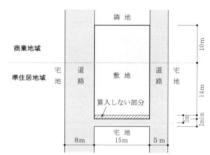

- **●商業地域**
  敷地面積：15m×10m＝150m^2
  建蔽率の限度：10/10
  建築面積の限度：150m^2×10/10＝150m^2
- **●準住居地域**
  敷地面積：15m×（15－１）m＝210m^2
  建蔽率の限度：６/10＋１/10＝７/10
  建築面積の限度：210m^2×７/10＝147m^2
- **●**したがって、建築面積の最高限度は、
  150m^2＋147m^2＝297m^2

正答 ➡ ❺

建蔽率の限度

都市計画によって定められる（ただし、商業地域は8/10のみ）
① 建蔽率の緩和（３項一号及び二号）
　・**防火地域内（建蔽率8/10の地域外）の耐火建築物等**
　・**準防火地域内の耐火建築物等又は準耐火建築物等** ⎫⇨ ＋1/10 ⎫
　　　　　　　　　　　　　　　　　　　　　　　　　⎬　　　　　⎬⇨ ＋2/10
　・**指定角地** ⇨ ＋1/10 ⎭
② 建蔽率の適用除外（６項一号）
　・**防火地域内（建蔽率8/10）にある** ⎫⇨ 10/10（建蔽率100％）
　　耐火建築物等 ⎭

都市計画区域等の制限 （高さの制限）

1 高さ制限

用途地域制限	法56条1項			法55条
	道路斜線 （一号）	隣地斜線 （二号）	北側斜線 （三号）	絶対高さ
第1・第2種 低層住居専用地域 田園住居地域	チェック必要	不要	チェック必要	10m又は12m
第1・第2種中高層 住居専用地域	チェック必要	チェック必要	チェック必要	―
上記以外の9地域 （無指定地域を含む）	チェック必要	チェック必要※	不要	―

※商業系・工業系地域では、特定行政庁の指定区域については、適用されない。

〔道路斜線制限（法56条1項一号、2項、6項、令131条～令135条の2）〕
別表第3　適用距離と斜線勾配

	用途地域 （い）	容積率の限度（ろ）に応じた適用距離（は）									斜線 勾配 （に）
		20/10 以下	30/10 以下	40/10 以下	60/10 以下	80/10 以下	100/100 以下	110/10 以下	120/10 以下	120/10 超	
1	住居系地域	20m	25m	30m	35m（40/10超える）						1.25
2	商業系地域	20m			25m	30m	35m	40m	45m	50m	1.5
3	工業系地域	20m	25m	30m	35m（40/10超える）						

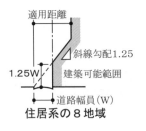

住居系の8地域

商業・工業系の5地域

〔隣地斜線制限（法56条１項二号、６項、令135条の３）〕

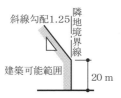

住居系の５地域
（低層住居専用・田園住居地域を除く）

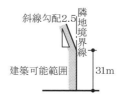

商業・工業系の５地域

〔北側斜線制限（法56条１項三号、６項、令135条の４）〕

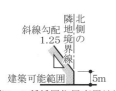

第１・２種低層住居専用地域
田園住居地域

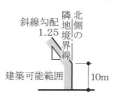

第１・２種中高層住居専用地域

第２種低層住居専用地域なら道路斜線と北側斜線をチェックすればよいのね。

そうだよ、その二つのうち低い方がその地点の高さになるんだよ。

だけど絶対高さ（10m又は12m以下）のある地域だということを忘れないようにね。

〔異なる地域にわたる場合（法56条５項、別表第３備考一）〕

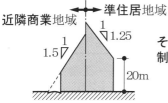

それぞれの地域の
制限を受ける

❷ 高さ制限の計算

基本原則

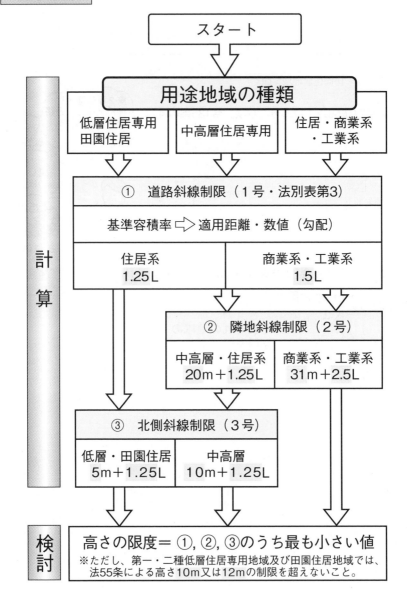

スタート

用途地域の種類

| 低層住居専用 田園住居 | 中高層住居専用 | 住居・商業系 ・工業系 |

計算

① 道路斜線制限（1号・法別表第3）

基準容積率 ⇨ 適用距離・数値（勾配）

| 住居系 1.25L | 商業系・工業系 1.5L |

② 隣地斜線制限（2号）

| 中高層・住居系 20m＋1.25L | 商業系・工業系 31m＋2.5L |

③ 北側斜線制限（3号）

| 低層・田園住居 5m＋1.25L | 中高層 10m＋1.25L |

検討

高さの限度＝①, ②, ③のうち最も小さい値

※ただし、第一・二種低層住居専用地域及び田園住居地域では、
法55条による高さ10m又は12mの制限を超えないこと。

計算のポイント

1. 北側斜線制限（1項三号）
⇨ 第一・二種低層、第一・二種中高層**住居専用地域及び田園住居地域のみに適用**。

● **北側隣地境界線が南北方位線と角度がある場合**
⇩

> 式（**5m又は10m+1.25***L*）
> ⇨ 隣地境界線までの**距離** *L* は**真北方向の距離**をとる

● **北側に道路がある場合** ◀ 一般に、北側斜線制限よりも**道路斜線制限の方**
　　　　　　　　　　　　　　が厳しくなる。
⇩

> 起算点は、**道路の反対側の境界線**とする

2. 道路斜線制限（1項一号、法別表第3）
⇨ 道路斜線制限の**適用距離**は、最小の**20m以内**であれば、**検討不要**（どの地域でも制限を受ける）。

● **道路境界線から後退して建築する場合**（2項）
⇩

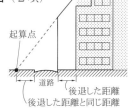

> 起算点は、**後退した分**だけ道路の
> **反対側**の**境界線より外側**とする

● **2以上の前面道路がある場合**（令132条）
⇩

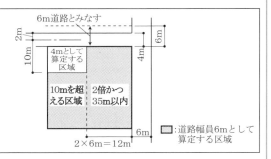

> 図の範囲は、**狭い道路も最
> 大幅員の道路と同じ幅員と**
> する

3. 隣地斜線制限（1項二号）
⇨ 第一・二種**低層住居専用地域及び田園住居地域**では**適用しない**。
また、道路斜線制限の値が20m以下であれば、**検討不要**。

check

　図のような敷地において、建築物を新築する場合、建築基準法上、A点における**地盤面からの建築物の高さの最高限度**は、次のうちどれか。ただし、敷地は平坦で、敷地、隣地及び道路の相互間の高低差並びに門及び塀はなく、また、図に記載されているものを除き、地域、地区等及び特定行政庁の指定等はないものとし、日影規制（日影による中高層の建築物の高さの制限）及び天空率は考慮しないものとする。なお、建築物は、すべての部分において、高さの最高限度まで建築されるものとする。

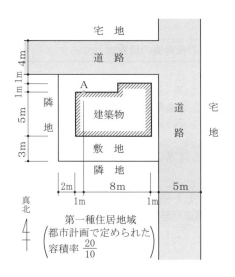

第一種住居地域
（都市計画で定められた
容積率 $\frac{20}{10}$）

1.　7.50 m
2.　8.75 m
3.　10.00 m
4.　10.50 m
5.　12.00 m

計算のポイント

● **適用距離は、考えなくてよい**（A点20m以内）
● 道路斜線の起算点は、建築物が**後退した距離**だけ**道路の反対側に外側**とする
● ２以上の前面道路がある場合、次の範囲は**狭い道路も最大幅員の道路と同じ幅員**とする
　○ 最大幅員の道路の境界線から**２倍かつ35m以内**
　○ 狭い道路の中心から**10mを超える部分**

解 説

第一種住居地域内の建築物の高さの限度には、

1)道路斜線制限(法56条1項一号)

2)隣地斜線制限(法56条1項二号)

が適用され、このうち最も厳しいものが高さの限度になる。

● 道路斜線制限

① 法56条6項及び令132条1項。前面道路が2以上ある場合。

・幅員の最大な前面道路(本問では5m道路)の境界線からの水平距離が、その道路幅員の2倍以内(本問では5m×2=10m以内)かつ、35m以内の区域

・その他の前面道路(本問では4m道路)の中心線から10mをこえる区域以上については、狭い方の道路についても、前面道路の幅員が広い方の5mと同じであるとみなすことができる。A点はこの区域内にある。

② 法56条2項。後退距離による緩和。

建築物は、前面道路の境界線からそれぞれ1m後退しているので、前面道路の反対側の境界線は1m外側とみなすことができる。

③ A点から各前面道路の反対側の境界線までの水平距離。①及び②より、

・北側：1m+5m+1m+1m=8m

・東側：1m+5m+1m+8m=15m

となり、距離の短い北側前面道路の斜線制限を適用する。

④ 法56条1項一号、法別表第3。適用距離の確認。

A点は、同表(は)欄1項の適用距離の最小範囲の20m以内にある。

⑤ 法56条1項一号、法別表第3(に)欄1項。水平距離に乗ずる数値は、1.25。したがって、道路斜線制限によるA点の高さの限度は、8m×1.25=10m

● 隣地斜線制限

第一種住居地域内では、高さ20mを超える部分に適用されるので、検討不要。

したがって、A点の高さは道路斜線制限による10.00mが限度となる。

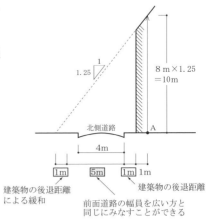

正答 ➡ ③

check □□□
改

　第一種低層住居専用地域内に図のような建築物を建築する場合、建築基準法上、A点における**地盤面からの建築物の高さの最高限度**は、次のうちどれか。ただし、都市計画において定められた建築物の高さの限度は12mとし、敷地、隣地及び道路の相互間の高低差並びに門及び塀はなく、図に記載されているものを除き、地域、地区等及び特定行政庁の指定・許可等はないものとし、日影による中高層の建築物の高さの制限及び建築基準法第56条第7項の規定（天空率）は考慮しないものとする。

1. 7.50 m
2. 8.75 m
3. 9.00 m
4. 10.00 m
5. 12.00 m

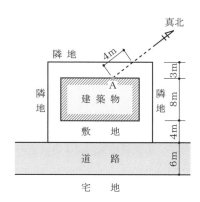

計算のポイント

第一種低層住居専用地域内における建築物の高さの限度は、
● 法55条1項（都市計画において定められた**高さの限度**）
● 法56条1項一号（**道路斜線制限**）
● 法56条1項三号（**北側斜線制限**）⇨ **真北方向の距離**とする
が適用され、そのいずれか厳しい方が最高限度となる。

解 説

- 都市計画において定められた高さの限度
  設問により12.00m

- 道路斜線制限
  建築物が前面道路の境界線から後退しているので、法56条2項により、前面道路の反対側の境界線が後退距離だけ外側にあるものとみなされる。

  法別表第3（は）欄1項により、第一種低層住居専用地域（容積率は法52条1項一号により、最高でも20/10）の適用距離は、20mであり、前面道路の反対側の境界線からA点までの水平距離は4m＋6m＋4m＋8m＝22mなので範囲外となり、A点は道路斜線制限を受けない。

- 北側斜線制限
  第一種低層住居専用地域内の北側斜線制限は、［隣地境界線までの真北方向の水平距離×1.25＋5m］で求める。A点から隣地境界線までの真北方向の水平距離は4mなので、4m×1.25＋5m＝10.00m

  したがって、A点の高さは北側斜線制限による10.00mが限度となる。

正答 ➡ ❹

① 建築士法

◆**建築士になると**設計・工事監理できる範囲は？ ⇨ 士法３条〜３条の３

延べ面積 （A）㎡		高さ13m、かつ軒高９m以下					高さ＞13m 又は、 軒高＞９m
		木　　造			RC造,S造,CB造等		
		階数 1	階数 2	階数 3以上	階数 2以下	階数 3以上	
A≦30㎡							
30㎡＜A≦100㎡							
100㎡＜A≦300㎡							
300㎡＜A≦500㎡							
500㎡＜A ≦1,000㎡	一般の建築物						
	特殊建築物						
1,000㎡＜A	一般の建築物						
	特殊建築物						

▨▨ 無資格　　■ 木造建築士以上　　□ ２級建築士以上　　□ １級建築士

> この範囲なら
> 無資格の私にも
> 設計できます。

◆建築士としての仕事は？　⇨ 士法18条〜22条の３の４
◆建築士事務所とは？　　　⇨ 士法23条〜27条

参考　建築事務所の開設者は、必ずしも建築士でな
くても構いませんが、選任の管理建築士を雇う
必要があります。

> たのむよ

管理建築士　　開設者

関連　設計者とは？　⇨ 建築基準法２条１項17号
その責任において設計図書を作成したものを
いいます。

設計図書

② 建設業法

◆**大臣の許可と知事の許可** ⇨建設業法3条
　●2つ以上の都道府県に営業所を設けて営業する……大臣の許可（1項）
　●1つの都道府県に営業所を設けて営業する………知事の許可（1項）
◆**特定建設業と一般建設業** ⇨建設業法3条
　●特定建設業の許可（1項2号、令2条）
　●一般建設業の許可（1項1号）
　●許可の必要のないもの
　　（1項ただし書、令1条の2）

③ 都市計画法

◆**都市計画とは？** ⇨ 法7条・8条

線引き都市計画区域	非線引き都市計画区域	都市計画区域外
市街化区域 用途地域を定める	**用途地域**	**準都市計画区域**
市街化調整区域 用途地域を定めない	用途地域の 指定のない区域	**用途地域** 用途地域の 指定のない区域

◆**開発行為とは？** ⇨ 法29条

許可の必要ないもの		
	市街化区域・非線引区域内準都市計画区域内	令19条
	市街化調整区域・非線引区域内準都市計画区域内	令20条
	上記のいずれの区域等	令21条 令22条

> **開発行為**って言うのは
> いわゆる宅地造成とか、ゴルフ場等
> の造成や、既成市街地でも建築物の
> 建築のために行なう土地の区画形質
> の変更のことね。

次の記述について、建築士法上、**正しいか**、**誤っているか**、判断しなさい。

check

問題1 〈ヒント条文〉➡ 士法3条1項
　二級建築士は、鉄筋コンクリート造3階建て、延べ面積100㎡、高さ9mの建築物の新築に係る設計をすることができる。

check

問題2 〈ヒント条文〉➡ 士法21条
　二級建築士は、一級建築士でなければ設計又は工事監理をしてはならない建築物について、原則として、<u>建築工事契約に関する事務及び建築工事の指導監督の業務を行うことができない</u>。

check

問題3 〈ヒント条文〉➡ 士法18条3項
　建築士は、建築物の工事監理を行う場合において、工事が設計図書のとおりに実施されていないと認めるときは、直ちに、その旨を特定行政庁に報告しなければならない。

check

問題4 〈ヒント条文〉➡ 士法19条
　二級建築士は、他の二級建築士の設計した設計図書の一部の変更について、当該二級建築士の承諾が得られなかったときは、自己の責任において、変更することができる。

check

問題5 〈ヒント条文〉➡ 士法20条3項
　工事監理を終了したときは、直ちに、その結果を文書で建築主に報告しなければならない。

check

問題6 〈ヒント条文〉➡ 士法20条1項
　二級建築士は、設計図書の一部を変更した場合であっても、その設計図書に二級建築士である旨の表示をして記名をしなければならない。

check

問題7 〈ヒント条文〉➡ 士法20条5項
　建築士は、大規模の建築物の建築設備に係る設計を行う場合において、建築設備士の意見を聴いたときは、設計図書において、その旨を明らかにしなければならない。

check

問題8 〈ヒント条文〉➡ 士法10条1項
　都道府県知事は、その免許を受けた二級建築士が業務に関して不誠実な行為をしたときは、当該二級建築士に対し、戒告し、若しくは1年以内の期間を定めて業務の停止を命じ、又はその免許を取り消すことができる。

問題9 〈ヒント条文〉➡ 士法24条2項

　管理建築士は、建築士として4年以上の設計等の業務に従事した後、登録講習機関が行う所定の管理建築士講習の課程を修了した建築士でなければならない。

問題10 〈ヒント条文〉➡ 士法24条の3第1項

　建築士事務所の開設者は、委託者の許諾を得た場合であっても、委託を受けた設計又は工事監理の業務を建築士事務所の開設者以外の者に再委託することは禁止されている。

問題11 〈ヒント条文〉➡ 士法23条の6

　建築士事務所の開設者は、事業年度ごとに、設計等の業務に関する報告書を作成し、毎事業年度経過後3月以内に当該建築士事務所に係る登録をした都道府県知事に提出しなければならない。

問題12 〈ヒント条文〉➡ 士法24条の4第2項、士法施行規則21条4項、5項

　建築士事務所に属する建築士が当該建築士事務所の業務として作成した設計図書又は工事監理報告書で、建築士事務所の開設者が保存しなければならないものの保存期間は、当該図書を作成した日から起算して10年間である。

問題13 〈ヒント条文〉➡ 士法24条の6

　建築士事務所の開設者は、当該建築士事務所の業務の実績等を記載した書類等を、当該建築士事務所に備え置き、設計等を委託しようとする者の求めに応じ、閲覧させなければならない。

問題14 〈ヒント条文〉➡ 士法23条1項

　建築士事務所の開設者は、建築士でなければならない。

問題15 〈ヒント条文〉➡ 士法24条の7第1項

　建築士事務所の開設者は、設計受託契約前に、あらかじめ、当該建築主に対し、管理建築士等をして、作成する設計図書の種類、当該設計に従事する建築士の氏名、その者の建築士の資格の別、報酬の額及び支払の時期等を記載した書面を交付して、これらの重要事項の説明をさせなければならない。

問題1　正しい

　士法3条1項三号の規模以下であるので、二級建築士が設計できる。

問題2　誤り

　士法21条。設計及び工事監理以外の業務、すなわち、**建築工事契約に関する事務**、建築工事の**指導監督**、建築物に関する調査又は鑑定及び建築物の建築に関する法令又は条例の規定に基づく手続の代理その他の業務は、原則として、一級建築士、二級建築士の別なく行うことができる。

問題3　誤り

　士法18条3項。**直ちに**、工事施工者に対して、その旨を**指摘**し、当該工事を設計図書のとおりに実施するよう求め、工事施工者がこれに**従わないとき**は**建築主**に**報告**しなければならない。誤り。

問題4　正しい

　士法19条。設計の**変更**には、原則として、設計した建築士の**承諾**が必要であるが、承諾が得られない場合は、**自己の責任**において設計図書の一部を**変更**することができる。

問題5　正しい

　士法20条3項。建築士は、工事監理を終了したときは、直ちに、その結果を文書で建築主に報告しなければならない。

問題6　正しい

　士法20条1項。設計図書の一部変更にも、建築士の**表示**、**記名**が必要である。正しい。

問題7　正しい

　士法20条5項。建築士は、大規模の建築物等の建築設備に係る設計を行う場合、**建築設備士**（建築設備に関する知識及び技能につき国土交通大臣が定める資格を有する者：士法施行規則17条の18）の意見を聴いたときは、設計図書に、その旨を明らかにしなければならない。

問題8　正しい
士法10条１項二号。正しい。

問題9　誤り
士法24条２項、士法別表第３、士法施行規則20条の４。**管理建築士**は、建築士として３年以上の建築物の設計、工事監理等に関する業務に従事した後、登録講習機関が行う管理建築士講習の課程を修了した建築士でなければならない。

問題10　正しい
士法24条の３第１項。建築士事務所の開設者は、委託者の許諾を得た場合でも、委託を受けた設計又は工事監理の業務を建築士事務所の開設者以外の者に再委託してはならない。

問題11　正しい
士法23条の６。正しい。

問題12　誤り
士法24条の４第２項、士法施行規則21条４項、５項。建築士事務所の開設者は、建築士事務所に属する建築士が当該建築士事務所の業務として作成した設計図書又は工事監理報告書を、作成した日から起算して15年間保存しなければならない。

問題13　正しい
士法24条の６。正しい。

問題14　誤り
士法23条１項。一級建築士、二級建築士若しくは木造建築士又はこれらの者を使用する者は、建築士法の定めるところにより、建築士事務所の登録を受けることができる。したがって、建築士以外の者であっても、建築士事務所の開設者となることができる。誤り。

問題15　正しい
士法24条の７第１項。**建築士事務所の開設者**は、**設計受託契約**を建築主と締結するときは、あらかじめ、建築主に対し、管理建築士等をして、作成する設計図書の種類、設計に従事する建築士の氏名、その者の建築士の資格の別、報酬の額及び支払の時期等を記載した書面を交付して、これらの重要事項の説明をさせなければならない。

No. 1 　用語に関する次の記述のうち、建築基準法上、**誤っている**ものはどれか。

1. 床が地盤面下にある階で、床面から地盤面までの高さがその階の天井の高さの $\frac{1}{2}$ のものは、「地階」に該当する。
2. 幼保連携型認定こども園は、「特殊建築物」に該当する。
3. 木造2階建ての一戸建て住宅において、土台の過半について行う修繕は、「大規模の修繕」に該当する。
4. 建築物に設けるボイラーの煙突は、「建築設備」に該当する。
5. 建築物の周囲において発生する通常の火災による延焼の抑制に一定の効果を発揮するために外壁に必要とされる性能を、「準防火性能」という。

No. 2 次の記述のうち、建築基準法上、**誤っている**ものはどれか。

1. 建築主は、建築物の用途の変更に係る確認済証の交付を受けた場合において、当該工事を完了したときは、建築主事等又は指定確認検査機関の検査を申請しなければならない。

2. 建築主事等又は指定確認検査機関は、防火地域又は準防火地域内における一戸建て住宅の新築に係る確認をする場合においては、当該確認に係る建築物の工事施工地又は所在地を管轄する消防長（消防本部を置かない市町村にあっては、市町村長）又は消防署長の同意を得なければならない。

3. 建築物の除却の工事を施工しようとする者は、当該工事に係る部分の床面積の合計が10m²を超える場合、原則として、建築主事等を経由して、その旨を都道府県知事に届け出なければならない。

4. 指定確認検査機関は、建築物に関する完了検査の引受けを工事が完了した日の前に行ったときは、当該工事が完了した日から7日以内に当該検査をしなければならない。

5. 建築基準法第6条第1項第一号に掲げる建築物で安全上、防火上又は衛生上特に重要であるものとして政令で定めるもの（国等の建築物を除く。）の所有者（所有者と管理者が異なる場合においては、管理者）は、当該建築物の敷地、構造及び建築設備について、定期に、一級建築士若しくは二級建築士又は建築物調査員にその状況の調査をさせて、その結果を特定行政庁に報告しなければならない。

No. 3 準防火地域における次の行為のうち、建築基準法上、**確認済証の交付を受ける必要がない**ものはどれか。ただし、建築等に関する確認済証の交付を受ける必要がない区域の指定はないものとする。

1. 木造平家建て、延べ面積300m^{2}の旅館の新築
2. 鉄骨造平家建て、延べ面積180m^{2}の事務所から飲食店への用途の変更
3. 鉄骨造平家建て、延べ面積300m^{2}の倉庫における床面積10m^{2}の増築
4. 鉄骨造2階建て、延べ面積90m^{2}の一戸建て住宅の大規模の修繕
5. 鉄骨造、高さ5mの広告塔の築造

No. 4 鉄骨造2階建て、延べ面積120m^{2}の一戸建て住宅の計画に関する次の記述のうち、建築基準法に**適合しない**ものはどれか。

1. 敷地内の排水に支障がなかったので、建築物の敷地は、これに接する道の境よりも低くした。
2. 排水のための配管設備の汚水に接する部分は、不浸透質の耐水材料で造った。
3. 階段（高さ3.0mの屋内の直階段）の蹴上げの寸法を23cm、踏面の寸法を15cmとした。
4. 階段（高さ3.0mの屋内の直階段）の高さ1.5mの位置に、踏幅1.1mの踊場を設けた。
5. 階段（高さ3.0mの屋内の直階段）の両側に側壁を設けたので、手すりを設けなかった。

No. 5　第一種住居地域内において、図のような断面を有する住宅の1階の居室の開口部（幅2.0m、面積4.0m²）の「採光に有効な部分の面積」として、建築基準法上、**正しい**ものは、次のうちどれか。ただし、図に記載されていないことについては、考慮しないものとする。

1.　2.4 m²
2.　6.4 m²
3.　10.4 m²
4.　12.0 m²
5.　14.4 m²

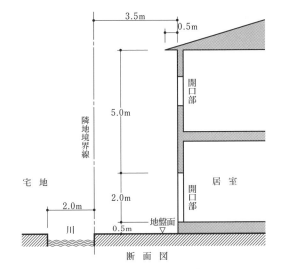

断　面　図

No. 6　建築物の構造強度に関する次の記述のうち、建築基準法に**適合しない**ものはどれか。ただし、構造計算による安全性の確認は行わないものとする。

1.　鉄骨造の建築物において、構造耐力上主要な部分である鋼材の接合は、接合される鋼材がステンレス鋼であったので、リベット接合とした。
2.　高さ2mの補強コンクリートブロック造の塀の壁の厚さを、10cmとした。
3.　壁、柱及び横架材を木造とした学校の校舎の外壁に、9cm角の木材の筋かいを使用した。
4.　木造の建築物において、構造耐力上主要な部分の継手及び仕口のボルト締は、その部分の存在応力を伝えるように緊結し、ボルトの径に応じ有効な大きさと厚さを有する座金を使用した。
5.　鉄筋コンクリート造の建築物において、柱の小径を、その構造耐力上主要な支点間の距離の$\frac{1}{15}$とした。

No. 7 構造強度、荷重及び外力に関する次の記述のうち、建築基準法上、**誤っ**ているものはどれか。

1. 雪下ろしを行う慣習のある地方においては、その地方における垂直積雪量が1mを超える場合においても、積雪荷重は、雪下ろしの実況に応じて垂直積雪量を1mまで減らして計算することができる。

2. 倉庫業を営む倉庫における床の積載荷重は、3,900N/m²未満としてはならない。

3. 鉄骨造の建築物の構造耐力上主要な部分である柱の脚部は、滑節構造であっても、基礎にアンカーボルトで緊結しなければならない。

4. 建築物に作用する荷重及び外力としては、固定荷重、積載荷重、積雪荷重、風圧力、地震力のほか、建築物の実況に応じて、土圧、水圧、震動及び衝撃による外力を採用しなければならない。

5. 特定行政庁の指定する多雪区域以外の建築物の地上部分の地震力は、当該建築物の各部分の高さに応じ、当該高さの部分が支える部分に作用する全体の地震力として計算するものとし、その数値は、当該部分の固定荷重と積載荷重との和に当該高さにおける地震層せん断力係数を乗じて計算しなければならない。

No. 8 構造強度に関する次の記述のうち、建築基準法上、**誤っている**ものはどれか。

1. 許容応力度等計算により、建築物の地上部分について構造計算を行う場合、各階の剛性率がそれぞれ $\frac{6}{10}$ 以上、各階の偏心率がそれぞれ $\frac{15}{100}$ 以下となることを確かめなければならない。

2. 建築基準法第20条第1項第三号に掲げる建築物に設ける屋上から突出する煙突については、国土交通大臣が定める基準に従った構造計算により風圧並びに地震その他の震動及び衝撃に対して構造耐力上安全であることを確かめなければならない。

3. 高さが31m以下の建築物について、許容応力度等計算で構造方法の安全性を確かめる場合、建築基準法施行令第88条第1項に規定する地震力によって生じる地上部分の各階における層間変形角が、原則として、$\frac{1}{200}$ 以内であることを確かめなければならない。

4. 建築物には、原則として、異なる構造方法による基礎を併用してはならない。

5. 布基礎においては、立上り部分以外の部分の鉄筋に対するコンクリートのかぶり厚さは、捨コンクリートの部分を含めて6cm以上としなければならない。

No. 9 建築物の防火区画、防火壁、界壁等に関する次の記述のうち、建築基準法上、**誤っている**ものはどれか。ただし、警報設備、自動式のスプリンクラー設備等は設けられていないものとする。

1. 2階建て、延べ面積300m²の事務所の1階の一部が自動車車庫（当該用途に供する部分の床面積の合計が160m²）である場合、自動車車庫の部分とその他の部分とを防火区画しなくてもよい。

2. 主要構造部を準耐火構造とした3階建て、延べ面積180m²の一戸建て住宅（各階に居室を有するもの）においては、1階から3階に通ずる階段の部分とその他の部分とを防火区画しなくてもよい。

3. 防火壁に設ける開口部の幅及び高さは、それぞれ2.5m以下とし、かつ、これに特定防火設備で所定の構造であるものを設けなければならない。

4. 長屋（天井は強化天井でないもの）の各戸の界壁は、その規模にかかわらず、準耐火構造とし、小屋裏又は天井裏に達せしめなければならない。

5. 延べ面積がそれぞれ200m²を超える建築物で耐火建築物以外のもの相互を連絡する渡り廊下で、その小屋組が木造であり、かつ、桁行が4mを超えるものは、小屋裏に準耐火構造の隔壁を設けなければならない。

No. 10 建築物の避難施設等に関する次の記述のうち、建築基準法上、**誤っている**ものはどれか。

1. 木造2階建て、延べ面積120m²の長屋においては、廊下の幅に制限はない。

2. 避難階が1階である2階建ての主要構造部が不燃材料で造られた旅館で、2階における宿泊室の床面積の合計が200m²であるものには、その階から避難階又は地上に通ずる2以上の直通階段を設けなければならない。

3. 建築物に非常用の進入口を設けなければならない場合、それぞれの進入口の間隔は、40m以下としなければならない。

4. 共同住宅の2階にあるバルコニーの周囲には、安全上必要な高さが1.1m以上の手すり壁、さく又は金網を設けなければならない。

5. 展示場の用途に供する居室から地上に通ずる廊下、階段その他の通路で、採光上有効に直接外気に開放されたものには、非常用の照明装置を設けなくてもよい。

改 **No. 11** 建築基準法第35条の2の規定による内装の制限に関する次の記述のうち、建築基準法上、**誤っている**ものはどれか。ただし、内装の制限を受ける「窓その他の開口部を有しない居室」及び「火災が発生した場合に避難上支障のある高さまで煙又はガスの降下が生じない建築物の部分として、国土交通大臣が定めるもの」はないものとする。

1. 特定主要構造部を耐火構造とした、2階建ての老人福祉施設で延べ面積が300m²のものは、内装の制限を受けない。
2. 特定主要構造部を耐火構造とした、2階建ての事務所の2階にある火を使用する設備を設けた調理室は、内装の制限を受ける。
3. 自動車修理工場の用途に供する部分の壁及び天井の室内に面する部分の仕上げは、準不燃材料とすることができる。
4. 準耐火建築物（1時間準耐火基準に適合するものを除く。）に設ける映画館で、客席の床面積の合計が150m²のものは、内装の制限を受ける。
5. 地階に設ける居室で料理店の用途に供するものは、壁及び天井の室内に面する部分の仕上げを準不燃材料とすることができる。

No. 12 都市計画区域内における道路等に関する次の記述のうち、建築基準法上、**誤っている**ものはどれか。

1. 「大都市地域における住宅及び住宅地の供給の促進に関する特別措置法」による新設の事業計画のある幅員6mの道路で、2年以内にその事業が執行される予定のものとして特定行政庁が指定したものは、建築基準法上の道路に該当する。

2. 特定行政庁がその地方の気候若しくは風土の特殊性又は土地の状況により必要と認めて都道府県都市計画審議会の議を経て指定する区域内において、幅員6m未満の道であっても、同区域が当該指定をされた際現に道路とされていた道として特定行政庁が指定したものは、建築基準法上の道路とみなされる。

3. 建築物の屋根は、特定行政庁が建築審査会の同意を得て許可した場合でなければ、壁面線を越えて建築することができない。

4. 都市計画法による幅員4mの道路に2m接している敷地には、建築物を建築することができる。

5. 建築基準法第42条第1項第五号の規定により、特定行政庁から位置の指定を受けて道を築造する場合、その道の幅員を6m以上とすれば、袋路状道路とすることができる。

No. 13 次の建築物のうち、建築基準法上、**新築することができる**ものはどれか。ただし、特定行政庁の許可は受けないものとし、用途地域以外の地域、地区等は考慮しないものとする。

1. 第一種低層住居専用地域内における2階建て、延べ面積210m²の学習塾兼用住宅で、居住の用に供する部分の床面積の合計が160m²のもの

2. 第二種低層住居専用地域内における2階建て、延べ面積170m²の日用品の販売を主たる目的とする店舗

3. 第二種中高層住居専用地域内における平家建て、延べ面積20m²の畜舎

4. 近隣商業地域内における平家建ての原動機を使用する自動車修理工場で、作業場の床面積の合計が350m²のもの

5. 工業地域内における2階建て、延べ面積300m²の病院

No. 14 図のような敷地及び建築物の配置において、建築基準法上、**新築する
ことができる建築物**は、次のうちどれか。ただし、特定行政庁の許可は
受けないものとし、用途地域以外の地域、地区等は考慮しないものとする。

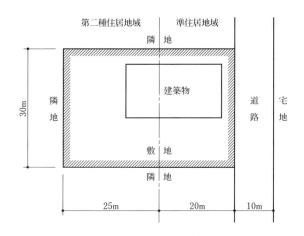

1. ホテル
2. 倉庫業を営む倉庫
3. 平家建て、延べ面積350m²の自動車車庫(附属車庫を除く。)
4. 客席の部分の床面積の合計が100m²の演芸場
5. 出力の合計が0.75kWの原動機を使用する塗料の吹付を事業として営む工場

No. 15 　図のような敷地において、耐火建築物を新築する場合、建築基準法上、新築することができる建築物の**建築面積の最高限度**は、次のうちどれか。ただし、図に記載されているものを除き、地域、地区等及び特定行政庁の指定・許可等はなく、図に示す範囲に高低差はないものとする。

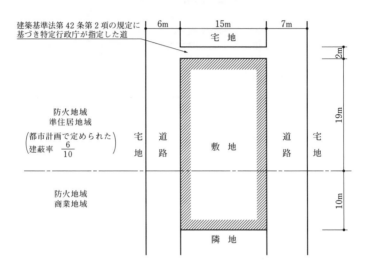

1. 282 m²
2. 309 m²
3. 324 m²
4. 339 m²
5. 366 m²

No. **16**　図のような敷地において、建築基準法上、新築することができる建築物の**延べ面積**（同法第52条第1項に規定する容積率の算定の基礎となる**延べ面積**）**の最高限度**は、次のうちどれか。ただし、図に記載されているものを除き、地域、地区等及び特定行政庁の指定・許可等はないものとする。

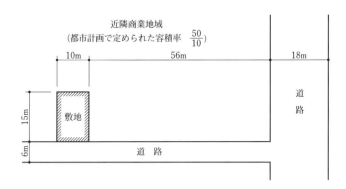

1.　360 m^2
2.　432 m^2
3.　540 m^2
4.　648 m^2
5.　750 m^2

No. 17 図のような敷地において、建築物を新築する場合、建築基準法上、A点における**地盤面からの建築物の高さの最高限度**は、次のうちどれか。ただし、敷地は平坦で、敷地、隣地及び道路の相互間の高低差並びに門及び塀はなく、また、図に記載されているものを除き、地域、地区等及び特定行政庁の指定・許可等はないものとし、日影規制（日影による中高層の建築物の高さの制限）及び天空率は考慮しないものとする。なお、建築物は、全ての部分において、高さの最高限度まで建築されるものとする。

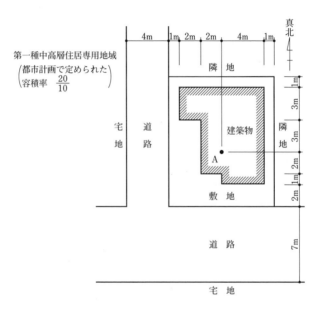

1. 12.50 m
2. 15.00 m
3. 16.25 m
4. 17.50 m
5. 18.75 m

No. 18 都市計画区域内における建築物の高さの制限又は日影規制（日影による中高層の建築物の高さの制限）に関する次の記述のうち、建築基準法上、**誤っている**ものはどれか。ただし、用途地域以外の地域、地区等及び地形の特殊性に関する特定行政庁の定め等は考慮しないものとする。

1. 第一種住居地域においては、原則として、高さが10mを超える建築物について、日影規制を適用する。

2. 第一種低層住居専用地域内における10m又は12mの建築物の高さの限度については、天空率の計算を行うことにより、特定行政庁の許可又は認定を受けなくても、その高さの限度を超えることができる。

3. 道路高さ制限において、建築物の敷地の地盤面が前面道路より1m以上高い場合においては、その前面道路は、敷地の地盤面と前面道路との高低差から1mを減じたものの$\frac{1}{2}$だけ高い位置にあるものとみなす。

4. 北側高さ制限において、建築物の敷地が北側で線路敷に接する場合、当該隣地境界線は当該線路敷の幅の$\frac{1}{2}$だけ外側にあるものとみなす。

5. 用途地域の指定のない区域内の建築物についても、隣地高さ制限が適用される。

改 No. **19**　　２階建て、延べ面積160m²の一戸建ての住宅に関する次の記述のうち、建築基準法上、**誤っている**ものはどれか。ただし、地階及び防火壁等はないものとし、防火地域及び準防火地域以外の地域、地区等は考慮しないものとする。

1. 防火地域内において建築物に附属する高さ２mを超える塀を設ける場合、その塀は、当該建築物の構造にかかわらず、延焼防止上支障のない構造としなければならない。

2. 防火地域内において建築物を新築する場合、屋根の構造は、市街地における通常の火災による火の粉により、防火上有害な発炎をしないものであり、かつ、屋内に達する防火上有害な溶融、亀裂その他の損傷を生じないものとしなければならない。

3. 建築物が防火地域及び準防火地域にわたる場合、その全部について防火地域内の建築物に関する規定が適用される。

4. 準防火地域内において木造建築物として新築する場合、その外壁及び軒裏で延焼のおそれのある部分を準耐火構造としなければならない。

5. 準防火地域内において外壁を耐火構造として新築する場合、その外壁を隣地境界線に接して設けることができる。

No. 20 次の記述のうち、建築基準法上、**誤っている**ものはどれか。

1. 工事を施工するために現場に設ける事務所を建築しようとする場合においては、確認済証の交付を受ける必要はない。

2. 非常災害が発生した区域又はこれに隣接する区域で特定行政庁が指定するものの内において、被災者が自ら使用するために建築する延べ面積30m²以内の応急仮設建築物で、その災害が発生した日から1月以内にその工事に着手するものについては、防火地域内に建築する場合を除き、建築基準法令の規定は適用しない。

3. 高さ2.2mの擁壁を築造した場合においては、建築基準法第8条の規定が準用される。

4. 景観重要建造物として指定された建築物のうち、保存すべきものについては、市町村は、国土交通大臣の承認を得て、条例で建築基準法第20条の規定の適用を除外することができる。

5. 文化財保護法の規定による伝統的建造物群保存地区内においては、市町村は、国土交通大臣の承認を得て、条例で、建築基準法令の所定の規定の全部若しくは一部を適用せず、又はこれらの規定による制限を緩和することができる。

Ⅱ
建築法規

No. 21 次の記述のうち、建築士法上、**誤っている**ものはどれか。

1. 建築士事務所に属する二級建築士は、一級建築士でなければ設計又は工事監理をしてはならない建築物について、原則として、建築工事契約に関する事務及び建築工事の指導監督の業務を行うことができる。

2. 建築士事務所に継続して所属する二級建築士は、直近の二級建築士定期講習を受けた日の属する年度の翌年度の開始の日から起算して3年以内に、二級建築士定期講習を受けなければならない。

3. 延べ面積300m²の建築物の新築に係る設計受託契約の当事者は、契約の締結に際して、作成する設計図書の種類、設計に従事することとなる建築士の氏名、報酬の額、その他所定の事項について書面に記載し、署名又は記名押印をして相互に交付しなければならない。

4. 建築士法の規定に違反して二級建築士の免許を取り消され、その取消しの日から起算して5年を経過しない者は、二級建築士の免許を受けることができない。

5. 建築士事務所を管理する専任の建築士が置かれていない場合、その建築士事務所の登録は取り消される。

No. 22 　建築士事務所に関する次の記述のうち、建築士法上、**誤っているもの**はどれか。

1. 建築士事務所の開設者は、委託者の許諾を得た場合においても、委託を受けた設計又は工事監理（いずれも延べ面積が300m²を超える建築物の新築工事に係るものに限る。）の業務を、それぞれ一括して他の建築士事務所の開設者に委託してはならない。

2. 建築士事務所の開設者が建築主との工事監理受託契約の締結に先立って管理建築士等に重要事項の説明をさせる際には、管理建築士等は、当該建築主に対し、所定の建築士免許証又は所定の建築士免許証明書を提示しなければならない。

3. 建築士事務所の開設者と管理建築士とが異なる場合においては、その開設者は、管理建築士から建築士事務所の業務に係る所定の技術的事項に関し、その業務が円滑かつ適切に行われるよう必要な意見が述べられたときには、その意見を尊重しなければならない。

4. 管理建築士は、建築士として建築物の設計、工事監理等に関する所定の業務に3年以上従事した後、登録講習機関が行う管理建築士講習の課程を修了した建築士でなければならない。

5. 建築士事務所に属する建築士が当該建築士事務所の業務として作成した設計図書又は工事監理報告書で、建築士事務所の開設者が保存しなければならないものの保存期間は、当該図書を作成した日から起算して10年間である。

II
建築法規

No. 23 次の記述のうち、**誤っている**ものはどれか。

1. 「都市計画法」上、「高度利用地区」は、用途地域内において市街地の環境を維持し、又は土地利用の増進を図るため、建築物の高さの最高限度又は最低限度を定める地区をいう。

2. 「都市計画法」上、都市計画施設の区域内において、地階を有しない木造平家建て、延べ面積100m²の一戸建て住宅を新築しようとする者は、原則として、都道府県知事の許可を受けなければならない。

3. 「宅地造成及び特定盛土等規制法」上、宅地造成等工事規制区域内において宅地造成等に関する工事の許可を受けた者は、当該許可に係る宅地造成等に関する工事の計画の変更をしようとするときは、原則として、都道府県知事の許可を受けなければならない。

4. 「宅地造成及び特定盛土等規制法」上、「造成宅地」とは、宅地造成又は特定盛土等（宅地において行うものに限る。）に関する工事が施行された宅地をいう。

5. 「宅地造成及び特定盛土等規制法」上、宅地造成等工事規制区域内の土地の所有者は、宅地造成等に伴う災害が生じないよう、その土地を常時安全な状態に維持するように努めなければならない。

No. 24 次の記述のうち、**誤っている**ものはどれか。

1. 「長期優良住宅の普及の促進に関する法律」上、維持保全とは、「住宅の構造耐力上主要な部分」、「住宅の雨水の浸入を防止する部分」又は「住宅の給水又は排水の設備」について、点検又は調査を行い、及び必要に応じ修繕又は改良を行うことをいう。

2. 「長期優良住宅の普及の促進に関する法律」上、住宅の建築をしてその構造及び設備を長期使用構造等とし、自らその建築後の住宅について長期優良住宅として維持保全を行おうとする者は、当該住宅の長期優良住宅建築等計画を作成し、所管行政庁の認定を申請することができる。

3. 「長期優良住宅の普及の促進に関する法律」上、長期優良住宅建築等計画の認定を受けた者（その地位を承継した者も含む。）は、当該住宅の建築及び維持保全の状況に関する記録を作成し、これを保存しなければならない。

4. 「住宅の品質確保の促進等に関する法律」上、住宅の建設工事の請負人は、設計住宅性能評価書の写しを請負契約書に添付した場合においては、請負人が請負契約書に反対の意思を表示していなければ、当該設計住宅性能評価書の写しに表示された性能を有する住宅の建設工事を行うことを契約したものとみなす。

5. 「住宅の品質確保の促進等に関する法律」上、住宅を新築する建設工事の請負契約においては、請負人は、工事が完了した日から10年間、住宅の構造耐力上主要な部分等の瑕疵（構造耐力上又は雨水の浸入に影響のないものを除く。）について所定の担保の責任を負う。

No. 25 次の記述のうち、**誤っている**ものはどれか。

1. 「高齢者、障害者等の移動等の円滑化の促進に関する法律」上、駐車場は、「建築物特定施設」に該当する。

2. 「建設業法」上、建築一式工事にあっては、工事1件の請負代金の額が1,500万円に満たない工事又は延べ面積が200m²に満たない木造住宅工事のみを請け負うことを営業とする者は、建設業の許可を受けなくてもよい。

3. 「建設工事に係る資材の再資源化等に関する法律」上、その施工に特定建設資材を使用する床面積の合計が500m²の新築工事を行う発注者は、工事に着手する7日前までに、所定の事項を都道府県知事に届け出なければならない。

4. 「土地区画整理法」上、市町村又は都道府県が施行する土地区画整理事業の施行区域内において、事業計画の決定の公告があった日後、換地処分があった旨の公告がある日までは、建築物の新築を行おうとする者は、都道府県知事等の許可を受けなければならない。

5. 「建築物の耐震改修の促進に関する法律」上、要安全確認計画記載建築物の所有者は、当該建築物について、国土交通省令で定めるところにより、耐震診断を行い、その結果を、所定の期限までに所管行政庁に報告しなければならない。

学科Ⅱ（建築法規）　解答番号

[No. 1]	3	[No. 2]	1	[No. 3]	2	[No. 4]	5	[No. 5]	3
[No. 6]	1	[No. 7]	3	[No. 8]	5	[No. 9]	1	[No. 10]	2
[No. 11]	2	[No. 12]	3	[No. 13]	1	[No. 14]	1	[No. 15]	4
[No. 16]	4	[No. 17]	3	[No. 18]	2	[No. 19]	4	[No. 20]	4
[No. 21]	3	[No. 22]	5	[No. 23]	1	[No. 24]	5	[No. 25]	2

建築構造　出題一覧（直近10年間）

分類項目		出題年度	平27年	平28年	平29年	平30年	令元年	令2年	令3年	令4年	令5年	令6年
建築力学	構造物と力	力(つり合い他)										
		静定構造物の反力										
	静定構造物の応力	静定梁の応力	1	1	1	1	1		1	1	1	1
		静定ラーメンの応力	1	1	1	1	1	1	1	1	1	1
	静定トラスの応力		1	1	1	1	1	1	1	1	1	1
	断面の性質		1	1	1	1	1	1	1	1	1	1
	応力度と許容応力度		1	1	1	1	1	1	1	1	1	1
	部材の変形と不静定構造物	座屈	1	1	1	1	1	1	1	1	1	1
		変形・融合その他						1				
		用語・単位										
構造設計	地震力		1	1	1		1	1	1			1
	風圧力				1			1		1		
	荷重・外力融合		1	1	1	1	1	1	1	1	2	1
各種構造	地盤・基礎構造		1	1	1	1	1	1	1	1	1	1
	木構造	構造計画	1	1		1	1	1	1			
		耐力壁		1	1				1			
		各部構造	1		1	1	1	1	1	1	1	1
		接合法	1	1		1	1	1	2		1	1
		木構造融合										
		枠組壁工法									1	1
	鉄筋コンクリート構造	構造設計	1	1	1	1	1	1	1	1	1	1
		各部の設計	1	1	1	1	1	1	1	1	1	1
		ひび割れ・その他										
	鉄骨構造	構造設計	1	1	1	1	1	1	1	1	1	1
		接合部	1	1	1	1	1	1	1	1	1	1
	その他の構造	壁式鉄筋コンクリート構造		1	1	1	1					
		補強コンクリートブロック造	1					1			1	1
		組積造										
構造設計	構造計画		1	1	1	1	1	2	1	1	1	1
	耐震設計・耐震診断・耐震補強		1	1	1	1	1		1	1	1	1
建築材料	木材・木質系材料		1	1	1	1	1	1	1	1	1	1
	セメント・骨材・コンクリート		2	2	2	2	2	2	2	2	2	2
	金属材料		1	1	1	1	1	1	1	1	1	1
	ガラス				1			1	1			
	材料融合その他		2	2	1	2	2	1	1	2	2	2
合　計			25	25	25	25	25	25	25	25	25	25

構造物と力

① 力（つり合い他）

1 力のモーメント

$M = P \times l$

M：モーメント

P：力

l：Pの作用線までの垂直距離

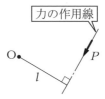
力の作用線

偶力のモーメントM

= 力 × 2力間の距離

= $P \times l$

= $P\,l$

偶力の条件
- ●作用線が平行
- ●大きさが等しい
- ●向きが反対

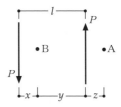

2 力の合成と分解〔力の平行四辺形又は三角形〕

a）力の平行四辺形

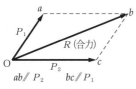

$ab \mathbin{/\!/} P_2 \quad bc \mathbin{/\!/} P_1$

b）力の三角形（示力図）

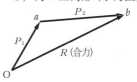

3 力のつり合い条件

$$\begin{cases} \Sigma X = 0 \Rightarrow x\text{軸方向の力の和が}0 \\ \Sigma Y = 0 \Rightarrow y\text{軸方向の力の和が}0 \\ \Sigma M = 0 \Rightarrow \text{ある点のモーメントの和が}0 \end{cases}$$

（移動しない条件）

（回転しない条件）

② 静定構造物の反力

1 集中荷重の場合 ⇨ つり合い条件式により求める

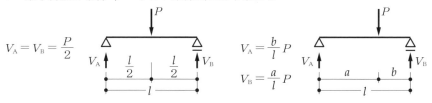

$$V_A = V_B = \frac{P}{2}$$

$$V_A = \frac{b}{l} P$$

$$V_B = \frac{a}{l} P$$

2 等分布荷重の場合
⇨ 集中荷重におきかえる

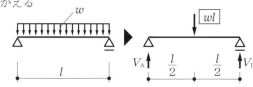

3 等変分布荷重の場合
⇨ 集中荷重におきかえる

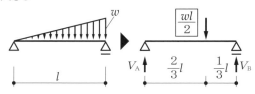

4 回転荷重（モーメント荷重）の場合

$$V_A = V_B = \frac{M}{l}$$

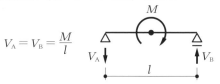

5 ラーメン

$\Sigma M_A = 0$ より V_B を求める
$\Sigma Y = 0$ より V_A を求める
$\Sigma X = 0$ より H_A を求める

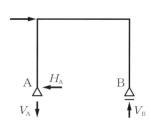

【力のモーメント】

　図のように、四つの力（$P_1 \sim P_4$）が釣り合っているとき、P_2の値として、**正しいもの**は、次のうちどれか。

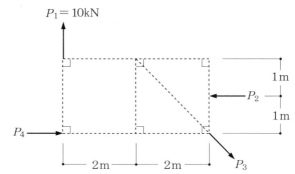

1. 10kN
2. 20kN
3. 30kN
4. 40kN
5. 50kN

解　説

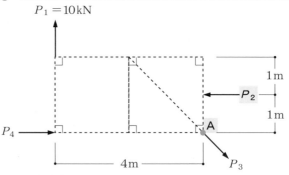

P_3、P_4の作用線上にA点をとり、$\Sigma M_A = 0$より、P_2を求める。

$P_1 \times 4\,\mathrm{m} - P_2 \times 1\,\mathrm{m} + P_3 \times 0 + P_4 \times 0 = 0$

$10\mathrm{kN} \times 4\,\mathrm{m} - P_2 \times 1\,\mathrm{m} = 0$

$40\mathrm{kN \cdot m} = P_2 \times 1\,\mathrm{m}$

$\therefore P_2 = 40\mathrm{kN}$

正答 ➡ ❹

【偶力のモーメント】

check 改

　図のような平行な二つの力 P_1、P_2によるA、B、Cの各点におけるモーメントM_A、M_B、M_Cの値の組合せとして、**正しいもの**は、次のうちどれか。ただし、モーメントの符号は、時計回りを正とする。

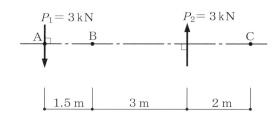

	M_A	M_B	M_C
1.	− 13.5 kN・m	− 13.5 kN・m	− 25.5 kN・m
2.	− 13.5 kN・m	− 13.5 kN・m	− 13.5 kN・m
3.	13.5 kN・m	− 13.5 kN・m	25.5 kN・m
4.	13.5 kN・m	13.5 kN・m	13.5 kN・m
5.	13.5 kN・m	13.5 kN・m	25.5 kN・m

解　説

P_1、P_2による各点の力のモーメントをM_A、M_B、M_Cとする。

● $M_A = - 3 \,\text{kN} \times 4.5 \,\text{m}$

　　　$= - 13.5 \text{kN・m}$

● $M_B = - 3 \,\text{kN} \times 1.5 \,\text{m} - 3 \,\text{kN} \times 3 \,\text{m}$

　　　$= - 13.5 \text{kN・m}$

● $M_C = - 3 \,\text{kN} \times 6.5 \,\text{m} + 3 \,\text{kN} \times 2 \,\text{m}$

　　　$= - 13.5 \text{kN・m}$

〔別解〕

　P_1、P_2は**偶力**である。**偶力のモーメント**（M）の大きさは、どの点についても、常に一定で、一方の力の大きさと2力の垂直距離との積で求める。

　$M = - 3 \,\text{kN} \times 4.5 \,\text{m} = - 13.5 \text{kN・m}$

　　∴ $M_A = M_B = M_C = - 13.5 \text{kN・m}$

正答

【単純ばりの反力】

check

　　図のような単純ばりにおける荷重の比を$P_1:P_2 = 5:4$としたとき、支点反力の比$(V_A:V_B)$として、**正しいもの**は、次のうちどれか。

	V_A	:	V_B
1.	2	:	1
2.	2	:	3
3.	3	:	2
4.	4	:	3
5.	5	:	4

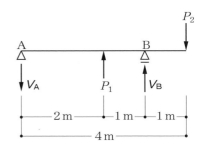

解　説

　題意より、右図における支点反力V_A、V_Bを求める。

$\Sigma M_B = 0$より、

$$4P \times 1\,\mathrm{m} + 5P \times 1\,\mathrm{m} - V_A \times 3\,\mathrm{m} = 0$$

$$\therefore V_A = \frac{4P \cdot \mathrm{m} + 5P \cdot \mathrm{m}}{3\,\mathrm{m}}$$

$$= 3P \text{（下向き）}$$

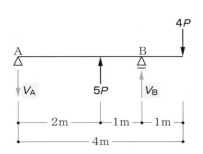

$\Sigma Y = 0$より、

$$-V_A + 5P + V_B - 4P = 0$$

$$\therefore V_B = 3P - 5P + 4P$$

$$= 2P \text{（上向き）}$$

$$V_A:V_B = 3P:2P = 3:2$$

正答 ➡ **③**

【静定ラーメンの反力】

check

図のような荷重を受ける静定ラーメンの支点A、Bに生じる鉛直反力R_A、R_Bの値の組合せとして、**正しい**ものは、次のうちどれか。ただし、鉛直反力の方向は、上向きを「＋」、下向きを「－」とする。

	R_A	R_B
1.	＋8kN	－2kN
2.	＋6kN	0kN
3.	＋4kN	＋2kN
4.	＋3kN	＋3kN
5.	＋2kN	＋4kN

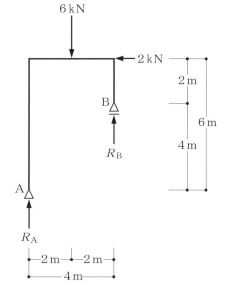

III

建築構造

解 説

支点A、Bに生ずる鉛直反力R_A、R_Bを上向きに仮定する。

① $\Sigma M_A = 0$より、R_Bを求める。
（力のモーメントの方向は、時計回りを「＋」、反時計回りを「－」とする。）

$6\,\text{kN} \times 2\,\text{m} - 2\,\text{kN} \times 6\,\text{m}$
$\qquad\qquad - R_B \times 4\,\text{m} = 0$

$\therefore R_B = 0\,\text{kN}$

② $\Sigma Y = 0$より、R_Aを求める。
（荷重及び反力の方向は、上向きを「＋」、下向きを「－」とする。）

$R_A + R_B - 6\,\text{kN} = 0$
$R_A + 0 - 6\,\text{kN} = 0$
$\therefore R_A = +6\,\text{kN}$（上向き）

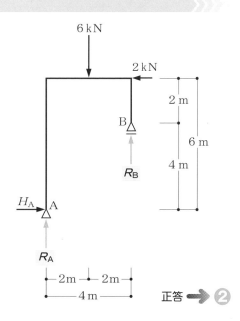

正答 ➡ ❷

231

① 応力の求め方

1 単純梁・単純梁系ラーメンの応力

① 反力を仮定して、つり合い
条件から反力を求める。

② 応力を求める。

軸方向力・せん断力・曲げモーメントと、それぞれ別々に求める。

⇨ 求めたい点で切断して、左
側または右側どちらか一
方の外力により、応力を求
める。

③ 応力図を描く。

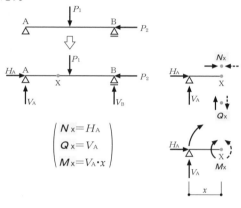

$$\left(\begin{array}{l} N_X = H_A \\ Q_X = V_A \\ M_X = V_A \cdot x \end{array} \right)$$

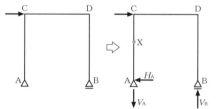

$$\left(\begin{array}{l} N_X = V_A \\ Q_X = H_A \\ M_X = H_A \cdot x \end{array} \right)$$

2 片持梁・片持梁系ラーメン

① 反力を求めなくても、応力を求め
ることができる。

② 自由端の側から考える。

③ 軸方向力・せん断力・曲げモーメ
ントと、それぞれ別々に求める。

④ 応力図を描く。

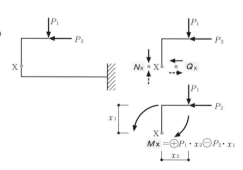

$$M_X = \oplus P_1 \cdot x_2 \ominus P_2 \cdot x_1$$

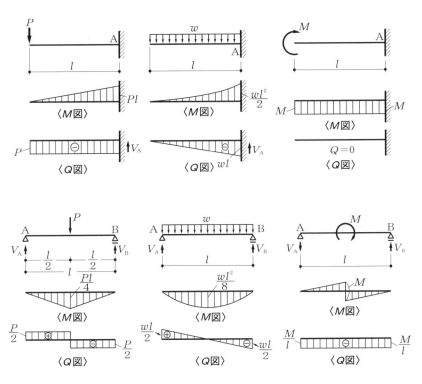

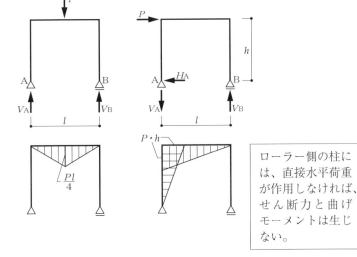

ローラー側の柱には、直接水平荷重が作用しなければ、せん断力と曲げモーメントは生じない。

【単純梁の曲げモーメント】

check

　　　図のような荷重を受ける単純梁のＡ点における曲げモーメントの値として、**正しい**ものは、次のうちどれか。

1. 12kN・m
2. 15kN・m
3. 18kN・m
4. 21kN・m
5. 24kN・m

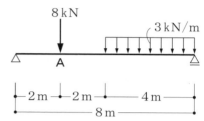

解　説

① B点の反力を求める。

　右図の（b）図のように等分布荷重を集中荷重に置き換える。

$\Sigma M_C = 0$ より、

$-12\text{kN} \times 2\text{m} - 8\text{kN} \times 6\text{m}$
$\qquad\qquad + R_B \times 8\text{m} = 0$

$-24\text{kN} \cdot \text{m} - 48\text{kN} \cdot \text{m}$
$\qquad\qquad + R_B \times 8\text{m} = 0$

$R_B = \dfrac{72\text{kN} \cdot \text{m}}{8\text{m}}$

$\therefore R_B = 9\text{kN}$（上向き）

② A点における曲げモーメントM_Aを求める。（c）図。

A点の左側の力によってM_Aを求める。

$M_A = R_B \times 2\text{m}$
$\quad\ = 9\text{kN} \times 2\text{m}$
$\quad\ = 18\text{kN} \cdot \text{m}$（下側凸）

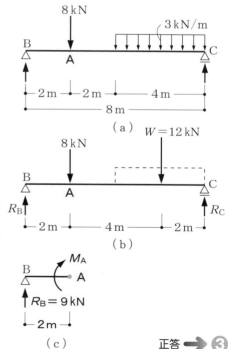

正答 ➡ ❸

【単純梁のせん断力】

check

図−1のような荷重Pを受ける単純梁において、曲げモーメント図が図−2となる場合、A−C間のせん断力の大きさとして、**正しい**ものは、次のうちどれか。

1. 2 kN
2. 4 kN
3. 6 kN
4. 8 kN
5. 10kN

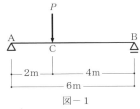

図−1

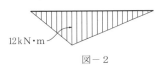

図−2

解 説

A−C間のせん断力 Q_{A-C} は、A−C間の任意の点から左または右側にある鉛直方向の力の和である。

1）C点の曲げモーメントより反力を求める。
$$M_C(左) = V_A \times 2m = 12kN \cdot m$$
$$V_A = 6 kN$$

2）A−C間のせん断力 Q_{A-C} の大きさ（絶対値）を求める。図（c）参照。
A−C間の任意点の左側から、
$$\therefore Q_{A-C} = V_A = 6 kN$$

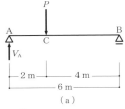

（a）

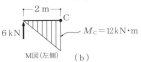

M図(左側)　（b）

（c）

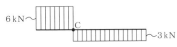

正答 ➡ ❸

問題1 【単純梁系ラーメンのせん断力】

　図のような荷重を受ける静定ラーメンにおいて、支点A、Bに生じる鉛直反力R_A、R_Bの値と、C点に生じるせん断力Q_Cの絶対値の組合せとして、**正しいもの**は、次のうちどれか。ただし、鉛直反力の方向は、上向きを「＋」、下向きを「－」とする。

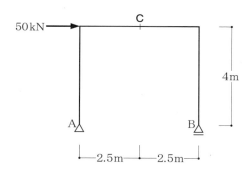

	R_A	R_B	Q_Cの絶対値
1.	40kN	40kN	40kN
2.	40kN	－ 40kN	0 kN
3.	40kN	－ 40kN	40kN
4.	－ 40kN	40kN	0 kN
5.	－ 40kN	40kN	40kN

解 説

問題 1

1) 鉛直反力 R_A、R_B を求める。
   図①のように反力を仮定する。
   $\Sigma M_A = 0$ より、
   $- R_B \times 5\,\mathrm{m} + 50\,\mathrm{kN} \times 4\,\mathrm{m} = 0$
   $$\therefore R_B = \frac{200\,\mathrm{kN \cdot m}}{5\,\mathrm{m}} = 40\,\mathrm{kN}$$
   プラス（＋）として求められたので、仮定の矢印の向きと同じで、上向きとなる。
   $\Sigma Y = 0$ より、
   $R_A + R_B = 0$
   $R_A + 40\,\mathrm{kN} = 0$
   $\therefore R_A = - 40\,\mathrm{kN}$（下向き）

2) C点に生じるせん断力 Q_C を求める。
   図②より、C点の左側によって Q_C を求める。
   $Q_C = R_A = 40\,\mathrm{kN}$
   なお、H_A の反力は、
   $\Sigma X = 0$ より、
   $- H_A + 50\,\mathrm{kN} = 0$
   $\therefore H_A = 50\,\mathrm{kN}$（左向き）

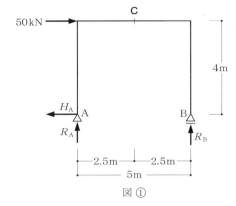

図 ①

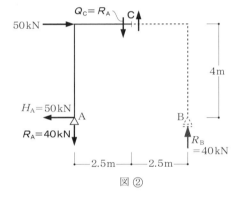

図 ②

正答 ➡ ⑤

問題2 【単純梁系ラーメンの曲げモーメント図】

　図1は鉛直方向に外力を受ける静定ラーメンであり、その曲げモーメント図は図2のように表せる。図1の静定ラーメンに水平方向の外力が加わった図3の静定ラーメンの曲げモーメント図として、**正しいもの**は、次のうちどれか。ただし、曲げモーメント図は、材の引張側に描くものとする。

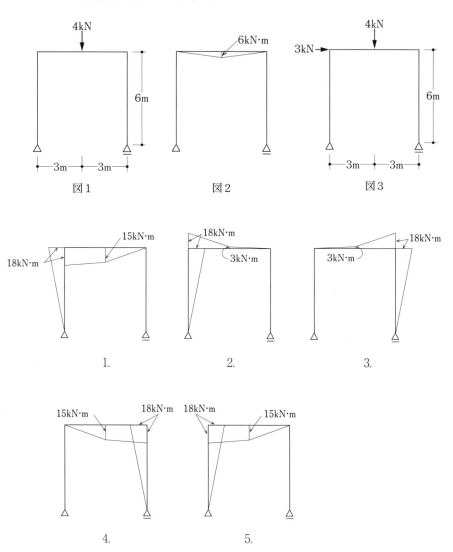

問題2

　静定ラーメンの曲げモーメント図は、鉛直反力のみが生じるピンローラー支点の側から求めていく。

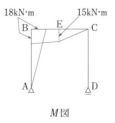

M図

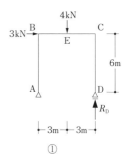

①

(1) ピンローラー支点（D点）の鉛直反力 R_D を求める。
    （図①参照）

$\Sigma M_A = 0$ より

$- R_D \times 6\,\mathrm{m} + 4\,\mathrm{kN} \times 3\,\mathrm{m} + 3\,\mathrm{kN} \times 6\,\mathrm{m} = 0$

$R_D \times 6\,\mathrm{m} = 12\,\mathrm{kN \cdot m} + 18\,\mathrm{kN \cdot m} = 30\,\mathrm{kN \cdot m}$

$\therefore R_D = 5\,\mathrm{kN}$（上向き）

(2) 各点の曲げモーメントを求める。

● D点の曲げモーメント M_D
（図②参照）

$M_D = 0$

● C点の曲げモーメント M_C
（図②参照）

$M_C = R_D \times 0 = 0$

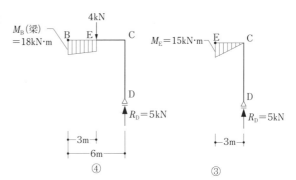

⑤

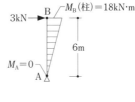

②

● E点の曲げモーメント M_E
（図③参照）

$M_E（右） = - R_D \times 3\,\mathrm{m}$

$= - 5\,\mathrm{kN} \times 3\,\mathrm{m}$

$= - 15\,\mathrm{kN \cdot m}$

$\therefore M_E = 15\,\mathrm{kN \cdot m}$
（下側（内側）凸）

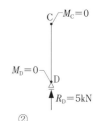

④ ③

● B点の曲げモーメント M_B（図④、⑤参照）

$M_B（梁・右） = - R_D \times 6\,\mathrm{m} + 4\,\mathrm{kN} \times 3\,\mathrm{m} = - 5\,\mathrm{kN} \times 6\,\mathrm{m} + 4\,\mathrm{kN} \times 3\,\mathrm{m}$

$= - 30\,\mathrm{kN \cdot m} + 12\,\mathrm{kN \cdot m} = - 18\,\mathrm{kN \cdot m}$

$\therefore M_B（梁） = 18\,\mathrm{kN \cdot m}$（下側（内側）凸）

$\therefore M_B（柱） = 18\,\mathrm{kN \cdot m}$（右側（内側）凸）

● A点の曲げモーメント M_A（図⑤参照）

$M_A = 0$

正答 ➡ ⑤

1 節 点 法

① 反力を求める。

② ゼロメンバーを探し、骨組を簡略化。

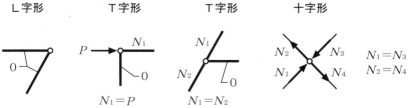

L字形　　　　T字形　　　　T字形　　　　十字形

$N_1 = P$　　$N_1 = N_2$　　$N_1 = N_3$　$N_2 = N_4$

● 上図の例でメンバーが 0 でないと、示力図がとじない（描けない）。

③ 右回りで示力図をかく。
　● 節点における力は、つり合っている。

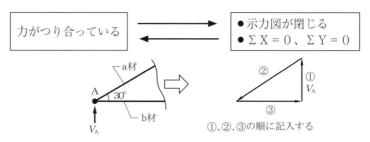

| 力がつり合っている | ● 示力図が閉じる ● $\Sigma X = 0$、$\Sigma Y = 0$ |

①、②、③の順に記入する

④ 示力図の矢印を骨組に写して、圧縮か引張かを判定。

節点を引いている　　　　　　節点を押している

引　　　　　　　　　　圧

● トラスの応力は、三角比を利用して求める。

⑤ 示力図に三角比をあてはめて、応力を求める。

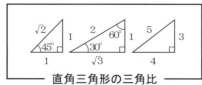

直角三角形の三角比

② 切　断　法

一部材の応力を求めるには、切断法がよい。

　図のようなトラスにおいて、部材C
に生じる軸方向力N_Cを求めてみる。

① 反力を求める。

　$V_A = V_B = 4P$

② 求めるC材を含んでトラスを切断
　し、2分割する。

③ 片側だけを考えて、$\Sigma M_D = 0$より
　N_Cを求める。

（三角形の骨組で構成された1枚の
「板」に働く外力のつり合い方程式を
たてる）。

● 求める材以外の部材が集まる支点
　を中心に取ることで、未知数を求
　める材だけにできる。

$\Sigma M_D(左) = 0$より

（⇨右、左側どちらでもよい）

$\oplus 4P \times 2\,\mathrm{m} \ominus P \times 2\,\mathrm{m}$

$\qquad \ominus 2P \times 1\,\mathrm{m} \ominus N_C \times 1\,\mathrm{m} = 0$

$\oplus 8P \cdot \mathrm{m} \ominus 2P \cdot \mathrm{m} \ominus 2P \cdot \mathrm{m}$

$\qquad\qquad \ominus N_C \times 1\,\mathrm{m} = 0$

$\oplus 4P \cdot \mathrm{m} \ominus N_C \times 1\,\mathrm{m} = 0$

$\therefore N_C = \oplus 4P$

（⊕なので、仮定の向きと同じ）

⇨ 節点を押しているので、圧縮力$4P$。

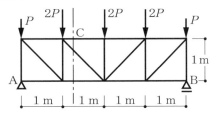

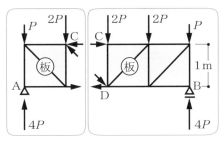

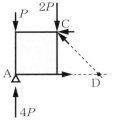

問題1

　図のような荷重を受ける静定トラスにおいて、部材Aに生じる軸方向力として、**正しいもの**は、次のうちどれか。ただし、軸方向力は、引張力を「＋」、圧縮力を「－」とする。

1. $-3\sqrt{3}\,P$
2. $-2\sqrt{3}\,P$
3. $-\sqrt{3}\,P$
4. $+2\sqrt{3}\,P$
5. $+3\sqrt{3}\,P$

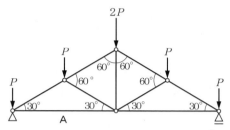

問題2

　図のような水平力を受ける静定トラスにおいて、部材A、B、Cに生じる軸方向力の組合せとして、**正しいもの**は、次のうちどれか。

	部材A	部材B	部材C
1.	圧　縮	圧　縮	引張り
2.	0	圧　縮	引張り
3.	0	引張り	圧　縮
4.	引張り	圧　縮	0
5.	引張り	引張り	圧　縮

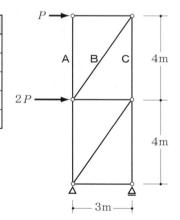

解 説

問題1

① 節点a、bの反力V_a、V_bを求める。
　荷重及び骨組が対称であるから、V_a、V_bは等しく、全荷重の1/2となる。
$$V_a = V_b = 6P \times 1/2 = 3P$$

② a節点のつり合いから、部材Aの軸方向N_Aを求める。
　示力図の辺の比は、$1 : 2 : \sqrt{3}$となる。
　割合1の大きさが$2P$であるから、割合$\sqrt{3}$のN_Aは、$2\sqrt{3}P$、a節点を引っ張っているので引張力。
$$N_A = +2\sqrt{3}P$$

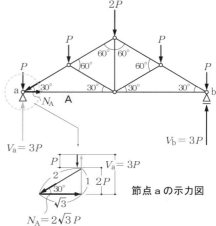

節点aの示力図

正答 ➡ ④

問題2

1) ア節点のトラス応力の性質から、部材A、Dの軸方向力N_A、N_Dを求める。
$$N_D = P$$
　N_Dはア節点を押しているので、圧縮力となる。
$$N_A = 0$$
2) イ節点の力のつりあいから、部材B、Cの軸方向力N_B、N_Cを求める。
　N_Dは、圧縮力なので、イ節点の示力図において、
　　N_Bは、イ節点を引張っているので、引張力となる。
　　N_Cは、イ節点を押しているので、圧縮力となる。

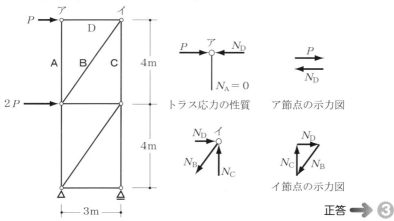

トラス応力の性質　　ア節点の示力図

イ節点の示力図

正答 ➡ ③

図のような荷重を受ける静定トラスにおいて、部材A、B、Cに生じる軸方向力の組合せとして、**正しいもの**は、次のうちどれか。ただし、軸方向力は、引張力を「＋」、圧縮力を「－」とする。

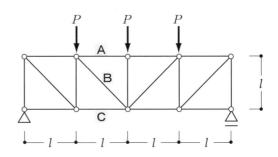

	A	B	C
1.	$- P$	$+ 0.5\sqrt{2}\,P$	$+ 1.5\,P$
2.	$- P$	$+ 0.5\sqrt{2}\,P$	$+ 2\,P$
3.	$- P$	$+ \sqrt{2}\,P$	$+ 2\,P$
4.	$- 2P$	$+ 0.5\sqrt{2}\,P$	$+ 1.5\,P$
5.	$- 2P$	$+ \sqrt{2}\,P$	$+ 2\,P$

解答のポイント | **切断法での求め方**

① 反力を求める。
② 求める部材を含んでトラスを切断する。
③ つり合い条件を用いて、軸方向力を求める。
- $\Sigma X = 0$
- $\Sigma Y = 0$ ⇨ 斜めの部材に生じる軸方向力をタテ・ヨコに分解する…斜材
- $\Sigma M = 0$ ⇨ 求める部材以外の応力の作用線上（2つの作用線が交差する点上）を回転の中心とする…上弦材・下弦材

解　説

1. 支点D、Eの**反力**R_D、R_Eを
求める。

荷重及び骨組が対称であるから、
R_D、R_Eは等しく、全荷重の$1/2$
となる。

$$R_D = R_E = 3P \times \frac{1}{2} = 1.5P$$

2. 骨組を仮想切断し、（b）図の
骨組で、つり合い条件式により、
部材の**軸方向力**N_A、N_B、N_Cを
求める。

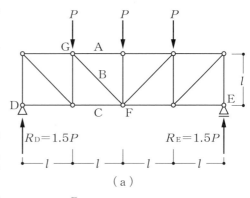

（a）

① $\Sigma M_F = 0$より、部材Aの軸方
向力N_Aを求める。

$R_D \times 2l - P \times l - N_A \times l = 0$

$1.5P \times 2l - Pl - N_A \times l = 0$

$3Pl - Pl - N_A \times l = 0$

$$N_A = \frac{2Pl}{l} = 2P$$

$\therefore N_A = 2P$（圧縮力）

② $\Sigma Y = 0$より、部材Bの軸方
向力N_Bを求める。

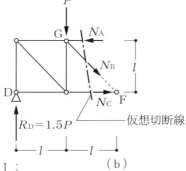

（b）

N_BのY方向の分力N_{BY}は、$1 : 1 :$
$\sqrt{2}$の三角形であることから、

$N_B : N_{BY} = \sqrt{2} : 1$、$N_B = \sqrt{2}N_{BY}$

$$N_{BY} = \frac{1}{\sqrt{2}}N_B$$

$\Sigma Y = 0$より、

$R_D - P - N_{BY} = 0$

$1.5P - P - \dfrac{1}{\sqrt{2}}N_B = 0$

$\dfrac{1}{\sqrt{2}}N_B = 0.5P$

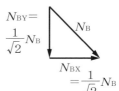

$\therefore N_B = 0.5\sqrt{2}P$（引張力）

③ $\Sigma M_G = 0$より、部材Cの軸方向力N_Cを求める。

$R_D \times l - N_C \times l = 0$

$1.5Pl - N_C \times l = 0$

$\therefore N_C = 1.5P$（引張力）

正答 ➡ ❹

断面の性質

① おもな断面の性質

	記号	単位	関連事項
断面一次モーメント	S_X、S_Y	mm^3	断面の図心を求めるときに用いる
断面二次モーメント	I_X、I_Y	mm^4	曲げ材の変形に関係し、断面二次モーメントの大きい断面は曲がりにくい。たわみは断面二次モーメントに反比例する。
断面係数	Z_X、Z_Y	mm^3	曲げ強さに関係し、断面係数の大きい断面は曲げ強さも大きくなり比例関係にある。

※対象となる軸が必ずあることに注意する。
〔例〕 X軸に関する断面二次モーメント

② 断面一次モーメント（S_X）

図心を求める ⇨ 断面一次モーメント

$$S_X = A \times y \ (mm^3)$$
$$\Rightarrow y = \frac{S_X}{A}$$

●図心を通る軸 ⇨ $S_X = 0$
●中立軸は、図心を通る

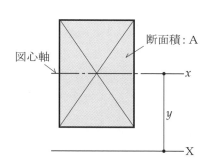

断面積：A

図心軸

x

y

X

③ 断面二次モーメント（I_x）

材の変形しにくさ（たわみ・座屈）⇨ 断面二次モーメント

1 図心を通る軸に関する断面二次モーメント
　（図1）

$$I_x = \frac{BH^3}{12} \quad (\text{mm}^4)$$

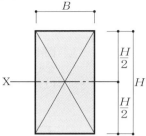

図1

2 図心以外の軸に関する断面二次モーメント
　（図2）

$$I_x = \frac{BH^3}{12} + y_0{}^2 \times BH$$

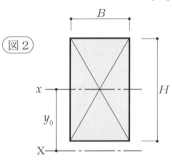

図2

3 断面二次モーメントの和と差（図3）
　右の斜線の断面二次モーメントは、集合図形
の和と差で求める。

$$I_x = \frac{BH^3}{12} - \frac{bh^3}{12} \times 2$$

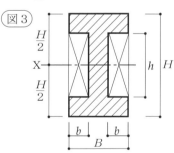

図3

④ 断面係数（Z_x）

材の曲げ強さ ⇨ 断面係数
断面二次モーメントを図心軸から縁までの距離$\left(\dfrac{H}{2}\right)$で除したもの。

$$Z_x = \frac{I_x}{\dfrac{H}{2}} = \frac{BH^2}{6} \quad (\text{mm}^3)$$

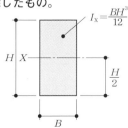

$$I_x = \frac{BH^3}{12}$$

※断面二次モーメントのように、和や差を使って求め
　ることはできない。

問題1 【図心軸に関する断面二次モーメント】

　図のような長方形断面のX軸及びY軸に関する断面二次モーメントをそれぞれI_X、I_Yとしたとき、それらの比$I_X : I_Y$として、**正しいもの**は、次のうちどれか。

	I_X : I_Y
1.	1 : 4
2.	1 : 2
3.	1 : 1
4.	2 : 1
5.	4 : 1

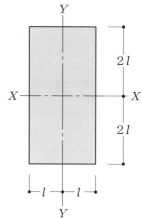

問題2 【断面二次モーメントの差】

　図のような中空断面におけるX軸に関する断面二次モーメントの値として、**正しいもの**は、次のうちどれか。

1. $\dfrac{1}{6}l^4$

2. $\dfrac{5}{2}l^4$

3. $\dfrac{8}{3}l^4$

4. $10l^4$

5. $\dfrac{32}{3}l^4$

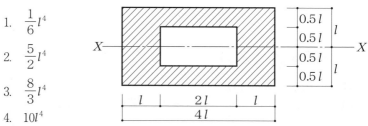

問題1

X軸に関する断面二次モーメントI_X

$$I_X = \frac{2l \times (4l)^3}{12} = \frac{2l \times 64l^3}{12} = \frac{128l^4}{12}$$

Y軸に関する断面二次モーメントI_Y

$$I_Y = \frac{4l \times (2l)^3}{12} = \frac{4l \times 8l^3}{12} = \frac{32l^4}{12}$$

$$I_X : I_Y = \frac{128l^4}{12} : \frac{32l^4}{12}$$
$$= 128 : 32$$
$$= 4 : 1$$

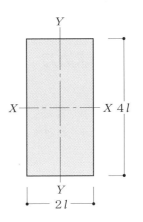

正答 ➡ ❺

問題2

中空部を持つ断面に関する断面二次モーメントI_Xは、図のような大きな長方形断面（ＡＢＣＤ）の断面二次モーメントI_{X1}から、中空部の長方形断面（ａｂｃｄ）の断面二次モーメントI_{X2}を差し引いて求める。

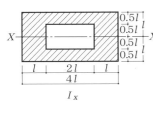

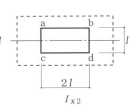

$$I_{X1} = \frac{4l \times (2l)^3}{12} = \frac{32}{12}l^4$$

$$I_{X2} = \frac{2l \times (l)^3}{12} = \frac{2}{12}l^4$$

$$I_X = I_{X1} - I_{X2} = \frac{32}{12}l^4 - \frac{2}{12}l^4$$
$$= \frac{30}{12}l^4 = \frac{5}{2}l^4$$

正答 ➡ ❷

応力度と許容応力度

① 応力の求め方

1　垂直応力度（σ）

$$\sigma = \frac{P}{A}$$

P：垂直応力
A：断面積

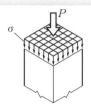

2　最大せん断応力度（τ_{max}）

$$\tau_{max} = \underset{\uparrow}{1.5} \times \frac{Q}{A}$$

（長方形断面の場合）

Q：最大せん断応力
A：断面積

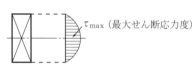

τ_{max}（最大せん断応力度）

せん断応力度の分布図

3　最大曲げ応力度（σ_b）

$$\sigma_b = \frac{M_{max}}{Z}$$

M_{max}：最大曲げモーメント
Z：断面係数

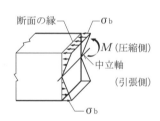

断面の縁　　σb
M（圧縮側）
中立軸
（引張側）
σb

4　ヤング係数（E）

$$E = \frac{\sigma}{\varepsilon}$$

σ：垂直応力度
ε：ひずみ度

$$\varepsilon = \frac{\Delta l}{l}$$

Δl：伸びた長さ
l：もとの長さ

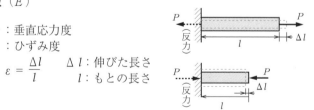

P　（反力）　　　P
l　Δl

P（反力）　　P
Δl
l

check

　図のような荷重 P (N) を受ける長さ l (mm)、断面 b (mm) $\times 2h$ (mm) の単純ばりに生じる最大曲げ応力度として、**正しいもの**は、次のうちどれか。ただし、はりを構成する二つの材は、それぞれ相互に接合されていないものとし、はりの自重は無視するものとする。

1. $\dfrac{3Pl}{bh^2}$ (N/mm^2)

2. $\dfrac{3Pl}{4\,bh^2}$ (N/mm^2)

3. $\dfrac{3Pl}{8\,bh^2}$ (N/mm^2)

4. $\dfrac{3Pl}{2\,bh^3}$ (N/mm^2)

5. $\dfrac{3Pl}{8\,bh^3}$ (N/mm^2)

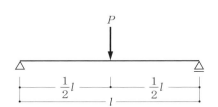

はり断面

解 説

最大曲げ応力度 $\sigma_b = \dfrac{M_{\max}}{Z}$

① 最大曲げモーメント $M_{\max}$

$M_{\max} = M_{\mathrm{C}} = V_{\mathrm{A}} \times \dfrac{1}{2} l$

$= \dfrac{P}{2} \times \dfrac{l}{2} = \dfrac{Pl}{4}$ (N・mm)

② 断面係数 Z を求める。

はりを構成する二つの材は、相互に接合されていないので、一体のはりとみなすことができない。したがって、幅 b、せい h の材を2本として算定する。

$Z = \dfrac{bh^2}{6} \times 2$ (本) $= \dfrac{bh^2}{3}$ (mm^3)

③ 最大曲げ応力度 σ_b

$\sigma_b = \dfrac{\dfrac{Pl}{4}}{\dfrac{bh^2}{3}} = \dfrac{Pl}{4} \times \dfrac{3}{bh^2} = \dfrac{3Pl}{4\,bh^2}$ (N/mm^2)

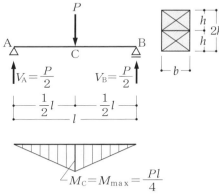

$M_{\mathrm{C}} = M_{\max} = \dfrac{Pl}{4}$

曲げモーメント図

正答 ➡ ❷

① 構造物の変形（梁）

梁の曲げ変形は、**たわみ**（δ）**とたわみ角**（θ）で表す。単純梁と片持梁は次式により求められる。

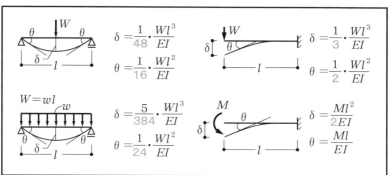

W：全荷重（N、kN）、l：スパン（mm、m）
E：ヤング係数（N/mm^2）、I：断面二次モーメント（mm^4）

② 座 屈

座屈とは構造物が外力を受け、その外力が増加していったとき、ある点で急にそれまでの変形様式を変える現象をいう。座屈は同じ大きさの部材でも、部材の両端の支持状態により異なるため**座屈長さ**を考慮する必要がある。

座屈を起こす最小の荷重を**弾性座屈荷重**といい、次式で表される。

$$P_k = \frac{\pi^2 E I}{l_k^2}$$

P_k：弾性座屈荷重
I：座屈軸に関する断面二次モーメント
l_k：座屈長さ
E：ヤング係数
π：円周率

- P_kは、柱材の**ヤング係数**に**比例**する。
- P_kは、柱の座屈軸に関する**断面二次モーメント**に**比例**する。
- P_kは、**座屈長さ**（柱の長さ）の**2乗**に**反比例**する。
  （座屈長さが**長い** ⇨ 座屈荷重が**小さい**）

【座屈長さ】

座屈長さ l_k（l：材長）

移動に対する 条　件		拘		束	自	由	1端自由 他端固定
回転に対する 条　件		両端ピン	両端固定	1端ピン 他端固定	両端固定	1端ピン 他端固定	
座屈形							
l_k	理論値	l	$0.5\,l$	$0.7\,l$	l	$2\,l$	$2\,l$

〈弾性座屈荷重（P_k）の大小関係〉

● 柱の材端条件が、「**両端ピン**」の場合より「**両端固定**」の場合のほうが大きい。

● 柱の材端条件が、「**両端ピン**」の場合より「**一端ピン他端固定**」の場合のほうが大きい。

● 柱の材端条件が、「**一端ピン他端固定**」の場合より「**両端固定**」の場合のほうが大きい。

③ 用語と単位

曲げモーメント	N・m
断面一次モーメント 断　面　係　数 剛　　　　度	mm^3
断面二次モーメント	mm^4
断面二次半径	mm
応　力　度 ヤング係数	$N\,/\,mm^2$
ひ　ず　み　度 剛　　　比	単位なし

弾性座屈荷重

問題１　【座屈荷重の大小関係】

図のような材の長さ及び材端の支持条件が異なる柱A、B、Cの座屈荷重をそれぞれP_A、P_B、P_Cとしたとき、それらの大小関係として、**最も適当な**ものは、次のうちどれか。ただし、すべての柱の材質及び断面形状は同じものとする。

1. $P_A > P_B > P_C$
2. $P_A > P_C > P_B$
3. $P_B > P_A > P_C$
4. $P_B > P_C > P_A$
5. $P_C > P_A > P_B$

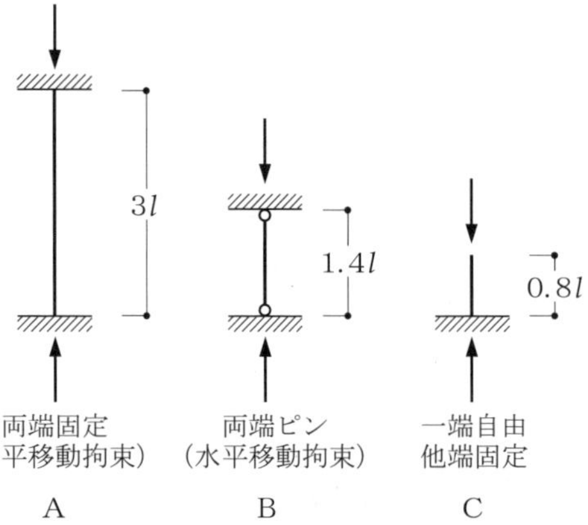

3l
1.4l
0.8l
両端固定
（水平移動拘束）
両端ピン
（水平移動拘束）
一端自由
他端固定
A
B
C

問題２　【弾性座屈荷重が最も大きくなるもの】

図のような長さl（m）の柱（材端条件は、両端ピン、水平移動拘束とする。）に圧縮力Pが作用したとき、次のlとIの組合せのうち、**弾性座屈荷重が最も大きくなる**ものはどれか。ただし、Iは断面二次モーメントの最小値とし、それぞれの柱は同一材料で、断面は一様とする。

	l(m)	I (m^4)
1.	1.5	2.25×10^{-5}
2.	1.5	4.50×10^{-5}
3.	2.0	3.00×10^{-5}
4.	2.0	6.00×10^{-5}
5.	2.0	7.00×10^{-5}

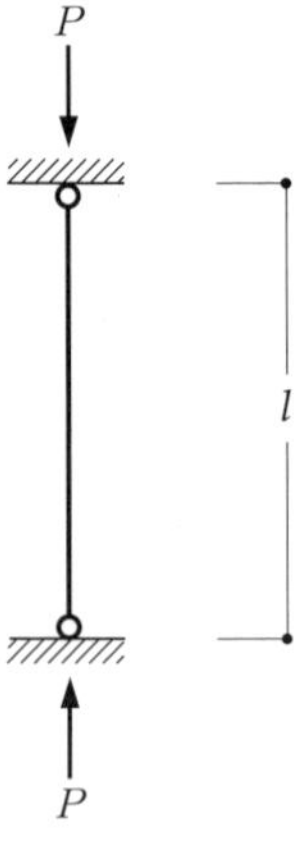

P
l
P

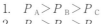

座屈荷重P_kは、次式から求められる。

$$P_k = \frac{\pi^2 E I}{l_k{}^2}$$

π ：円周率　　　　　E：ヤング係数

I ：断面二次モーメント（弱軸について考える）

l_k：座屈長さ（座屈長さは、支持条件により下図のように決められている。）

移動に対する条件	拘　　　　束			自　　　　由		1端自由他端固定
回転に対する条件	両端ピン	両端固定	1端ピン他端固定	両端固定	1端ピン他端固定	
座屈形						
l_k　理論値	l	$0.5\,l$	$0.7\,l$	l	$2\,l$	$2\,l$

問題1

1)　題意より、柱A、B、Cの材質と断面形状は同じであるから、ヤング係数Eと断面二次モーメントIは等しい。座屈荷重の大小は、π、E、Iを除き、座屈長さl_kの大小によって判断できる。

- 柱Aの座屈長さ　$l_{kA} = 3\,l \times 0.5 = 1.5\,l$
- 柱Bの座屈長さ　$l_{kB} = 1.4\,l \times 1.0 = 1.4\,l$
- 柱Cの座屈長さ　$l_{kC} = 0.8\,l \times 2 = 1.6\,l$

2)　座屈荷重P_kは、l_kの2乗に反比例するので、座屈長さl_kが小さいほど大きくなる。

$$\therefore P_B > P_A > P_C$$

正答 ➡ ③

問題2

弾性座屈荷重の大小関係がわかればよいので、共通項は除いて考える。同一材料であるからEとπが共通項となる。また、設問の支持条件により$l_k = l$である。

したがって、P_kの大小関係は、$\dfrac{I}{l^2}$の大小として考えることができる。

設問枝1.は2.と比較して、3.4.は5.と比較して、それぞれ長さが同じでIが小さいので、P_kが小さいことがわかる。したがって、2.と5.について計算すればよい。

2.　$\dfrac{4.50 \times 10^{-5}}{(1.5)^2} = \dfrac{4.5}{1.5 \times 1.5} \times 10^{-5} = \dfrac{3}{1.5} \times 10^{-5} = 2 \times 10^{-5}$

5.　$\dfrac{7.00 \times 10^{-5}}{(2)^2} = \dfrac{7}{4} \times 10^{-5} = 1.75 \times 10^{-5}$

よって、弾性座屈荷重P_kが最大となるのは、$l = 1.5$ m、$I = 4.50 \times 10^{-5}$ m^{4}の組合せである。

正答 ➡ ②

Ⅲ　建築構造

1 荷重・外力の計算

1 **許容応力度等計算の力の組合せ**

生ずる力の状態		一般の場合	多雪区域
長期	常時	$G + P$	$G + P$
	積雪時		$G + P + 0.7S$
短期	積雪時	$G + P + S$	$G + P + S$
	暴風時	$G + P + W$	$G + P + W$
			$G + P + 0.35S + W$
	地震時	$G + P + K$	$G + P + 0.35S + K$

G：固定荷重による力　　S：積雪荷重による力　　K：地震力による力
P：積載荷重による力　　W：風圧力による力

- 台風(W)と地震(K)は同時に作用しないものとして計算。
- 多雪区域において長期荷重、短期荷重を検討する場合
  ⇨ 積雪荷重を考慮

2 積載荷重

- **構造計算の対象別の積載荷重の大小関係**
  床用＞大梁・柱・基礎用＞地震力用

建築物の各部の積載荷重（N／㎡）

室の種類	構造計算の対象	I 床の構造計算用	II 大梁・柱、または基礎の構造計算用	III 地震力計算用
(1)	住宅の居室、住宅以外の建築物における寝室または病室	1,800	1,300	600
(2)	事務室	2,900	1,800	800

3 積雪荷重

① 積雪荷重＝単位荷重×屋根の水平投影面積×**垂直積雪量**
② **積雪の単位重量**（一般の地域）⇨ 積雪量１cmごとに**20N／㎡以上**
③ 屋根の積雪荷重 ⇨ 雪止めのない場合、**屋根勾配が緩やかなほど大きい。**

④ 風 圧 力

- 風圧力 = 速度圧 × 風力係数
- 速度圧 ⇨ その地方において定められた風速の**2乗に比例**

⑤ 地 震 力

1 地上部分に作用する地震力

$$Q_i = C_i \cdot W_i$$

Q_i：i階に作用する**地震層せん断力**
W_i：固定荷重、積載荷重などを含んだi階より上の建築物の重量
C_i：i階の**地震層せん断力係数**

$$C_i = Z \cdot R_t \cdot A_i \cdot C_0$$

① 地震地域係数(Z)

その地方における過去の地震の記録に基づく震害の程度及び地震活動の状況その他地震の性状に応じて**1.0～0.7**までの定められた数値。

② 振動特性係数(R_t)

建築物の振動特性を表すものとして、**建築物の固有周期**（設計用一次固有周期）と**地盤の種類**により定められている。

- **固有周期が長いほど**R_tの値は**小さくなる。**
- **地盤が硬いほど**R_tの値は**小さくなる。**

③ 地震層せん断力係数の高さ方向の分布係数(A_i)

建築物の振動特性に応じて地震層せん断力係数の建築物の高さ方向の分布を表すもの。

- **1階が1.0で、上階になるほど1.0から大きな値**となる。

④ 標準せん断力係数(C_0)

- **一次設計**（許容応力度設計）用では、**0.2以上。**
- 地盤が著しく**軟弱な区域内**の**木造**の建築物では、**0.3以上。**
- **必要保有水平耐力**を計算する場合は、**1.0以上。**

2 地下部分の地震力

固定荷重と**積載荷重**との和に**水平震度**を乗じて計算する。

次の記述について、**正しいか**、**誤っているか**、判断しなさい。

check ☐☐☐

問題1
　多雪区域において長期に生ずる力を計算する場合、固定荷重、積載荷重及び積雪荷重を考慮する。

check ☐☐☐

問題2
　建築物の構造計算に当たっては、一般に、地震力と風圧力とは同時に作用するものとして計算する。

check ☐☐☐

問題3
　積載荷重の大きさは、一般に、室の種類と構造計算の対象とにより、異なった値を用いる。

check ☐☐☐

問題4
　同一の室における床の単位面積当たりの積載荷重は、一般に、「床を計算する場合」より「地震力の構造計算をする場合」のほうが大きい。

check ☐☐☐

問題5
　倉庫業を営む倉庫の床の積載荷重については、実況に応じて計算した値が3,900N／㎡未満の場合であっても3,900N／㎡として計算する。

check ☐☐☐

問題6
　積雪の単位荷重は、多雪区域の指定のない区域においては、積雪量1cmごとに1㎡につき20N以上とする。

check ☐☐☐

問題7
　屋根の積雪荷重は、雪止めのない屋根の場合、屋根勾配が緩やかなほど小さい。

check ☐☐☐

問題8
　屋根の積雪荷重は、屋根に雪止めがある場合を除き、その勾配が45度を超える場合においては、零とすることができる。

check ☐☐☐

問題9
　風圧力は、速度圧に風力係数を乗じて計算する。

check ☐☐☐

問題10
　風圧力を計算する場合において、閉鎖型及び開放型の建築物の風力係数は、原則として、建築物の外圧係数から内圧係数を減じた数値とする。

check

問題11

風圧力の計算に用いる速度圧は、その地方において定められた風速の平方根に比例する。

check

問題12

建築物の地上部分の地震力は、多雪区域に指定された区域外では、建築物の各部分の高さに応じて、当該高さの部分が支える固定荷重と積載荷重との和に、当該高さにおける地震層せん断力係数を乗じて計算する。

check

問題13

建築物の各階に作用する地震層せん断力係数C_iは、一般に、上階になるほど小さくなる。

check

問題14

地震地域係数Zは、過去の震害の程度及び地震活動の状況などに応じて、各地域ごとに1.0から0.7までの範囲内において定められている。

check

問題15

振動特性係数R_tは、建築物の設計用一次固有周期及び地盤の種別に応じて算出し、一般に、固有周期が長くなるほど大きくなる。

check

問題16

地震層せん断力係数の建築物の高さ方向の分布を示す数値A_iは、建築物の最上階において最も大きくなる。

check

問題17

標準せん断力係数C_0の値は、一次設計(許容応力度設計)用の場合は、一般に、1.0以上とする。

check

問題18

建築物の地下部分の各部分に作用する地震力は、一般に、当該部分の固定荷重と積載荷重との和に、水平震度kを乗じて計算する。

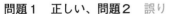

解 説

問題1　正しい、問題2　誤り

　多雪区域において**長期**に生ずる力を計算する場合、**固定荷重、積載荷重及び積雪荷重**を考慮する。また、構造計算に当たっては、**地震力と風圧力は同時に作用しない**ものと考える。建築基準法施行令第82条。

問題3　正しい、問題4　誤り

　積載荷重は、**室の種類と構造計算の対象**によって異なる。積載荷重の大小関係は、一般に、「**床の計算用**」＞「**大梁及び柱の計算用**」＞「**地震力の計算用**」となり、「<u>**地震力を計算する場合**</u>」のほうが**小さい**。建築基準法施行令第85条1項表。

問題5　正しい

　建築物の各部分の積載荷重において、**倉庫業を営む倉庫の床**については、実況に応じて計算した値が3,900N/㎡未満の場合であっても**3,900N/㎡**として計算する。建築基準法施行令第85条3項。

問題6　正しい

　多雪区域外においては、**積雪の単位荷重**は、**積雪量1cmごとに1㎡につき20N以上**としなければならない。建築基準法施行令第86条2項。

問題7・8　誤り

　屋根の積雪荷重は、屋根に雪止めがある場合を除き、その**勾配が60度以下の場合**においては、その勾配に応じて積雪荷重に屋根形状係数を乗じた数値（**60度を超える場合は0**）とする。屋根形状係数は、**屋根勾配が緩やかになるほど大きくなり**、積雪荷重が**大きくなる**。建築基準法施行令第86条4項。

問題9　正しい

　風圧力は、**速度圧**（q）に**風力係数**（C_f）を乗じて計算しなければならない。建築基準法施行令第87条1項。

問題10　正しい

　閉鎖型及び開放型の建築物の風力係数C_fは、外圧係数C_{pe}から内圧係数C_{pi}を減じて求める。

　　$C_f = C_{pe} - C_{pi}$
　　C_{pe}：**外圧係数**（屋外から当該部分を垂直に押す方向を正とする）
　　C_{pi}：**内圧係数**（室内から当該部分を垂直に押す方向を正とする）

問題11　誤り

　風圧力を計算する場合の**速度圧**（q）は、次式から求める。
　速度圧（q）$= 0.6 \times E \times V_0{}^2$
　●E：「屋根の高さ及び周辺の状況に応じて算出した数値」
　●V_0：「その地方の台風の記録等により定められた風速」
　したがって、**速度圧**（q）は、その地方において定められた**風速**（V_0）の**2乗に比例**する。建築基準法施行令第87条2項。

問題12　正しい

建築物の地上部分に作用する**地震力**Q_iは、**固定荷重と積載荷重の和**ΣW_i（多雪区域ではさらに積雪荷重を加える）に、**地震層せん断力係数**C_iを乗じて求める。建築基準法施行令第88条1項。

$$Q_i = (\Sigma W_i) \times C_i$$

問題13　誤り

地震層せん断力係数C_iは、次の式から求める。

$$C_i = Z \times R_t \times A_i \times C_0$$

　　Z：地震地域係数

　　R_t：振動特性係数

　　A_i：高さ方向の地震層せん断力係数の分布係数

　　C_0：標準せん断力係数（一般に0.2以上）

A_iの値は、1階を1.0となるように定め、上層部分になるほど大きくなるように定められている。したがって、**地震層せん断力係数**C_iの値は、建築物の**上階ほど大きくなる**。建築基準法施行令第88条1項。

問題14　正しい

地震地域係数Zは、その地方における過去の地震の記録に基づく震害の程度などによって、**1.0〜0.7**の範囲内で定められている。建築基準法施行令第88条1項。

問題15　誤り

振動特性係数R_tは、建築物の一次固有周期と地盤の種別に応じて算出する。一般に、**建築物の設計用一次固有周期が長いほど小さくなる**。建築基準法施行令第88条1項。

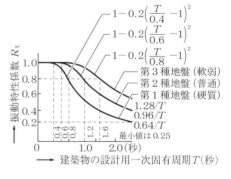

振動特性係数R_tの分布

問題16　正しい

地震層せん断力係数の建築物の高さ方向の分布を表す係数A_iは、1階を1.0とし、**上層部分になるほど大きくなる**ように定められている。建築基準法施行令第88条1項。

問題17　誤り

標準せん断力係数C_0の値は、**一次設計（許容応力度設計）**用の場合、**0.2以上**とし、**必要保有水平耐力**を計算する場合は、**1.0以上**とする。建築基準法施行令第88条2項。

問題18　正しい

建築物の**地下部分の各部分に作用する地震力**F_iは、一般に、当該部分の固定荷重と積載荷重の和W_iに**水平震度**kを乗じて求める。建築基準法施行令第88条4項。

① 地　盤

1　土の性質
土の粒径の大小関係 ⇨ 砂＞シルト＞粘土

〔土の構成〕

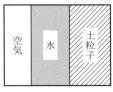

	土粒子 の大きさ	粘土 ＜ シルト ＜ 砂 小 ⟶ 大

〔砂と粘土の性質の違い〕

	砂（単粒構造）	粘土（蜂巣構造）
支持力	**内部摩擦角**の大きいものが支持力(大)、粘着力はなし	内部摩擦角には関係なく、**粘着力**の大きいものが支持力(大)
沈下量	沈下量は一般に少なく短時間（建物の工事中）に沈下が終了する	**圧密**による**沈下**が長時間にわたって進行する。沈下量は(大)
透水性	透水性が大きく、地震時に**液状化現象**（流動化現象）を起こし、支持力が低下する	透水性は少ない
含水比	小さい	大きい
N 値	締まり方の程度を示し、**N値**から**地耐力**を推定できる	硬軟の程度を示し、N値からは直接、地耐力を推定できない

- **圧密沈下**

  間隙水が長時間圧力を受けて、徐々に排出されて**少しずつ沈下**する現象。

  ⇨ **粘土質地盤**におこる

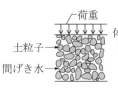

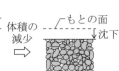

圧密

- **液状化現象**

  水で飽和した砂が、振動・衝撃などによる**間隙水圧の上昇**のためにせん断抵抗を失う現象。

  ⇨ **水で飽和**したゆるい**砂質地盤**におこる

- **ヒービング**

  軟弱な**粘土質地盤**において、背面地盤の回り込みにより、根切り底面がふくれ上がる現象。

- **ボイリング**

  砂質地盤において、砂中を上向きに流れる水の圧力のために、砂粒子が掘削場内にわき上がってくる現象。

2　地　　層
- **洪積層**は、沖積層よりも**地耐力が大きく**、支持地盤として安定。

3　地盤調査と地耐力
- 標準貫入試験によるN値
  - $\Rightarrow N$値は大きいほど、地耐力は大きい。
  - $\Rightarrow N$値が同じであっても、砂質土と粘性土では地耐力は異なる。

地盤の耐力

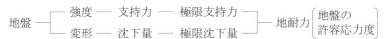

② 基礎構造

1　直　接　基　礎
- 基礎スラブからの荷重を直接地盤に伝える形式の基礎。
- 基礎梁の剛性を大きくすることは、建築物の一体性を高め、不同沈下の防止に有効である。
  - $\Rightarrow$ 軟弱な地盤上に建てる建築物の基礎は剛強にする。

2　杭　基　礎
- **支持杭**
  軟弱な地盤を貫いて支持地盤まで到達し、杭の**先端支持力**と杭と地盤の**周面抵抗力**で支持される杭。
- **摩擦杭**
  主として、打込み地盤と杭との**周面抵抗**で支持させる杭。
- **負の摩擦力**
  周囲の地盤が沈下することにより、杭周面に**下向きに作用する摩擦力**。
- 杭基礎の許容支持力は、**杭の支持力のみ**によるものとする。
  - $\Rightarrow$ **基礎スラブ底面の地盤の支持力は加算しない**。

3　その他
- 同一建築物の基礎は、なるべく**異種の基礎の併用を避ける**。

次の記述について、**正しいか**、**誤っているか**、判断しなさい。

check ☐☐☐

問題1
土の粒径の大小関係は、砂＞シルト＞粘土である。

check ☐☐☐

問題2
洪積層は、支持地盤として沖積層より安定している。

check ☐☐☐

問題3
圧密沈下とは、透水性の低い粘性土が、荷重の作用により、長い時間をかけて排水しながら体積を減少させる現象である。

check ☐☐☐

問題4
即時沈下とは、砂質土において、建築物の荷重の載荷とほぼ同時に、直接基礎が短時間に沈下する現象である。

check ☐☐☐

問題5
液状化とは、水で飽和した砂が、振動・衝撃などによる間隙水圧の上昇のためにせん断抵抗を失う現象である。

check ☐☐☐

問題6
標準貫入試験によるN値が同じであっても、一般に、砂質土と粘性土とでは長期許容応力度が異なる。

check ☐☐☐

問題7
基礎梁の剛性を大きくすることは、不同沈下の影響を減少させるために有効である。

check ☐☐☐

問題8
支持杭とは、軟弱な地層を貫いて硬い層まで到達し、主としてその先端抵抗で支持させる杭のことである。

check ☐☐☐

問題9
直接基礎とは、基礎スラブからの荷重を直接地盤に伝える形式の基礎のことである。

check ☐☐☐

問題10
独立フーチング基礎とは、上部構造の単一の柱からの荷重を独立したフーチングによって支持する基礎のことである。

問題11
　地盤の支持力は、一般に、基礎底面の位置（根入れ深さ）が深いほど小さくなる。

問題12
　同一の建築物において、直接基礎と杭基礎など異種の基礎を併用することは、できるだけ避ける。

問題13
　杭基礎は、一般に、地震時においても上部構造を安全に支持するために、上部構造と同等又はそれ以上の耐震性能を確保するべきである。

問題14
　負の摩擦力とは、軟弱地盤等において、周囲の地盤が沈下することにより、杭の周面に下向きに作用する摩擦力をいう。

問題15
　地下外壁に作用する水圧は、地下水位面からの深さが深いほど大きい。

問題16
　地盤改良とは、地盤の「強度の増大」、「沈下の抑制」、「止水」等に必要な土の性質の改善を目的として、土に、締固め、脱水、固結、置換等の処理を施すことである。

■ 解 説

問題1 正しい

土粒子の粒径を次表に示す。したがって、**粒径の大小関係は、砂＞シルト＞粘土**となる。

名　称	礫(れき)	砂	シルト	粘　土
粒　径 (mm)	2以上	粗砂 0.42 ～ 2 細砂 0.075～0.42	0.005～0.075	0.001～0.005

問題2 正しい

地層は洪積層の方が古く、よく締まっている。沖積層は最も新しい地層で軟らかいため、**洪積層**の方が**地耐力は大きい**。

問題3 正しい

土粒子間に含まれる**間隙水**が、**長時間**圧力を受けて**徐々に排出**され、少しずつ沈下する現象を**圧密沈下**という。この沈下は土粒子が細かく、水を十分含んだ**粘土質地盤**で起こりやすい。

問題4 正しい

即時沈下とは、**砂質土**において、建築物の荷重の載荷と**ほぼ同時**に、直接基礎が短時間に沈下する現象である。

問題5 正しい

液状化とは、**水で飽和した砂**が、振動・衝撃などによる**間隙水圧の上昇**のために**せん断抵抗を失う現象**である。なお、液状化は、主に水で飽和した砂質土層に生じるので、水で飽和しても、粘土主体の地層の場合には、砂質土層と同程度に液状化が生じることはない。

問題6 正しい

標準貫入試験の N 値が5の砂質土では非常にゆるい状態を意味し、液状化の可能性の大きい不安定な地層である。同じ N 値の粘性土はかなり硬く、地表面近くに存在する洪積層では100kN/㎡以上の地耐力を持っている。したがって、長期**許容応力度**は、N **値が同じ場合**、一般に、**粘性土地盤**の方が砂質土地盤より**大きい**。

問題7 正しい

基礎梁（地中梁）は基礎を連結して、基礎の不同沈下や水平移動を防ぐことができる。**地中梁の剛性が大きいほど、不同沈下や水平移動を減少させる**のに役立つ。

問題8 正しい

支持杭とは、軟弱な地層を貫いて硬い層まで到達し、主としてその**先端抵抗で支持**させる杭のことである。

問題9　正しい
　直接基礎とは、基礎スラブからの荷重を、直接地盤に伝える形式の基礎である。

問題10　正しい
　独立フーチング基礎とは、上部構造の単一の柱からの荷重を独立したフーチングによって支持する基礎のことである。

問題11　誤り
　基礎の**根入れ深さ**Df（基礎底面の位置）が**深い（大きい）ほど**、地盤の支持力（許容応力度）は、**大きくなる**。

問題12　正しい
　一つの建築物には、不同沈下の原因となるので、原則として、**異なる構造方法による基礎を併用してはならない**。例えば、支持杭と摩擦杭の混用などである。建築基準法施行令第38条2項。

問題13　正しい
　地震による杭基礎の破壊や変位は、上部構造の破壊、転倒を起こすおそれが大きい。したがって、**杭基礎**は、上部構造と同等又はそれ以上の**耐震性能**が必要である。建築基礎構造設計指針。

問題14　正しい
　負の摩擦力とは、軟弱地盤など地盤沈下地帯に杭を設置すると、周囲の地盤が沈下することにより、**杭の周面に下向きに**作用する摩擦力のことである。建築基礎構造設計指針。

問題15　正しい
　地下水位面から下にある地下外壁には、土圧と水圧が作用する。地下外壁に作用する水圧は、地下水位面で0、**地下水位面からの深さが深い**ほど、三角形分布の割合で大きくなる。したがって、地下水位が高いほど、地下外壁に作用する圧力は**大きくなる**。

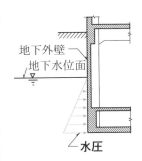

問題16　正しい
　地盤改良とは、地盤の「強度の増大」や「沈下の抑制」等を目的として、土に、置換、脱・排水、締固め、固結（固化）、補強および荷重軽減を施すことである。建築基礎構造設計指針。

① 構造設計

1 地震力に対する必要な耐力壁の長さ
- 屋根葺材の種類により異なり、**重い屋根**は必要な耐力壁の長さは**長く**なる。
  - ⇨ 屋根葺材の**軽量化**は**耐震上有効**になる。
- 階数に関係し、**下階**ほど耐力壁の長さは**長い**。

2 風圧力に対する必要な耐力壁の長さ
- **見付面積**によって長さは異なり、床面積には関係しない。
  - ⇨ 見付面積は、実際の見付面積から床面の高さから1.35m以下の見付面積を減じたものとなる。
- 階数による差はなく、見付面積に乗ずる数値は一定である。

3 耐力壁の長さに乗ずる倍率
- 木材の筋かいを入れた**軸組**の倍率は、**土塗壁**の倍率よりも**大きい**。
  - ⇨ **構造用合板**を用いた壁は、**真壁**でも**耐力壁**とすることができる。
- 筋かいの**断面寸法**によって**倍率**は異なる。

4 構造計画上の留意点
- 水平トラスや水平筋かいは、**水平剛性**を高め、水平力を耐力壁に伝達させる。
  - ⇨ 床や屋根の面内剛性を大きくするために水平トラスや火打材を用いる。

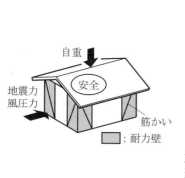

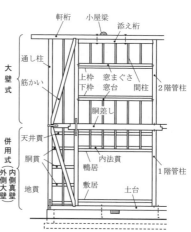

② 各部構造

1 基礎・土台
- 基礎の構造は、地盤の長期に生ずる力に対する許容応力度によって定められた種類の構造とする。
  - ⇨ 基礎ぐいを用いた構造、べた基礎、布基礎
- アンカーボルトの埋設位置
  - 筋かい端部付近
  - 構造用合板を張った耐力壁の両端柱の下部付近
  - 継手・仕口の近く

2 柱
- **階数が2以上の隅柱**、またはこれに準ずる柱は、**通し柱**とする。
- 柱の所要断面積の**1/3以上**を欠き取る場合には、その部分を補強する。
- 軸組の端部の柱は、水平方向の外力に対して有効に抵抗するため、適切な方法により横架材等に緊結する。

3 梁・胴差し・桁
- 梁の**中央部付近**の**下側**には、耐力上支障のある**欠き込み**をしてはならない。
- 梁の最大たわみは、スパンの1/300以下、かつ、振動障害のないこととする。

4 耐力壁
- 圧縮筋かいは**厚さ3cm以上**、**幅9cm以上**の**木材**とする。
- 筋かいと間柱が交差する場合は**間柱**を欠き込む。
  - ⇨ 筋かいをたすき掛けにしてやむを得ず欠き込みをする場合は、必要な補強をする。
- 筋かいはその端部を、柱と横架材との仕口に接近して、くぎ、金物などで緊結する。

5 小屋組
- 洋風小屋組は、トラスで屋根荷重を支える構造であり、比較的大きなはり間（スパン）のとき有利である。
- **合掌**は、洋小屋の上部斜材で、母屋を受ける。
- 和風小屋組は、スパンの小さい構造物に用いられる。
- 小屋丸太の所要断面寸法は、**末口寸法**で表す。
- 棟や軒先等の垂木と軒桁の仕口には、**ひねり金物**を用いて補強する。

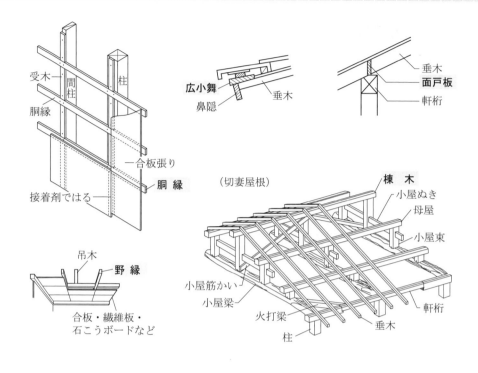

③ 接 合 法

1 継手・仕口・金物

名　称	継手・仕口
土　台	腰掛けかま継ぎ、腰掛けあり継ぎ、隅部仕口は隅留めほぞ
柱	土台に平ほぞ、隅柱は扇ほぞ
胴差し	追掛け大栓継ぎ、通し柱はかたぎ大入れ短ほぞ差し
桁	追掛け大栓継ぎ、柱心より約150mmはね出す
筋かい	その端部を柱と横架材との仕口に接近して、くぎ・金物等で緊結
根　太	大引きに渡りあご、継手は受け材の心で突き付け、または目違い継ぎ
小屋梁	桁には渡りあご、かぶとあり、継手は台持継ぎボルト締め
陸　梁	継手は十字目違い添え板ボルト締め
合　掌	陸梁に斜め胴付きわなぎ込みボルト締め
真　束	陸梁に短ほぞ差し箱金物ボルト締め
母　屋	継手は合掌の心で、ありまたはかま継ぎ、合掌には渡りあご
垂　木	母屋上でそぎ継ぎまたは突付け継ぎ大くぎ打ち

2 金物名称と使用箇所

金物名称	使用箇所
かすがい	筋かい―柱あるいは桁　梁　土台―火打ち
箱金物	胴差し、梁―通し柱　陸梁―真束
短冊金物	管柱―胴差し　柱―胴差し
羽子板ボルト	軒桁―柱　小屋梁―軒桁
普通ボルト	火打ち梁―梁　方づえ―柱　陸梁―合掌
アンカーボルト	土台―基礎
かど金物	土台―柱

3 くぎ接合・ボルト接合

- くぎの**引抜き耐力**は、樹種・くぎ径が同じであれば、くぎの**打込み長さが短い**ほど**小さい**。
  - ⇨ くぎの打込み長さが長いほど大きい。
- くぎ接合の**せん断耐力**は、**側材**に木材を用いるより**鋼板**を用いるほうが**大きい**。
- 引張材の端部接合部において、くぎを力の加わる方向に1列に10本以上並べて打つ場合、接合部の**せん断耐力を低減**する。
- ボルトの**引張耐力**は、ボルトの材質、ボルト径、座金寸法及び樹種が同じであれば、ボルトの**長さに関係しない**。
  - ⇨ ボルト孔の径をボルトの径より大きくすると、初期すべりが生じる。
- ボルトの**締め付け**は、**座金が木材にわずかにめり込む程度**とする。
- **くぎとボルトを併用**する接合部では、くぎの耐力とボルトの耐力との和を接合部の耐力とすることはできない。
- くぎ接合部およびボルト接合部のどちらにおいても、**端あきおよび縁あきを適切にとる**。

4 枠組壁工法

- 耐力壁線相互の距離は12m以下とし、かつ、耐力壁線で囲まれた部分の水平投影面積は40㎡以下とする。ただし、床の枠組と床材を緊結する部分を構造耐力上有効に補強した場合は、60㎡以下とすることができる。
- 各耐力壁の隅角部および交差部には、それぞれ**3本以上**のたて枠を用いるものとし、相互に構造耐力上有効に緊結する。
- **耐力壁の上部**には、耐力壁の上枠と同寸法の断面を有する**頭つなぎ**を設け、耐力壁相互を構造耐力上有効に緊結する。なお、頭つなぎの**継手位置**は、耐力壁の上枠の継手位置より**600mm以上離**す。
- 耐力壁線に設ける**開口部の幅**は**4m以下**とし、かつ、その幅の**合計**は**耐力壁線の長さの3/4以下**とする。
- 床根太相互および床根太と側根太の間隔は65cm以下とする。
- **アンカーボルトの間隔**は、**2m以下**とし、かつ、**隅角部および土台の継手の部分に配置**する。

木 構 造

問題1
　曲げモーメントに対して強度上安全な梁であっても、たわみに対して安全を確認する。

問題2
　水平トラスや火打材は、床や屋根の面内剛性を大きくするために用いる。

問題3
　2階建の建築物における隅柱、又はこれに準ずる柱は、一般に、通し柱とする。

問題4
　梁、桁等の横架材の材長中央部の引張側における切欠きは、応力集中による弱点となりやすいので、できるだけ避ける。

問題5
　軸組構法では、建築物の十分な耐力を確保するために、継手位置をそろえる。

問題6
　曲げ材は、一般に、材せいに比べて材幅が大きいほど、横座屈を生じやすい。

耐 力 壁

問題7
　風圧力に対して必要な耐力壁の有効長さは、床面積には関係なく、一般に、見付面積に基づいて算定する。

問題8
　風圧力に対して必要な耐力壁の有効長さを求める場合、平家建の建築物と2階建の建築物の2階部分とでは、見付面積に乗ずる数値は異なる。

問題9
　風圧力に対して、けた行方向に細長い建築物における必要な耐力壁の有効長さは、はり間方向よりけた行方向のほうが長い。

問題10

　地震力に対して必要な単位床面積当たりの耐力壁の有効長さは、一般に、屋根葺材の種類によって異なる。

問題11

　構造用合板を用いた壁は、真壁造でも、耐力壁とすることができる。

問題12

　構造用合板による真壁造の面材耐力壁の倍率は、貫タイプより、受材タイプのほうが大きい。

問題13

　大壁造の面材耐力壁の倍率は、その材料及び釘の種類・間隔に応じて定められている。

問題14

　軸組の片面に同じボードを２枚重ねて釘打ちした壁の倍率は、そのボードを１枚で用いたときの壁の倍率を２倍にした値とすることができる。

問題15

　２階の耐力壁の位置は、１階の耐力壁の位置の直上又は市松状になるようにする。

■■ 解 説

問題1　正しい

　木構造の梁の設計では、**曲げモーメント**に対して**強度上**の安全を確認するだけでなく、強度の他に**たわみ**にも注意しなければならない。たわみが大きいと、強度が十分でも仕上材・建具などに悪影響を及ぼしたり、歩行時に大きな振動が生じたりする。木質構造設計規準では、梁についてのたわみ制限は、**スパンの1/300かつ振動障害のないこと**と定めている。

問題2　正しい

　水平トラスは、建築物に作用する**水平力**を、耐力壁に**伝達**するために設ける。また、**火打材**は、水平力を受けたとき、水平面の**ねじれ防止**に設けるものである。したがって、水平トラスや火打材を用いると床や屋根の**面内剛性**（面と平行な方向の剛性）を**大きく**することができる。

問題3　正しい

　２階建の木造建築物の**隅柱**又はこれに準ずる柱は、一般に**通し柱**とする。建築基準法施行令第43条５項。

問題4　正しい

　梁、桁等の横架材（**曲げ材**）の材長中央部の**引張側**に**切り欠き**がある場合、切り欠き箇所に応力が集中し、その部分で破断しやすくなるので、できるだけ**避ける**。

問題5　誤り

　継手は、部材を長さ方向に接続する接合部をいう。木造軸組構法の継手は、最大の弱点になる。したがって、継手が平面的にも立体的にも１箇所に集中することは、建築物の耐力が低下するので、十分な耐力を確保するためには、**継手位置を乱に、つまり千鳥に配置**したほうがよい。木造住宅工事仕様書。

問題6　誤り

　曲げ材の**横座屈**とは、横倒れともいい、曲げモーメントを受けた部材が、面外にねじれを伴って座屈する現象である（図参照）。一般に、**材せいに比べて材幅が大きいほど、横座屈を生じにくい。**

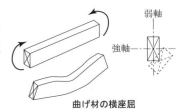

曲げ材の横座屈

問題7　正しい

　風圧力に対して必要な**耐力壁の有効長さ**は、**見付面積**（はり間、けた行方向別々に求める）に**見付面積に乗ずる係数**をかけて求める。建築基準法施行令第46条４項。

問題8　誤り

　風圧力に対して必要な耐力壁の有効長さを求める場合、**見付面積に乗ずる数値**は、「特定行政庁がその地方における過去の記録を考慮して、しばしば強い風が吹くと

認めて規則で指定する区域」と「その他一般区域」に分類される。したがって、建築物の階数やその階にかかわらず**同一数値**である。建築基準法施行令第46条4項表3。

問題9　誤り

　木造建築物の耐風設計における必要な耐力壁の有効長さは、次の式から求める。
　風圧力に対する必要な耐力壁の有効長さ
　　　＝（見付面積に乗ずる係数）×見付面積（はり間、けた行方向別々に求める）
　見付面積に乗ずる係数は、はり間、けた行方向とも同じで、一般地域で50である。
● はり間方向の必要な耐力壁の有効長さ＝50×けた行面の見付面積
● けた行方向の必要な耐力壁の有効長さ＝50×妻面の見付面積
　したがって、**見付面積**の**大きい**ほうが、必要な耐力壁の有効長さが長くなる。けた行方向に長い建築物の場合、けた行面の見付面積が大きくなるので、**はり間方向**の必要な耐力壁の有効長さのほうが、けた行方向に比べ**長く**なる。

問題10　正しい

　地震力に対して必要な単位床面積当たりの**耐力壁の有効長さ**（cm/㎡）は、**屋根葺材の種類**によって異なり、重い屋根ほど大きな数値を用いる。建築基準法施行令第46条4項表2。

問題11　正しい

　真壁造の壁に**構造用合板**を用いた場合も、**耐力壁**とすることが**できる**。

問題12　正しい

　構造用合板（7.5mm以上）による真壁造の面材耐力壁の倍率は、**受材タイプ**が2.5、**貫タイプ**が1.5である。したがって、貫タイプに比べて、**受材タイプ**のほうが**大きくなる**。

問題13　正しい

　面材耐力壁は、大壁造、真壁造ともに、構造用合板や**ボード類の材料**に応じて、**釘打ちの方法**（釘の種類・間隔）が定められており、それぞれ**倍率**も決まっている。

問題14　誤り

　同じボードを**2枚重ねて軸組の片面**にのみ釘で打ち付けた場合の壁の倍率は、そのボードを単独で用いたときの壁の倍率を**2倍**にした値とすることが**できない**。

問題15　正しい

　2階の耐力壁は、階下の耐力壁の**真上**に設けるか、**市松状**に配置するのを原則とする。木質構造設計規準。

▌接 合 法▐

問題1
　釘接合部における釘の許容引抜耐力は、木材の気乾比重、釘の胴部径及び釘の打ち込まれる長さ等に影響される。

問題2
　ボルト接合部の許容引張耐力は、ボルトの材質、ボルトの径、座金の寸法及び樹種が同じ場合、ボルトの長さに比例して増大する。

問題3
　同一接合部にボルトと釘を併用する場合、一般に、ボルトの許容耐力と釘の許容耐力との和を接合部の許容耐力とすることができる。

問題4
　釘接合部の許容せん断耐力は、一般に、側材として木材を用いる場合より鋼板を用いる場合のほうが大きい。

問題5
　釘の木材に対する許容せん断耐力は、一般に、釘径が同じ場合、樹種にかかわらず釘の長さに応じて算出する。

問題6
　引張材の端部接合部において、釘を力の加わる方向に1列に10本以上並べて打つ場合、釘接合部における許容せん断耐力を低減する。

問題7
　ボルト接合部におけるボルトの締付けは、通常、座金が木材にわずかにめり込む程度とする。

問題8
　釘接合部及びボルト接合部においては、割れの生じないように、端あき（端距離）及び縁あき（縁距離）を適切にとる。

問題9
　釘接合部及びボルト接合部において、施工時の木材の含水率が20％以上の場合には、接合部の許容せん断耐力を低減する。

check
問題10
耐力壁の上部には上枠と同寸断面の頭つなぎを設け、耐力壁相互を有効に緊結する。

check
問題11
耐力壁線相互の距離は、12m以下とした。

check
問題12
アンカーボルトは、その間隔を2m以下とし、かつ、隅角部及び土台の継手の部分に配置する。

次の部材・用語とその説明の組合せとして、**正しいか、誤っているか**、判断しなさい。

check
問題13
棟　木 ──────── 小屋組頂部で垂木を受け、小屋組を桁行方向につないで固める機能をもつ。

check
問題14
面戸板 ──────── 切妻、入母屋など屋根の妻部分に垂木を隠すように取り付ける板材

check
問題15
広小舞 ──────── 垂木の先端上部に取り付ける幅の広い横木のことで、垂木の振れ止めや、裏板の納まりをよくすることを目的とする。

check
問題16
鼻　隠 ──────── 軒先において、垂木先端の木口をつなぎ隠すために取り付ける横板のことである。

check
問題17
胴　縁 ──────── 天井材の板張りの取付け下地として設ける。

問題1　正しい
　釘接合部の**引抜耐力**は、木材と釘との間に生じる摩擦によって生じている。したがって、**木材の比重（樹種）、釘径、釘の打込み長さ**に影響される。木質構造設計規準。
　【関連】**木ねじ接合部**は、一般に、ねじ部分の影響により、釘接合部に比べて**変形性能**が小さい。

問題2　誤り
　ボルト接合部の**引張耐力**は、**ボルトの引張降伏と座金の木材へのめり込み**に基づいて定められている。したがって、ボルトの材質（強度）・径（断面積）、座金寸法（面積）及び樹種（木材の強度）に関係し、**ボルトの長さには関係しない**。木質構造設計規準。

問題3　誤り
　同一接合部に、力学的特性の異なる**接合法を併用**する場合、原則として、**両者の許容耐力**を単純に**加算**することは**できない**。ただし、ボルト及びドリフトピンを用いる場合で、所定の加工を行った場合は、接合部全体の許容耐力は個々の許容耐力を加算して求めることができる。木質構造設計規準。

問題4　正しい
　側材が鋼板の**釘接合**では、主材（木材）部分での変形が接合部変形のほとんどを占めるため、主材・側材の両側で変形の生じる木材同士に比べ剛性が増大し、接合部の**耐力も増大**する。木質構造設計規準における釘接合部の許容せん断耐力の算定においても、側材が木材の場合は側材の強度により、その値を低減している。

問題5　誤り
　釘接合は、釘を木材に打ち込むことにより、せん断力に抵抗させる。その降伏過程は、釘が側圧により木材にめり込むことにより変形を生じ、変形が大きくなると釘が曲げを受けて降伏する。したがって、**許容せん断耐力**は、**樹種（木材の強度）と釘の強度、釘径**に応じて算出する。木質構造設計規準。

問題6　正しい
　引張材の釘接合部における**せん断耐力**は、**加力方向に釘が一列に10本以上並ぶ**ときは次のように**低減**する。木質構造設計規準。
　●加力方向に10本以上並ぶときの低減係数：0.9
　●加力方向に20本以上並ぶときの低減係数：0.8

問題7　正しい
　ボルトの締め付けは、ボルトに適切な引張力が生ずるように行い、通常、**座金が木材にわずかにめり込む**程度とする。木質構造設計規準。

問題8　正しい
　釘接合部およびボルト接合部のどちらにおいても、木材に割れが生じないように、**端距離（端あき）**及び**縁距離（縁あき）**を適切に確保する。木質構造設計規準。

問題9　正しい

　構造材に使用する木材の**含水率**は、一般に**20％以下**とする。木材の含水率が高い状態で使用すると、乾燥に伴って、釘やボルトにゆるみが生じ接合部の耐力低下につながる。木質構造設計規準における接合部の許容せん断耐力の算定においても、木材の含水率が20％以上の場合は、その値を低減している。

問題10　正しい

　耐力壁の上部には、上枠と同じ断面寸法の**頭つなぎ**を設け、存在応力が伝達する構造とする。

問題11　正しい

　耐力壁線相互の距離は、原則として、**12m以下**とする。ただし、構造計算により構造耐力上安全であることが確かめられた場合は、12mを超えることができる。
　【**参考**】耐力壁線により囲まれた部分の水平投影面積は、**40㎡以下**とする。

問題12　正しい

　アンカーボルトは、その**間隔は2m以下**とし、かつ、隅角部及び土台の継手の部分に配置する。

問題13　正しい

　棟木は、**母屋**とともに**垂木**を受け、**小屋組**の頂部をけた行方向につなぐ横架材。

問題14　誤り

　面戸板は、**軒桁の上部と垂木**の間にできる**すき間をふさぐ板材**のこと。なお、記述の切妻、入母屋などの屋根の妻部分に垂木を隠すように取り付ける板材は、**破風板**（妻板）である。

問題15　正しい

　広小舞は、**垂木の先端**に取り付け、垂木の**振れ止め**や他の裏板の納まりを良くするために設ける板材。

問題16　正しい

　鼻隠は、軒先において、垂木相互の連結や虫害などを防ぐために取り付ける板。

問題17　誤り

　胴縁は、壁の羽目板、ボード類などの**下地**となる水平材で、柱や間柱に取り付けられる。なお、記述の天井の板張りの取り付け下地として設けるのは**野縁**である。

Check Point 10 鉄筋コンクリート構造

❶ 構造設計

1 構造計画
- 建物形状は、バランス・変形能力を考慮する。
  - ⇨ 偏心率、剛性率、保有水平耐力
- **エキスパンションジョイント**で接している建物は、構造上は**別の建築物**とみなす。
- **せん断破壊**のようなもろい破壊が起きないように計画する。靭性が乏しい場合には、強度を十分に大きくする必要がある。
- **短柱**(太短い柱)は、せん断力が集中し、**せん断破壊**の危険性がある。
  - ⇨ コンクリートは**帯筋を密**にすると強度や靭性が増す。
- 水平力に対する剛性は、鉄骨造の建築物よりも鉄筋コンクリート造の建築物のほうが大きい。

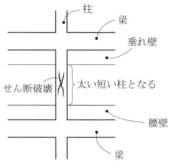

柱 / 梁 / 垂れ壁 / せん断破壊 / 太い短い柱となる / 腰壁 / 梁

2 許容応力度
- コンクリートの強度が大きくなるほど、付着強度は大きくなる。

❷ 各部の設計

1 梁
① 梁の主筋
- 主要な梁は**複筋梁**とし、配置は**2段以下**とする。
- 曲げによる**引張力**の働く位置に多く配筋する。

② 梁のあばら筋(スターラップ)
- **間隔を密**にすることによって、梁に**ねばり強さ(靭性)**をもたせる。

③ つり合い鉄筋比
- 引張鉄筋比が**つり合い鉄筋比以下**の場合、断面の許容曲げモーメントは、ほぼ**引張鉄筋量に比例**する。

④ **引張鉄筋比**(P_t)と**つり合い鉄筋比**(P_{tb})

$$P_t = \frac{a_t}{b \times d} \times 100 \ (\%)$$

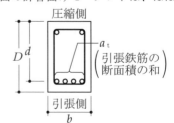

圧縮側 / a_t / D d / (引張鉄筋の断面積の和) / 引張側 / b

P_t：引張鉄筋比　　a_t：引張鉄筋の断面積
b：梁の幅　　d：梁の有効せい

- 圧縮側と引張側が同時に許容応力度に達する場合の引張鉄筋比を、つり合い鉄筋比(P_{tb})という。

⑤ **許容曲げモーメントと必要引張鉄筋量**（$P_t \leqq P_{tb}$ の場合）

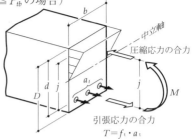

$$M = a_t \times f_t \times j \quad \text{または} \quad a_t = \frac{M}{f_t \cdot j}$$

M：設計用曲げモーメント
a_t：引張鉄筋の断面積
f_t：鉄筋の許容引張応力度
j：応力中心間距離 → $\dfrac{7}{8}\,d$

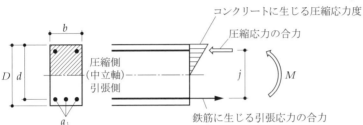

⑥ **せん断補強**（あばら筋比：P_w）

$$P_w = \frac{a_w}{b \times x} \times 100\,(\%)$$

a_w：一組のあばら筋の断面積
b：梁幅
x：あばら筋の間隔

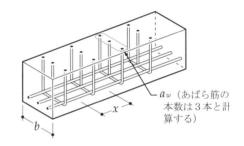

2 柱

① 柱の断面
　柱の**最小径**は、主要支点間距離の**1/15以上**とする。
② 柱の主筋
　● **曲げモーメントと軸方向力**に抵抗する。
　● **D13以上**、かつ**4本以上**とし、帯筋により相互に連結する。
③ 柱の帯筋（フープ）
　● コンクリートとともに**せん断力**に抵抗
　　し、強度・靱性を増す。また、主筋の
　　座屈も防止する。
　　⇨ 帯筋の間隔を密にすると、ねばり強
　　　さが増す。

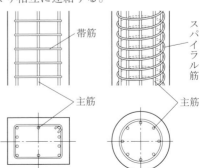

④ 柱の帯筋比の計算

【例　題】

図のように配筋された柱の帯筋比 P_w を求める式として、**正しいもの**は、次のうちどれか。ただし、地震力は、図に示す方向とする。

凡例
$\begin{cases} a_w &: 帯筋1本当たりの断面積 \\ b、d &: 柱の幅 \\ x &: 帯筋間隔 \end{cases}$

1. $P_w = \dfrac{a_w}{bd}$

2. $P_w = \dfrac{2\,a_w}{bd}$

3. $P_w = \dfrac{4\,a_w}{bd}$

4. $P_w = \dfrac{2\,a_w}{bx}$

5. $P_w = \dfrac{4\,a_w}{bx}$

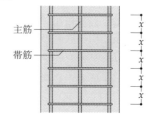

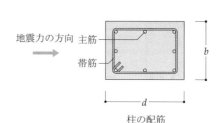

地震力の方向

柱の配筋

【解　説】

柱の帯筋比 P_w は、下式より求める。

$$P_w = \frac{a_w}{bx}$$

$\begin{cases} a_w : 1組の帯筋の断面積 \\ x : 帯筋の間隔 \\ b : 柱の幅 \end{cases}$

題意より、帯筋1本当たりの断面積が a_w であるから、1組の帯筋の断面積は $2\,a_w$、また、地震力の方向より柱の幅は b となる。

$\therefore P_w = \dfrac{2\,a_w}{bx}$

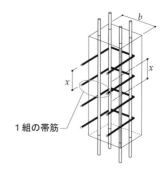

1組の帯筋

3　床スラブ

床スラブの構造：床の荷重を梁に伝達する働きとともに、水平荷重をラーメンや耐震壁に伝達する働きもある。

4　耐　震　壁

耐震壁（耐力壁）に**開口部**を設ける必要が生じた場合は、構造上その**影響を考慮**する。

5　基　　　礎

● **主筋**は**直交する2方向**に配筋する。
● 鉄筋コンクリート造建築物の基礎の設計においては、一般に、風圧力について考慮しなくてよい。

6 各部の鉄筋の割合

柱	帯筋比	0.2%以上
	コンクリート全断面積に対する、**主筋の全断面積の割合**	0.8%以上
梁	**あばら筋比**	0.2%以上
床	床スラブの各方向の全幅について、コンクリート全断面積に対する**鉄筋全断面積の割合**	0.2%以上
耐力壁	直交する各方向に関する、壁板の**せん断補強筋比**	0.25%以上

〔配筋の基本〕

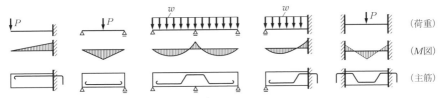

7 配筋上の共通事項

① **鉄筋末端部のフック**

⇨ あばら筋・帯筋のフックは、**135° 以上**に折り曲げる。

② **定　　着**

- ●**引張鉄筋**の定着長さは、鉄筋径の**40倍以上**。

（軽量コンクリートの場合は50倍以上）

- ●圧縮鉄筋の定着長さは、鉄筋径の**25倍以上**。

③ **継　　手**

- ●**D35以上**の異形鉄筋には、**重ね継手を用いない**。
- ●継手の位置は、**引張力の小さいところ**に設け、1箇所に集中することなくずらして設ける。
- ●直径の異なる重ね継手長さは、**細いほうの径**による。

④ **鉄筋のかぶり**

- ●**かぶり部分**は、鉄筋を保護して部材に**耐久性**と**耐火性**を与える。
- ●**基礎**における鉄筋に対するコンクリートのかぶり厚さは、**捨てコンクリートの部分は含めずに**、**60mm以上**とする。

構造一般

問題1
　鉄筋コンクリート部材の曲げモーメントに対する断面算定においては、一般に、コンクリートの引張応力は無視する。

問題2
　帯筋やあばら筋の間隔を密にすると、一般に部材を粘り強くする効果がある。

問題3
　帯筋は、せん断力に対する補強の効果をもつとともに、柱主筋の位置を固定し、圧縮力による主筋の座屈を防ぐ効果がある。

問題4
　コンクリートのかぶり部分は、鉄筋の腐食及び火災時火熱による鉄筋の耐力低下などを防ぎ、部材に耐久性と耐火性を与える。

問題5
　引張鉄筋比が、つり合い鉄筋比以上の場合、梁の許容曲げモーメントは、引張鉄筋の断面積にほぼ比例する。

問題6
　床スラブについては、鉛直荷重だけでなく地震時などに作用する水平力に対して安全であるかどうかを検討する。

問題7
　鉄筋コンクリート造の柱は、せん断破壊のような脆性的な破壊を防止することが望ましい。

問題8
　腰壁、垂れ壁と一体となった柱は、一般に、曲げ強度が大きくて粘り強い。

問題9
　太くて短い柱は、地震時に、せん断破壊より先に、曲げ破壊が起こる場合がある。

check

問題10
　柱は、一般に、負担している軸方向圧縮力が大きくなると、変形能力が低下し、粘りのない脆性的な破壊が生じやすくなる。

check

問題11
　柱の小径は、一般に、その構造耐力上主要な支点間の距離の1/30以上とする。

check

問題12
　梁のせいは、クリープ等の変形の増大による使用上の支障が起こらないことを計算において確かめない場合には、梁の有効長さの1/10を超える値とする。

▌各部の設計 ▌

check

問題13
　柱の帯筋比及び梁のあばら筋比は、0.2%以上とする。

check

問題14
　柱のコンクリート全断面積に対する主筋全断面積の割合を、0.8%とする。

check

問題15
　耐力壁のせん断補強筋比は、直交する各方向に関してそれぞれ0.25%以上とする。

check

問題16
　床スラブ各方向の全幅について、コンクリート全断面積に対する鉄筋全断面積の割合は、0.2%以上とする。

check

問題17
　柱主筋をガス圧接する場合、各鉄筋の継手位置は、原則として、同じ高さに設ける。

check

問題18
　D35以上の異形鉄筋の継手は、原則として、重ね継手とする。

check

問題19
　プレストレストコンクリート構造は、ＰＣ鋼材によって計画的にプレストレスを与えたコンクリート部材を用いた構造である。

解　説

問題1　正しい

コンクリートの**引張強さ**は、**圧縮強さの1/10程度**の強さしかないので、**引張強度を0として**断面算定する。したがって、引張応力は鉄筋だけで負担する。

問題2・3　正しい

帯筋やあばら筋の**間隔を密に**（狭く）すると、柱や梁の**せん断抵抗**が増し、**粘り強い構造**とすることができる。また、**柱主筋の位置を固定**し、圧縮力のために**主筋が座屈するのを防ぐ**効果もある。なお、内部コンクリートを拘束する効果もあり、柱のせん断破壊後も、軸力を保持し、急激な耐力低下を防ぐことができる。

【参考】**スパイラル筋**は、柱の靭性を増すうえで、端部に135°フックを有する帯筋よりも**効果が大きい**。

問題4　正しい

鉄筋は、火熱による高温下では降伏点も強度も著しく低下し、また、コンクリートがアルカリ性を失って中性化すると錆び（腐食）やすくなる。鉄筋は錆びると膨張し、鉄筋に沿ってコンクリートにきれつが生じて、やがてはコンクリートがはがれ落ちる原因となる。したがって、コンクリートの**かぶり部分**は、鉄筋を保護して部材に**耐久性**と**耐火性**を与えている。

問題5　誤り

引張鉄筋比がつり合い鉄筋比以下の場合は、圧縮側コンクリートより先に引張側鉄筋が許容応力度に達するので、断面の許容曲げモーメントMは下式から求められる。したがって、**引張鉄筋の断面積に比例**する。

$$M = a_t \times f_t \times j$$

　a_t：引張鉄筋の断面積
　f_t：鉄筋の許容引張応力度
　j：応力中心距離、$(7/8)d$　（d：梁の有効せい）

問題6　正しい

床スラブは、床の荷重を梁に伝えるとともに、風圧力や地震力などの**水平力を柱や耐震壁に伝達**する役目を果たしているので、**水平力**に対しても安全であるか検討する必要がある。

問題7　正しい

鉄筋コンクリート造の柱が、地震時にせん断破壊のような脆性的な破壊を起こすと構造物の決定的な崩壊に至る恐れがある。靭性をもたせるためには、曲げモーメントによって破壊するようにし、**曲げ破壊**する以前に、**せん断破壊のようなもろい破壊が起きない**ように計画する。

問題8・9　誤り

垂れ壁や腰壁付き柱は、内法寸法が小さくなり、**短柱**となる。このような柱は、せん断力が集中して、**粘り強さのない脆性的な破壊**になりやすい。そのため、**地震**

時に**曲げ破壊**より先に、**せん断破壊**が起こる場合がある。したがって、鉄筋コンクリート構造の柱の粘り強さを確保するためには、**垂れ壁や腰壁を付けない**。

問題10　正しい

　軸方向圧縮力が**大きい**ほど、ひび割れ発生後は**粘り強さ**が**乏しくなり**、急激な破壊を生じやすい。したがって、鉄筋コンクリート造の柱の粘り強さを確保するためには、負担する**軸方向圧縮力**を**小さくする**。

問題11　誤り

　鉄筋コンクリート構造の**柱の小径**は、その構造耐力上主要な**支点間距離**の1/15**以上**とする。建築基準法施行令第77条五号。

問題12　正しい

　クリープ等の変形の増大により、建築物の使用上の支障が起こらないことを計算により確認しない場合、鉄筋コンクリート造では、梁のせい：D、梁の有効長さ：lとし、$D/l > 1/10$ を満足しなければならないことが定められている。

　したがって、$D > l/10$ であるから、**梁のせいは、梁の有効長さの1/10を超える**値とする。

問題13　正しい

　記述の通り。鉄筋コンクリート構造計算規準。

問題14　正しい

　記述の通り。建築基準法施行令第77条六号。

問題15　正しい

　記述の通り。鉄筋コンクリート構造計算規準。

問題16　正しい

　記述の通り。鉄筋コンクリート構造計算規準。

問題17　誤り

　隣り合う**継手の位置**は、**ガス圧接継手**の場合は、**400mm以上ずらす**。JASS 5。

問題18　誤り

　鉄筋径**D35以上**の太径の異形鉄筋の継手は、かぶりコンクリートの割裂を伴いやすいので、原則として、重ね継手は用いない。鉄筋コンクリート構造計算基準。

問題19　正しい

　プレストレストコンクリートは、**PC鋼材**によって**プレストレスを導入**した鉄筋コンクリートで、コンクリートの引張応力の生ずる部分にあらかじめ圧縮力を与えておき、コンクリートの見掛け上の引張強度を増加させ、曲げ抵抗が増大するように工夫したものである。

鉄骨構造

① 構造設計

1　引　張　材

- 高力ボルトの孔などによって**断面欠損**のある場合は、断面欠損を考慮した**有効断面積**によって算定する。
- 山形鋼などをガセットプレートの**片側**にのみ設ける場合は、**偏心**の影響を考慮する。
  - ⇨ 通常の場合、突出脚の1/2を無効とみなす。

2　圧　縮　材

- **座屈長さが大きくなる**
- 断面二次半径が小さくなる　⎫ 細長比は大きくなる。
  - ⇨ 細長い圧縮材となり、**座屈**しやすい。
    - →**細長比**(λ)が**大きく**なる→許容圧縮応力度は**小さく**なる。
- 圧縮材の細長比は**250以下**(柱の場合は200以下)とする。
- 圧縮材の部材が、ほぼ降伏点に達するまで局部座屈を起こさないようにしなければならない。
  - ⇨ 局部座屈を起こさないために、平板要素の**幅厚比**が定められている。
  - ⇨ 幅厚比の大きいものは局部座屈しやすい…幅厚比は**小さく**。
- 許容引張(圧縮)応力度(f)

$$\sigma = \frac{N}{A} \leq f$$

σ：引張(又は圧縮)応力度
N：引張力又は圧縮力
A：断面積

3　梁　　　材

- 梁端部が完全に曲げ降伏するまで、**横座屈**を生じないようにするため、小梁などの**横補剛材**を設ける。
  - ⇨ 圧縮フランジの**支点間距離**を短くする。
- 横座屈は、**スパンが長く**、梁幅に比べて**せいの高い梁**に起きやすい。
- 局部座屈を防止するために、幅厚比を設けて、この値が一定の制限値以下になるように規定されている。
  - ⇨ 幅厚比＝板幅/板厚
- 梁材のたわみは、通常の場合、スパンの**1/300以下**とする。
- 許容曲げ応力度(f_b)

$$\sigma_b = \frac{M}{Z} \leq f_b$$

σ_b：曲げ応力度
M：曲げモーメント
Z：断面係数

4 各部材の役割・はたらき

- フランジ…主として**曲げモーメント**に抵抗
- ウェブ…主として**せん断力**に抵抗する
- スチフナー
  - 中間スチフナー…**ウェブの局部座屈**を防止
  - 荷重点スチフナー…**ウェブとフランジの局部座屈**を防止
- ラチス…せん断力に抵抗（梁・柱に作用するせん断力を、ラチスの軸方向力として受けて抵抗する）

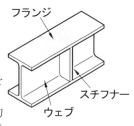

❷ 各部構造

1 柱

① 柱脚

- 構造耐力上主要な部分である柱の脚部は、**アンカーボルト**による緊結その他の構造方法により、基礎に緊結しなければならない。

② 柱脚の構造形式

- **露出**形式柱脚
- **根巻き**形式柱脚
- **埋込み**形式柱脚

  ⇨ 柱脚の固定度は、**露出**形式柱脚 < **根巻き**形式柱脚 < **埋込み**形式、の順に高くなり、剛強な接合となる。

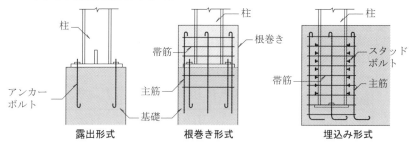

露出形式　　　　根巻き形式　　　　埋込み形式

2 筋 か い

- 水平力を負担する筋かいにおいては、軸部が降伏する以前に、その筋かいの端部および接合部は破断しないようにする。

3 仕口・継手

- ラーメンの柱と梁の仕口は、柱または梁が、塑性変形を生ずるまで、破断しないように設計する。

  ⇨ 主な継手としては、柱・梁の継手がある。
- 継手は応力の小さいところに設ける。

③ 接 合 法

1 ボルト接合

- ●普通ボルトは、振動・衝撃または繰返し応力を受ける接合部には使用してはならない。
- ●普通ボルトで締付ける板の総厚は、原則、ボルト径の5倍以下とする。

2 高力ボルト接合

引張耐力の大きいボルトで接合部を強い力で締め付けて、鋼材間に生じる**摩擦力**で接合する。

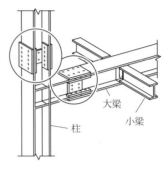

大梁

小梁

柱

- ●構造上主要な部材の接合部に高力ボルト接合を用いる場合、原則、高力ボルトは**2本以上配置**する。
- ●高力ボルトの相互間の中心距離は、高力ボルトの径の**2.5倍以上**とする。
- ●**二面摩擦**の許容せん断力は、**一面摩擦**の許容せん断力の**2倍**である。
- ●高力ボルトの**許容せん断力**は、**設計ボルト張力**や**すべり係数**を考慮して定められている。
- ●ボルトの締め付けは、**トルクコントロール法**、**ナット回転法**などにより、標準ボルト張力が得られるように行う。
  - ⇨ ボルトの締めすぎは避ける。

3 溶接接合

応力を伝達する溶接継目は、**突合せ溶接**（完全溶込み溶接）、**隅肉溶接**、**部分溶込み溶接**、の3種類である。

継目＼継手	突合せ継手	か ど 継 手	T 継 手
突 合 せ 溶 接 （完全溶込み溶接）			
部 分 溶 込 み 溶 接			
隅 肉 溶 接	（重ね継手）		

① **突合せ溶接（完全溶込み溶接）**
- 断続して溶接する、断続溶接としてはならない。連続して溶接する**連続溶接**とする。
- **始端・終端**には、溶接欠陥の発生を防ぎ、有効長さを確保するために、補助板として**エンドタブ**を設ける。

② **隅 肉 溶 接**
- 連続して溶接する連続溶接と、断続して溶接する断続溶接がある。
- 隅肉溶接の**サイズ**は、**薄いほうの母材の厚さ以下**とする。
- 応力を伝達する溶接の重ね継手は、原則、２列以上の隅肉溶接とする。
- 応力を負担する隅肉溶接の**有効長さ**は、**サイズの10倍以上、かつ40mm以上**とする。

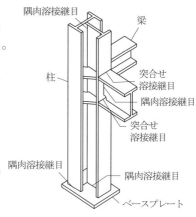

4　その他の溶接に関する事項
- 溶接部の**有効面積**は、（溶接の**有効長さ**）×（**有効のど厚**）により計算する。
- 溶接継目の、のど断面に対する**短期許容応力度**は、**長期許容応力度の1.5倍**である。
- **スカラップ**とは、溶接部が交差するのを避けるために部材に設けた**扇形の切欠き**をいう。柱梁接合部においては、応力集中により部材の破断の原因となることもあるので、スカラップを設けない方法もある。
- 溶接部の**内部欠陥**の検査方法として、**超音波探傷試験**がある。

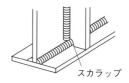

5　各種接合の併用
〈溶接と高力ボルトの併用継手〉

- **溶接**と
  - ボルト……全応力を溶接で負担
  - 高力ボルト
    - **溶接を先に施工する場合**
      ⇨ **全応力を溶接で負担**
    - **溶接を後に施工する場合**
      ⇨ **溶接と高力ボルトで負担**

- **高力ボルトとボルト**……**全応力を高力ボルト**で負担

次の記述について、**正しいか、誤っているか**、判断しなさい。

▌ 部材の設計 ▐

check

問題 1
　H形鋼を梁に用いる場合、一般に、曲げモーメントをウェブで、せん断力をフランジで負担させる。

check

問題 2
　山形鋼を用いた引張筋かいを、ガセットプレートの片側だけに接合する場合、山形鋼の有効断面から、突出脚の1/2の断面を減じた断面によって引張応力度を算出してもよい。

check

問題 3
　鉄骨梁のスチフナーは、ウェブプレートの座屈を防止する。

check

問題 4
　引張材の有効断面積は、ボルト孔などの断面欠損を考慮して算出する。

check

問題 5
　柱脚の接合形式は、露出型、根巻型、埋込型に分類され、一般に、露出型のものが最も固定度が大きい。

check

問題 6
　水平力を負担する筋かいの軸部が降伏する場合、その筋かいの端部及び接合部は破断しないようにする。

check

問題 7
　鉄骨部材は、平板要素の幅厚比や鋼管の径厚比が小さいほど、局部座屈を起こしやすい。

check

問題 8
　梁の横座屈を防止するために、板要素の幅厚比が制限されている。

check

問題 9
　主要な梁材のたわみは、通常、スパンの1/300以下とする。

check

問題 10
　構造耐力上主要な部分である鋼材の圧縮材の有効細長比は、柱にあっては200以下、柱以外のものにあっては250以下とする。

問題11
許容圧縮応力度は、細長比が大きいほど小さい。

問題12
冷間成形により加工された角形鋼管（厚さ6mm以上）を柱に用いる場合は、原則として、その鋼材の種別並びに柱及び梁の接合部の構造方法に応じて、応力割り増し等の措置を講ずる。

問題13
構造用鋼材の短期許容応力度は、長期許容応力度の2倍である。

問題14
建築物の構造耐力上主要な部分において、鋳鉄は、一般に、引張応力が存在する部分には使用しない。

問題15
鋼材に多数回の繰返し応力が作用する場合、その応力の大きさが降伏点以下の範囲であっても破断することがある。

Ⅲ 建築構造

解 説

問題1 誤り

H形鋼の梁は、フランジとウェブから構成され、主として**フランジは曲げモーメ ント**に抵抗し、**ウェブはせん断力**に抵抗する。

問題2 正しい

山形鋼やみぞ形鋼などを**ガセットプレートの片側**にのみ接合する場合は、**偏心**による曲げの影響を考慮して設計しなければならない。鋼構造設計規準。この場合、図のように、**突出脚の1/2を無効**とみなした断面で、部材の安全を検討することが多い。

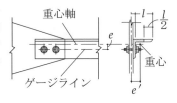

問題3 正しい

フランジやウェブは、板幅に比べて板厚が薄いと**局部座屈**を起こすおそれがあるので、**スチフナー**を用いて防止する。

問題4 正しい

引張力の生じる部材を引張材という。引張材は、(a) 図のように、ボルト穴などがあけられているときは、穴の位置で破断する。そこで、引張材では、**ボルト穴**による**断面欠損**を考慮した**有効断面積**を用いて設計する。鋼構造許容応力度設計規準。

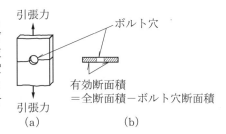

問題5 誤り

鉄骨構造の柱脚部の形式は、**露出型、根巻型、埋込型**に大きく分けられ、後者ほど剛強な接合方法となる。したがって、**固定度**を上げるためには、露出形式より**埋込形式**のほうが**有利**である。

問題6 正しい

筋かいの軸部が降伏する前に、その端部が破壊すると、筋かいとその周辺架構は耐力及び変形能力を発揮し得ず、倒壊の危険性にさらされることになる。したがって、筋かいの**軸部が降伏する前**に、その**端部及び接合部は破断しない**ようにする。

問題7 誤り

平板要素の**幅厚比**は、板幅と板厚の比(幅/厚)であり、鋼管の径厚比は、外径と管厚の比(径/厚)である。したがって、それぞれの数値が**小さい**(分母が大きい)ほど、厚い部材になるので**局部座屈**が**生じにくい**。

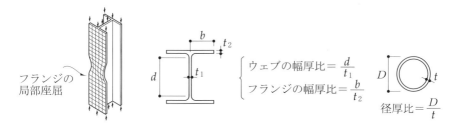

$$\text{ウェブの幅厚比} = \frac{d}{t_1}$$

$$\text{フランジの幅厚比} = \frac{b}{t_2}$$

$$\text{径厚比} = \frac{D}{t}$$

問題8 誤り

梁の**横座屈を防止**するために、横倒れを防止する**補剛材**が必要となる。なお、部材（柱及び梁）がほぼ降伏点に達するまで局部座屈を起こさないようにする（粘り強くする）ため、平板要素の**幅厚比**が制限されている。鋼構造許容応力度設計規準。

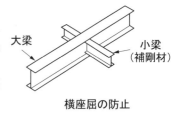

横座屈の防止

問題9 正しい

主要な**梁材のたわみ**は、通常は**スパンの1/300以下**とする。鋼構造許容応力度設計規準。

問題10 正しい

構造耐力上主要な部分である鋼材の圧縮材の**有効細長比**は、**柱**にあっては**200以下**、柱以外のものにあっては**250以下**としなければならない。建築基準法施行令第65条。

問題11 正しい

細長比の大きい細長い圧縮材は座屈しやすい。したがって、**許容圧縮応力度**は、**細長比が大きいものほど小さい**。

問題12 正しい

冷間成形により加工された**角形鋼管**（厚さ6mm以上）を柱に用いる場合は、原則として、その鋼材の種別並びに柱及び梁の接合部の構造方法に応じて、**柱の応力を割り増ししなければならない**。

問題13 誤り

構造用鋼材の**短期許容応力度**は、**長期**許容応力度の**1.5倍**である。建築基準法施行令第90条表1。

問題14 正しい

鋳鉄は、**圧縮応力又は接触応力以外**の応力が存在する部分には、**使用してはならない**。建築基準法施行令第64条2項。

問題15 正しい

鋼材に多数回の**繰返し応力**が作用すると、疲労により材料強度が低下し、その応力の大きさが降伏点以下の範囲であっても破断する場合がある。

▌接 合 法▌

check

問題1
応力を伝達すべき溶接継目の形式は、一般に、「完全溶込み溶接」、「隅肉溶接」及び「部分溶込み溶接」である。

check

問題2
応力を伝達する溶接の重ね継手は、原則として、2列以上の隅肉溶接とする。

check

問題3
構造計算に用いる隅肉溶接のサイズは、一般に、薄いほうの母材の厚さを超える値とする。

check

問題4
構造計算に用いる完全溶込み溶接の溶接部の有効面積は、(溶接の有効長さ)×(有効のど厚)により計算する。

check

問題5
応力を伝達する隅肉溶接の有効長さは、原則として、隅肉溶接のサイズの10倍以上で、かつ、40mm以上とする。

check

問題6
側面隅肉溶接の有効長さが、隅肉溶接のサイズの30倍を超える場合には、応力の不均等分布を考慮して、許容応力度を低減する。

check

問題7
エンドタブは、突合せ溶接の始端部・終端部における欠陥の発生を避けるために用いる。

check

問題8
溶接継目の交差を避けるため、片方の部材にスカラップを設けた。

check

問題9
柱梁接合部において、スカラップは、応力集中により部材の破断の原因となることもあるので、スカラップを設けない方法もある。

問題10

突合せ溶接部の内部欠陥の検査方法として、超音波探傷試験がある。

問題11

一つの継手に高力ボルトと溶接を併用する場合で、高力ボルト接合が溶接より先に施工されるときには、一般に、全応力を高力ボルトと溶接で分担させることができる。

問題12

振動、衝撃又は繰返し荷重を受ける接合部には、普通ボルトを使用してはならない。

問題13

構造上主要な部材の接合部に高力ボルト接合を用いる場合、原則として、高力ボルトは2本以上配置する。

問題14

高力ボルトの中心間距離は、公称軸径の2.5倍以上とする。

問題15

一つの継手に高力ボルトと普通ボルトを併用する場合、全応力を高力ボルトに負担させる。

問題16

高力ボルトの摩擦接合において、二面摩擦の許容せん断力は、一面摩擦の2倍の許容せん断力とすることができる。

問題17

柱の継手の接合用ボルト、高力ボルト及び溶接は、原則として、継手部の存在応力を十分に伝え、かつ、部材の各応力に対する許容力の1/2を超える耐力とする。

解　説

問題1　正しい

　応力を伝達する溶接継目は、一般に、**完全溶込み溶接（突合せ溶接）・隅肉溶接・部分溶込み溶接**の３種類である。鋼構造許容応力度設計規準。

問題2　正しい

　応力を伝達する**重ね継手**は、**２列以上の隅肉溶接**を原則とし、薄いほうの板厚の５倍以上、かつ、30mm以上重ね合わせなければならない。鋼構造許容応力度設計規準。

問題3　誤り

　構造計算に用いる**隅肉溶接のサイズS**は、<u>**薄いほうの母材の厚さ以下**</u>とする。鋼構造許容応力度設計規準。

問題4　正しい

　完全溶込み溶接（突合せ溶接）部の有効面積は、（溶接の**有効長さl**）×（**有効のど厚a**）とする。有効のど厚aは、溶接する板厚が違う場合は、常に薄いほうの板厚とし、T継手では、突き合わせるほうの母材の厚さ以下とする。右図において、完全溶込み溶接部の有効面積＝$a×l$となる。鋼構造許容応力度設計規準。

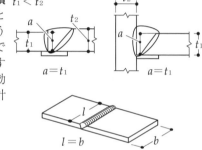

問題5　正しい

　応力を伝達する**隅肉溶接の有効長さl**は、**隅肉溶接サイズSの10倍以上**、かつ、**40mm以上**とする。鋼構造許容応力度設計規準。

問題6　正しい

　側面隅肉溶接（溶接線の方向が応力にほぼ平行な隅肉溶接）の**有効長さlがサイズSの30倍を超える**ときは、応力の不均等分布を考慮して**許容応力度**を**低減**する。鋼構造許容応力度設計規準。

問題7　正しい

　エンドタブは、**突合せ溶接の始端、終端の欠陥の発生を避けるために用いる補助板**のことである。

問題8・9　正しい

　スカラップとは、溶接線の交差を避けるために、一方の母材に設ける**扇形の切欠き**のことである。

　柱梁接合部において、スカラップによりフランジ内側中央部に応力（ひずみ）が集中し、部材の破断の原因となることもあるので、スカラップを設けない方法（**ノンスカラップ型**）もある。

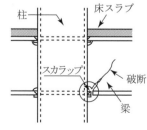

問題10　正しい

突合せ溶接部（完全溶け込み溶接部）の内部欠陥の検査方法は、一般に**超音波探傷試験**による。

問題11　正しい

一つの継手に**高力ボルト**と**溶接**を**併用**するとき、**高力ボルト接合**が溶接より**先に施工**された場合には、高力ボルトによる十分な締め付けが確保されるので、高力ボルトと溶接で**応力を分担**させることが**できる**。鋼構造許容応力度設計規準。

問題12　正しい

振動、衝撃又は**繰返し荷重**を受ける接合部には、**ボルトを使用してはならない**。鋼構造許容応力度設計規準。

問題13　正しい

構造耐力上主要な部材の接合部を**高力ボルト接合**とする場合には、**最小２本以上**配置しなければならない。鋼構造許容応力度設計規準。

問題14　正しい

高力ボルトの相互間の**中心距離（ピッチ）**は、高力ボルト径（公称軸径）の**2.5倍以上**とする。建築基準法施行令第68条１項。

問題15　正しい

一つの継手に**高力ボルト**と**普通ボルト**を**併用**する場合には、**全応力**を高力ボルトで負担しなければならない。鋼構造許容応力度設計規準。

問題16　正しい

高力ボルト摩擦接合部の高力ボルトの軸断面に対する**許容せん断応力度**は、次の数値による。

- **一面長期せん断**　$0.3T_0（\mathrm{N/mm^2}）$
- **二面長期せん断**　$0.6T_0（\mathrm{N/mm^2}）$

　　　短期は長期のそれぞれ1.5倍である。

　　　T_0：基準張力（$\mathrm{N/mm^2}$）

したがって、**二面摩擦**の許容せん断力は、**一面摩擦**の**２倍**の許容せん断力とすることができる。建築基準法施行令第92条の２。

問題17　正しい

骨組を形成する柱は、応力計算の際１本の連続材として扱われる。したがって、継手の設計にあたっては、その箇所に生じる応力に対して安全であるばかりでなく、材の連続性が考慮される必要がある。このため、**柱の継手**の**接合用ボルト、高力ボルト及び溶接**は、原則として、継手部の存在応力を十分に伝え、かつ、部材の各応力に対する許容力の１／２以下の耐力であってはならない。鋼構造許容応力度設計規準。

その他の構造

❶ 壁式鉄筋コンクリート構造

軒 の 高 さ	20 m以下
階 　 　 高	3.5 m以下
耐力壁の**実長**	45 cm、かつ、$0.3 \times h^*$以上
耐力壁の**厚さ**	12 cm以上（平屋の場合）
壁梁のせい	45 cm以上

＊　h：同一の実長を有する部分の高さ

● **耐力壁の壁量**
　はり間方向、けた行き方向のそれぞれについて、**耐力壁の長さの合計**をその階の**床面積**で除して求める。

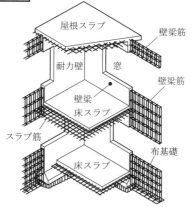

屋根スラブ
壁梁筋
耐力壁
窓
壁梁筋
壁梁
床スラブ
スラブ筋
布基礎
床スラブ

❷ 補強コンクリートブロック造

1　ブロックと建物の規模
　コンクリートブロックの圧縮強さは、A種～C種では、**A種＜B種＜C種**　となり、C種のものが最も大きい。

2　耐　力　壁
● 対隣壁の壁厚の中心線間距離は、壁の面外方向に作用する外力に対して安全となるように定められている。
● **耐力壁の長さ**
　55 cm以上、かつ両側に開口部がある場合は、原則、その高さの平均値（耐力壁の有効長さ）の **30％以上**とする。
● **耐力壁の厚さ**
　耐力壁の構造耐力上有効な厚さには、**仕上げ**の厚さを**含めない**。
● **耐力壁の壁量**
　はり間方向、けた行き方向のそれぞれについて、**耐力壁の長さの合計**をその階の**床面積**で除して求める。

〔けた行方向の壁量〕

$$\frac{x_1 + x_2 + x_3 + x_4}{X_1 \times Y_1} \geqq 15 \text{ cm} / \text{m}^2$$

（平屋・最上階）

〔張り間方向の壁量〕

$$\frac{y_1 + y_2 + y_3 + y_4}{X_1 \times Y_1} \geqq 15 \text{ cm} / \text{m}^2$$

（平屋・最上階）

3　補強コンクリートブロック塀
- 高さは**2.2 m以下**とする。
- 壁の厚さは、**15 cm**（高さが 2 m 以下の塀にあっては 10 cm）**以上**とする。
- 高さ 1.2 m を超える塀の**基礎**の丈は**35 cm以上**とし、**根入れの深さは 30 cm以上**とする。

4　組　積　造
- 組積材は、**芋目地**ができないように組積する。
- 壁の**長さ**（対隣壁の中心線間の距離）は**10 m以下**とする。
- 手すりまたは手すり壁を組積造とする場合は、**頂部**に鉄筋コンクリート造の**臥梁**を設ける。
- へいの高さは**1.2 m以下**とする。
- 基礎の根入れの深さは、**20 cm以上**とする。

壁式鉄筋コンクリート構造

問題1
　壁梁のせいを45cmとした。

問題2
　地上2階建としたので、耐力壁の厚さを、10cmとした。

問題3
　耐力壁を、平面上及び立体上つり合いよく配置した。

問題4
　プレキャスト鉄筋コンクリートで造られた耐力壁相互の鉛直方向の接合部を、ウェットジョイントとした。

問題5
　耐力壁の実長を、45cm以上、かつ、同一の実長を有する部分の高さの30％以上とした。

補強コンクリートブロック構造

問題6
　日本産業規格（JIS）において、空洞ブロックの圧縮強さによって区分されるA種、B種、C種のうち、最も圧縮強さが大きいものはA種である。

問題7
　建築物の外周隅角部に、耐力壁をL形又はT形に配置することは、耐震上有効である。

問題8
　対隣壁（耐力壁に直交して接合する二つの隣り合う耐力壁等）の壁厚の中心線間距離の制限は、壁の面外方向に作用する外力に対して安全となるように定められた規定である。

問題9
　耐力壁の長さは、55cm以上、かつ、両側に開口部がある場合は、原則として、その高さの平均値（耐力壁の有効高さ）の30％以上とする。

check

問題10
　壁量とは、一つの階のはり間及びけた行両方向の耐力壁の長さの合計をその階の壁量算定用床面積で除した値をいう。

check

問題11
　各階の耐力壁の壁頂には、鉄筋コンクリート造の臥梁を設ける。

check

問題12
　耐力壁の縦筋は、溶接接合によれば、コンクリートブロックの空洞部内で継ぐことができる。

壁式鉄筋コンクリート造の壁量の計算

check

問題13
　図のような平面をもつ壁式鉄筋コンクリート造の建築物の構造計算において、X方向の壁量に**最も近い値**は、次のうちどれか。ただし、階高は３ｍ、壁厚は12cmとする。

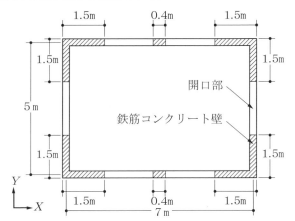

1.　17.1 cm/㎡
2.　19.4 cm/㎡
3.　25.7 cm/㎡
4.　34.3 cm/㎡
5.　36.6 cm/㎡

問題1　正しい

壁梁のせいは、原則として**45cm以上**とする。

問題2　誤り

地上2階建の耐力壁の**厚さ**は、**15cm以上**とする。

問題3　正しい

耐力壁は、**つり合いよく配置**しなければならない。

問題4　正しい

壁式鉄筋コンクリート造で、構造耐力上主要な部分にプレキャスト鉄筋コンクリート部材を使用する場合には、**プレキャスト部材相互**及び**プレキャスト部材と現場打ち部材の接合部**は、相互に**存在応力を伝える**ことができるものとする。また、耐力壁相互の鉛直方向の接合部は、**ウエットジョイント**（コンクリート又はモルタルを充てん）によるものとし、径9mm以上のコッター筋によって構造耐力上有効に接合することができるものとする。

問題5　正しい

耐力壁の実長は、**45cm以上**、かつ、**同一の実長を有する部分の高さ**の**30%以上**とする。壁式鉄筋コンクリート造設計基準。

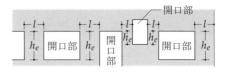

耐力壁の実長 l と同一の実長を有する部分の高さ h_e

問題6　誤り

コンクリートブロックの全断面積に対する圧縮強さは、JIS A 5406に示され、この中で、A種（空洞ブロックの圧縮区分による08）、B種（同12）、C種（同16）では、**C種ブロックが最も大きい**。

・A種ブロック ………… 4 N/mm² 以上
・B種ブロック ………… 6 N/mm² 以上
・C種ブロック ………… 8 N/mm² 以上

問題7　正しい

補強コンクリートブロック構造は、全体が壁面とスラブで構成された箱構造である。その**外周隅角部**を**L形**や**T形**に構成すると、直交壁が建築物全体の**剛性と耐力を高め**、地震時の**ねじれ振動**に対する**抵抗力も大きく**することになる。補強コンクリートブロック造設計規準。

問題8　正しい

　対隣壁の壁厚の中心線間距離（水平支点間距離）の制限は、壁が**面外方向に作用す**る**外力（水平力）**によって、前後にゆれて破壊するのを防ぐために設けたものであり、その中心線間距離は、耐力壁の厚さの40倍以下とする。補強コンクリートブロック造設計規準。なお、建築基準法では、対隣壁の壁厚の水平支点間距離は、壁厚の50倍以下と規定している。

問題9　正しい

　耐力壁の実長は、**55cm以上**、かつ、その**有効高さの30％以上**とする（有効高さ：耐力壁の両側にある開口部の高さの平均値、ただし、開口部の上部又は下部の小壁が耐力壁と同等以上の構造でない場合、開口部高さはその部分の高さを加算した高さ）。補強コンクリートブロック造設計規準。

問題10　誤り

　壁量は、**各階のはり間方向、けた行方向の「それぞれの方向」**について、**耐力壁の長さを求め、その階の床面積で割ったもの**である。したがって、一つの階の両方向の耐力壁の長さの合計を、その階の床面積で割った値ではない。補強コンクリートブロック造設計規準。

問題11　正しい

　2階以上の場合は、各階の**耐力壁の壁頂**に鉄筋コンクリート造の**臥梁**を設けなければならない。建築基準法施行令第62条の5第1項。

問題12　正しい

　補強コンクリート造の耐力壁の縦筋は、**溶接接合**とすればコンクリートブロックの**空洞部内**で継ぐことが**できる**。建築基準法施行令第62条の6第2項。
　【関連】耐力壁の横筋が異形鉄筋の場合、耐力壁の端部以外の部分における横筋の末端は、かぎ状に折り曲げなくてもよい。

問題13　1

$$X方向の壁量 = \frac{X方向の耐力壁の長さ（cm）の合計}{床面積（m^2）}$$

1)　X方向の耐力壁の長さの合計 $= 150cm \times 4 = 600cm$
　　0.4mの壁は耐力壁の長さに含めない。**耐力壁の実長** ⇨ **問題5**　参照
2)　床面積 $= 5m \times 7m = 35m^2$
3)　$X方向の壁量 = \dfrac{600cm}{35m^2} ≒ 17.1cm/m^2$

∴X方向の壁量に最も近いものは、設問1.である。

① 構造計算

- **偏心率** ⇨ 平面的バランスのチェック
- **剛性率** ⇨ 立面的バランスのチェック
- **保有水平耐力** ⇨ 変形能力のチェック
- **層間変形角** ⇨ 高さ方向の変形量のチェック

② 構造計画

[地震力に強い建築物]
- 立面的、平面的に剛性バランスを良くする
  ⇨ 局部的に強いまたは弱い部分を作らない
- 軽い建築物の方が有利
  ⇨ 木造の屋根葺材料は軽い方が有利

[風圧力に強い建築物]
- 剛性は高いほうが有利
- 重い建築物のほうが有利

問題 13	次の記述について、**正しいか、誤っているか**、判断しなさい。

問題1
　免震構造は、一般に、建築物と基礎との間に積層ゴム支承やダンパー等を設置し、地震時の振動エネルギーを吸収する構造である。

問題2
　制振構造は、振動を制御する装置や機構を建築物内に組み込んだ構造である。

問題3
　同じ高さの建築物の場合、水平力に対する剛性は、一般に、鉄筋コンクリート構造よりも鉄骨構造のほうが大きい。

問題4
　極めてまれに起こる地震に対しては、建築物が倒壊や崩壊しないことを確認する。

check

問題5
　建築物の重心と剛心との距離ができるだけ大きくなるように、耐力壁を配置した。

check

問題6
　上下階の耐力壁は、できるだけ平面的に一致するように計画する。

check

問題7
　地震力によって各階に生ずる層間変形角の上階と下階との差は、なるべく小さくなるようにする。

check

問題8
　建築物の耐震性能を高める構造計画には、強度を高める考え方とねばり強さに期待する考え方があり、部材が塑性化した後の変形能力を大きくすることは、ねばり強さに期待する考え方である。

check

問題9
　エキスパンションジョイントのみで接した建築物については、それぞれ別の建築物として構造計算を行う。

check

問題10
　鉄骨構造においては、一般に、「柱梁接合部パネル」よりも「梁又は柱」が先に降伏するように設計する。

check

問題11
　ピロティ形式を採用する場合、層崩壊しないようにピロティ階の柱の耐力及び靱性を大きくする。

check

問題12
　シェル構造は、屋根部分などに構造体として薄い曲面板を用いた構造である。

check

問題13
　フラットスラブ構造は、梁を用いないで、スラブをキャピタル付きの柱で支持する構造である。

check

問題14
　プレキャスト鉄筋コンクリート構造は、あらかじめ工場などで製作した鉄筋コンクリート製の部材を現場で組み立ててつくる構造である。

問題1　正しい

　免震構造は、建築物に入力する地震力を小さくする装置（免震装置）を設置した構造である。免震装置は、建築物と基礎との間に**積層ゴム支承**や**ダンパー**などを設置し、地震時の**振動エネルギーを吸収**するものである。

問題2　正しい

　制振構造は、建築物の**振動（揺れ）を少なくする装置や機構**を、建築物に組み込んだ構造である。風や地震などによる振動を少なくして、**居住性**を高めたり、大地震時の構造物の安全性を確保する。

問題3　誤り

　建築物の水平力に対する剛性は、水平力に対する変形のしにくさである。同じ高さの建築物の場合、一般に、**鉄筋コンクリート構造より鉄骨構造のほうが、変形しやすいので、水平力に対する剛性は小さい**。

問題4　正しい

　極めてまれに起こる地震に対しては、二次設計により地震時に建築物が**倒壊や崩壊しない**ことを確認する。二次設計は、層間変形角、剛性率・偏心率、保有水平耐力の計算を行うことである。

問題5　誤り

　建築物の**重心と剛心との距離**が**大きく**なると、**地震時にねじれ**が生じ損傷を受けやすくなる。重心と剛心との距離は、なるべく**小さく**なるように耐力壁を配置する。

問題6　正しい

　上下階の耐力壁が平面的に一致していると、上階の耐力壁に生じる水平力が床を介さないで、下階の耐力壁に伝達される。また、上階の耐力壁の自重が骨組を介さず、直接、下階の耐力壁に伝達する。したがって、**上下階の耐力壁**は、できるだけ**平面的に一致**するよう計画する。

問題7　正しい

　層間変形角という考えは、帳壁・内外装材等が過大な変形によって破壊し、事実上建築物の機能を失うのを防ぐためにある。上階と下階の層間変形角の差が大きくなると上階と下階の変形の割合が大きく異なることになり、仕上げ材等への影響が大きい。したがって、**上階と下階**の層間変形角の差はなるべく**小さく**することが必要である。

問題8　正しい

建築物の耐震性を高めるためには、構造物の**強度を大きく**する考え方（**強度志向型**）と構造物の**粘り強さ**に期待して変形能力を大きくする考え方（**靭性志向型**）がある。この粘り強さに期待することとは、部材が塑性化したあとの変形能力を大きくすることであり、この能力を靭性という。

【関連】建築物の耐震性は強度と靭性によって評価されるが、**靭性に乏しい場合**には、**強度を十分大きく**する必要がある。

問題9　正しい

建築物の各部分が**エキスパンションジョイント**等の相互に応力を伝えない構造方法のみで接している場合、構造計算においては、それぞれ**別の建築物**とみなす。建築基準法施行令第36条の4。

問題10　正しい

柱梁接合部パネルは、柱と梁によって囲まれた部分である。梁や柱の曲げ耐力に比べて、接合部パネルの耐力が相対的に低いと、梁や柱の曲げ降伏に先立って接合部パネルが降伏する。架構の**耐力及び変形能力を発揮**させるためには、**梁又は柱が、柱梁接合部パネルより先に降伏する**ように設計しなければならない。鋼構造接合部設計指針。

問題11　正しい

ピロティ形式の建築物では、剛性の小さいピロティ部分に変形が集中し、その層に脆性（もろい）破壊が生じ崩壊しやすい。したがって、**ピロティの柱の靭性（粘り強さ）を大きく**することは適切である。

問題12　正しい

シェル構造は、曲面スラブの力学的特質を利用した構造で、大スパンの屋根に用いられている。

問題13　正しい

フラットスラブ構造は、梁を用いず、スラブを直接キャピタル（柱頭部）付きの柱で支持する鉄筋コンクリート構造である。

問題14　正しい

プレキャスト鉄筋コンクリート構造は、主要な構造部分を工場生産による普通の鉄筋コンクリート又はプレストレストコンクリートの部品で組み立てるもので、軸組（柱、梁）で構造体をつくるものと床・壁パネルで構造体をつくるものがある。

建築材料

① 木材・木質系材料

1 木材の特性
- ●木材の**着火温度**は260℃である。
  - ⇨ 木材が燃えて炭化する速度は1分間に0.6mm程度。
- ●木材の**伸縮量**は、**繊維方向＜半径方向＜接線（円周）方向**。
- ●比重が大きい ⇨ **強度**が⊛、**伸縮量**が⊛、**熱伝導率**が⊛
- ●木材の強度は、繊維飽和点以下では**含水率が低いほど大きい**。
- ●**辺材**は心材より**腐朽**しやすく、**蟻害**を受けやすい。

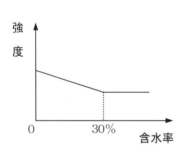

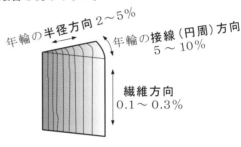

2 木材加工品
- ●**集 成 材**

  ひき板または小角材等を繊維方向に**互いに平行**になるようにして、厚さ、幅および長さの方向に集成接着した材料（合板→単板を繊維方向を交互に直交させて接着）。
  - ⇨ 樹種が同じ場合、繊維方向の許容応力度は、木材（製材）より構造用集成材のほうが大きい。
- ●**パーティクルボード**

  木材の小片（チップ）を乾燥させ、接着剤を加え、加熱圧縮して固めたボード。
- ●**インシュレーションボード**

  軟質繊維板ともいい、十分に繊維化した植物繊維を加熱圧縮して成形した材料。

3 木材の許容応力度
木材の繊維方向の許容応力度 ⇨ **曲げ＞圧縮＞引張＞せん断**

② 鋼　材

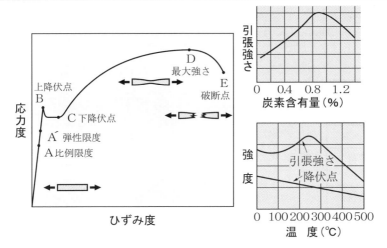

- 鋼材の**ヤング係数**は、常温において$205×10^3\,\mathrm{N/mm^2}\,(2.05×10^5\,\mathrm{N/mm^2})$程度。
- 鋼材のヤング係数と炭素含有量は、ほとんど関係しない。
- 鋼材の引張強さは、炭素含有量が**0.8%**前後のとき**最大**となる。
- 鋼材の比重は、アルミニウム材の**約3倍**である。
- 鋼材の**線膨張係数**は、常温において、普通コンクリートの線膨張係数とほぼ等しい。
- 鋼材の短期許容応力度は、**長期**許容応力度の**1.5倍**である。
- 鋼材は、異種金属と接触すると、**電食**を起こすことがある。
- 鋼材を**焼入れ**すると、強さ・硬さ・耐摩耗性は増大するが、もろくなる。
- 鋼材の引張強さは、温度が200〜300℃程度で最大となり、それ以上の温度になると急激に低下する。
- 鋼材における**炭素含有量の増加**による諸性質への影響

炭素含有量 ⇨ 増　　加	
比　　　重	減少する
線膨張係数	小さくなる
熱 伝 導 率	小さくなる
引 張 強 度	高くなる
降 伏 点	高くなる
伸　　　び	少なくなる
硬　　　さ	硬くなる

- 鋼を熱間圧延して製造するときに生じる**黒い錆(黒皮)**は、鋼の表面に皮膜を形成するので**防食効果**がある。
- 鋼材に多数回の**繰返し荷重**が作用すると、その応力の大きさが**降伏点以下**の範囲であっても**破断**することがある。

③ セメント・骨材・コンクリート

1 セメント

- セメントに加える石こうは、凝結時間調整(緩和)のために加える。
- セメントは水と反応して硬化(水硬性)し、水和熱を発する。

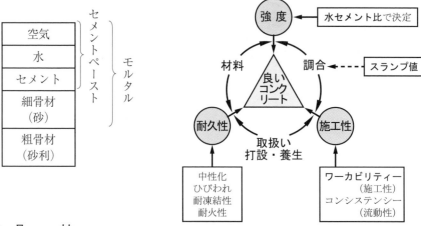

2 骨材

- 海砂など**塩分**を含む砂を使用すると、鋼材の腐食が進行し、コンクリートの**ひび割れ**の原因となる。
- **粘土**などの多く含まれる山砂を使用すると、乾燥収縮が大きくなり、コンクリートの**ひび割れ**が生じやすくなる。
- **アルカリ骨材反応**(アルカリシリカ反応)が生じないようにする。

3 コンクリート

- コンクリートの**圧縮強度**は、一般に、**引張強度**の**10倍前後**である。
- **水セメント比**とは、セメント質量に対する水量の比
  - ⇨ **水セメント比**が**小さい**ほど、強度は**大きく**なる。
  - ⇨ **水セメント比**が**大きい**ほど、強度は**小さく**なる。
- 空気中養生よりも**水中養生**のほうが、コンクリート強度の発現・増進がよい。
- 養生温度が高くなるほどコンクリートの圧縮強度の発現が早くなる。
- スランプが**過大**(スランプ値が大きい)場合は、一般に、コンクリートが**分離**しやすくなる。
  - ⇨ **空気量**が増えると、スランプは**大きく**なる。
  - ⇨ 調合管理強度が33N/mm^{2}未満の普通コンクリート…18cm以下
- 水セメント比が同じであれば、スランプが異なっても圧縮強度はほぼ同じである。
- ＡＥ剤、減水剤、ＡＥ減水剤などを用いると、**ワーカビリティー**および**耐久性**が改善される。
- **乾燥収縮**：単位水量・単位セメント量を**少なく**すると、減少する。
  - ⇨ 水セメント比を小さくして単位水量を減らす。
- **強度の大きい**コンクリートは、強度の小さいコンクリートに比べて、同じ応力度での変形が小さいので、**ヤング係数**は**大きい**。

④ その他の建築材料

1 各種ガラス

種　類	性　質
網入板ガラス	飛散防止に効果があり、防火性を必要とする窓などに用いる。
強化ガラス	衝撃力や風圧力などに強い。 表面に傷が入ると強度が低下するので加工後の切断はできない。
合わせガラス	2枚の板ガラスを透明なシートで張り合わせたガラスで、破損時の飛散防止に有効。
複層ガラス	複数の板ガラスを専用スペーサーを用いて一定間隔に保ち、中空部に乾燥空気を封入したもので、断熱性が高く、結露しにくい。

2 防火・断熱・吸音・遮音材料

材　料	性　質	用　途
石こうボード	防火性に優れるが、耐衝撃性に劣る。	壁・天井の下地材
グラスウール	断熱性・吸音性に優れる。 吸湿しやすく、吸湿すると断熱性は低下する。	断熱材 （防湿材料と併用）
ALCパネル	軽量で断熱性・耐火性に優れるが、そのままでは吸水しやすく、凍害を受けるおそれがあるので、屋外や外壁に用いるときは防水処理が必要。	内・外壁、屋根、床材、耐火被覆材

3 石　材

石　名	性　質
花こう岩	強度�大、耐久性大、外観美しい、耐火性小
大理石	強度大、光沢あり、酸に弱い、耐火性小 ⇨ 外壁より内壁の装飾用石材に適する。

- テラゾブロック ⇨ 室内の床などに用いる。

4 塗　料

塗　料	性　質
油性調合ペイント	アルカリに弱く、モルタルやコンクリート面の塗装には適さない。
エポキシ樹脂塗料	耐水性・耐油性・耐薬品性に優れ、金属やコンクリートの塗装に幅広く用いられる。
クリヤラッカー	耐水性に劣るが、透明で光沢があるので、屋内の木部の塗装に適する。

■ 木 材 ■

問題1
　板目材は、乾燥すると、一般に、木裏側に凹に変形する。

問題2
　木材の強度は、一般に含水率が15％のときより、30％のときのほうが大きい。

問題3
　木材の乾燥収縮率は、繊維方向より年輪の接線方向のほうが大きい。

問題4
　木材の繊維方向の許容応力度は、曲げ＞引張り＞圧縮である。

問題5
　木材の燃焼によってできた表面の炭化層は、木材の断面内部を燃焼しにくくする。

問題6
　心材は、辺材に比べて、腐朽しやすい。

問題7
　木材に荷重が継続して作用すると、時間の経過に伴って変形が増大するクリープ現象が生じる。

問題8
　パーティクルボードは、木材の小片（削片）を接着剤により成形熱圧した板材であり、床下地などに用いられる。

問題9
　インシュレーションボードは、十分に繊維化した植物繊維を加圧成形した板材で、断熱性に優れている。

問題10
　集成材とは、ひき板又は小角材等を繊維方向を交互に直交させて、厚さ、幅及び長さの方向に集成接着した一般材をいう。

問題11
一般構造用圧延鋼材ＳＳ400は、引張強さ400N/mm^{2}級の鋼材として、建築物に用いられることが最も多い。

問題12
ＳＭ490Ａは、建築構造用圧延鋼材の一種である。

問題13
ＳＮ400Ａは、溶接構造用圧延鋼材の一種である。

問題14
ＳＤ345は、鉄筋コンクリート用の異形棒鋼の一種で、345は降伏点の下限値が345N/mm^{2}であることを意味する。

問題15
一般の鋼材の引張強さは、温度が450～500℃程度で最大となり、それ以上の温度になると急激に低下する。

問題16
鋼材の長さ10mの棒材は、常温においては、鋼材の温度が10℃上がると約1mm伸びる。

問題17
鋼材の温度が高くなると、一般に、ヤング係数及び降伏点は増大する。

問題18
鋼材の引張強さは、炭素含有量が0.8％前後のとき最大となる。

問題19
鋼材を焼入れすると、強さ・硬さ・耐摩耗性は増大するが、もろくなる。

問題20
鋼材の比重は、アルミニウム材の約3倍である。

問題１　誤り

　板材では、髄（樹心）側を木裏、樹皮側を木表という。一般に樹皮側のほうが乾燥にともなう収縮が大きいので、**板目材は乾燥すると、木表側に凹に変形する**。

問題２　誤り

　木材の強度は、繊維飽和点（含水率：約30％）以上では、含水率が変化しても強度に影響はないが、それ以下になると**含水率が小さいほど強度は増大**する。したがって、木材の強度は、含水率30％のときより15％のときの方が大きい。

問題３　正しい

　木材の収縮率は、図のように繊維方向0.1～0.3％、年輪の半径方向２～５％、年輪の接線（円周）方向５～10％であるから、繊維方向より**年輪の接線方向**のほうが**大きい**。

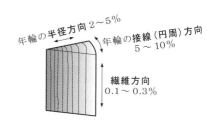

問題４　誤り

　木材の繊維方向の材料強度は、一般に、**曲げ、圧縮、引張り、せん断**の順に小さくなる。したがって、木材の繊維方向の許容応力度の大小関係は、<u>曲げ＞圧縮＞引張り</u>である。建築基準法施行令第95条１項、平成12年建設省告示第1452号。

問題５　正しい

　木材は加熱とともに**炭化した表面部分が内部を燃焼しにくくする**。

問題６　誤り

　辺材は、心材に比べ樹液が多く吸湿性があり、辺材のほうが心材より**腐朽**しやすい。【関連】辺材は、心材より**蟻害**を受けやすい。

問題７　正しい

　クリープ現象とは、一定荷重のもとで**時間の経過**に伴って**ひずみが増大する現象**のことである。鉛直荷重時、木質構造は時間の経過に伴って変形が増大する、クリープ変形が大きくなりやすい。木質構造設計規準。

問題８　正しい

　パーティクルボードは主に**木材の小片**（削片また砕片）を結合剤を用いて**熱圧**してつくった板状物で床の下地などに用いられる。

問題９　正しい

　インシュレーションボード（**軟質繊維板**）は、十分に繊維化した**植物繊維を加熱圧縮**して成形した板材である。

問題10　誤り

　集成材は、ひき板又は小角材などを、その**繊維方向をほぼ平行**にして、厚さ及び

長さの方向に集成接着したものである。

問題11 正しい
　引張強さが400N/mm²級の鋼材では、これまで建築用鋼材として使用実績が最も多いのは、JIS G 3101に規定されている**一般構造用圧延鋼材ＳＳ400**である。

問題12 誤り
　ＳＭ490Ａは、**溶接構造用圧延鋼材**である。490の数値は、**引張強さの下限値が**490N/mm²であることを表している。JIS G 3106。

問題13 誤り
　ＳＮ400Ａは、**建築構造用圧延鋼材**の一種である。JIS G 3136。
　【関連】建築構造用圧延鋼材は、ＳＮ材と呼ばれ、JISにより建築物固有の要求性
　　　　能を考慮して規格化された鋼材である。

問題14 正しい
　ＳＤ345は、**鉄筋コンクリート用棒鋼（異形棒鋼）**の一種である。数値345は、**降伏点の下限値が**345N/mm²であることを表している。JIS G 3112。

問題15 誤り
　鋼材の引張強さは、温度の上昇に伴い、**200～300℃程度で最大**となり、それ以上の温度になると急激に低下し、500℃で常温時の約1/2、600℃では1/3となる。

問題16 正しい
　鋼材の**線膨張係数**（1/℃）は、約0.00001（1×10^{-5}）なので、鋼材の温度が10℃上がると膨張する割合は、0.00001×10＝0.0001（1×10^{-4}）となる。したがって、長さ10m（＝10,000mm）の棒材の伸びる長さは、10,000mm×0.0001＝1mmである。
　【関連】鋼材の**線膨張係数**は、常温において、**普通コンクリートの線膨張係数**とほ
　　　　ぼ**等しい**。

問題17 誤り
　温度が上昇すると、鋼材の**ヤング係数**及び**降伏点は低下**する。

問題18 正しい
　鋼材の**引張強さ**は、炭素含有量が**0.8%**前後のとき**最大**となる。

問題19 正しい
　鋼材の**焼入れ効果**は、**強さ・硬さ・耐摩耗性は増す**が、もろくなり、**ぜい性的な破壊性状**を示すようになる。

問題20 正しい
　鋼材の比重は7.85、アルミニウム材の比重は2.7である。したがって、**鋼材の比重は、アルミニウム材の約3倍**である。

▌セメント・骨材・コンクリート▐

問題1
　セメントは、湿潤状態において硬化が進行し、強度が増大する気硬性材料である。

問題2
　早強ポルトランドセメントは、普通ポルトランドセメントに比べて、より細かい粉末で、水和熱が大きいので、早期に強度を発現する。

問題3
　中庸熱ポルトランドセメントは、普通ポルトランドセメントに比べて、水和熱や乾燥収縮が小さく、ひび割れが生じにくい。

問題4
　高炉セメントを用いたコンクリートは、普通ポルトランドセメントを用いたコンクリートに比べて、化学的侵食作用に対する抵抗性が劣っている。

問題5
　コンクリート調合設計における強度の大小関係は、調合強度＞調合管理強度＞品質基準強度＞設計基準強度となる。

問題6
　コンクリートの中性化は、コンクリート中の水和生成物が空気中の二酸化炭素と徐々に反応することにより生じる。

問題7
　スランプが小さいコンクリートほど、一般に、分離しやすくなる。

問題8
　コンクリートの圧縮強度は、一般に、水セメント比が大きいものほど大きい。

問題9
　コンクリートのヤング係数は、圧縮強度が大きいものほど小さい。

問題10
　コンクリートの線膨張係数は、常温時においては、鉄筋の線膨張係数とほぼ等しい。

問題11
　コンクリートの引張強度は、圧縮強度の1/10程度である。

問題12
　コンクリートの強度の大小関係は、圧縮強度＞曲げ強度＞引張強度である。

問題13
　コンクリートの乾燥収縮は、一般に、単位水量が多いほど、水セメント比が大きいほど小さくなる。

問題14
　コンクリートの中性化の進行は、一般に、水セメント比が小さいものほど遅い。

問題15
　ＡＥ剤を用いたコンクリートは、一般に、ワーカビリティーは良好になるが、耐久性は低下する。

Ⅲ　建築構造

問題1 誤り

　セメントは、水と化学反応を起こして凝結し、硬化が進行する**水硬性材料**である。

問題2 正しい

　早強ポルトランドセメントは、普通ポルトランドセメントより粉末が細かく、水和熱が大きいので、**早期に強度を発現**する。

問題3 正しい

　中庸熱ポルトランドセメントは、普通ポルトランドセメントより水和熱や乾燥収縮が小さいので、**ひび割れ**が**生じにくい**。

問題4 誤り

　高炉セメントは、普通ポルトランドセメントより酸類、海水、下水などによる**侵食に対する抵抗性**や**耐熱性**が**大きい**。また、普通ポルトランドセメントより早期の強度は小さいが、長期の強度は大きい。

問題5 正しい

　コンクリートの品質基準強度（F_q）は、**品質の基準**として定める強度で、**設計基準強度**（F_c）と**耐久設計基準強度**（F_d）のいずれか**大きいほう**の値とする。

　調合管理強度（F_m）は、調合を定めるための強度であり、**構造体コンクリート**の強度が**品質基準強度**（F_q）を満足するように、**品質基準強度を補正して割り増しし**た強度である。

　また、**コンクリートの調合強度**（F）は、**コンクリートの調合**を定める場合に目標とする**平均の圧縮強度**のことであり、**調合管理強度**に調合による強度のばらつきを考慮して割り増しした強度である。

　よって、コンクリートの調合設計における強度の大小関係は、「**調合強度**（F）**＞調合管理強度**（F_m）**＞品質基準強度**（F_q）**＞設計基準強度**（F_c）」となる。JASS 5。

問題6 正しい

　コンクリートの中性化とは、セメントの水和反応によって生じた強アルカリ性の水酸化カルシウム（$Ca(OH)_2$）が、空気中の炭酸ガス（CO_2）と化合し、炭酸カルシウム（$CaCO_3$）に変化して、アルカリ性が低下する現象をいう。

問題7 誤り

　一般に**スランプ**を**大きく**していくと、耐久性の低下、乾燥収縮の増大だけでなく、**コンクリートが分離しやすくなる**などの悪影響が生じてくる。

問題8 誤り

　水セメント比（質量比W/C）が**大きい**ものほど単位水量が多いので、一般に、**強度**が**小さく**なる。

問題9　誤り

図は、コンクリートの応力度 σ － ひずみ度 ε 曲線であり、ヤング係数 E は、勾配(傾き α)で表される。

$E = \sigma / \varepsilon$

コンクリートの強度が**大きい**ものほど、同じ応力度でのひずみ度が小さいので、一般に傾き、つまり**ヤング係数**が**大きく**なる。

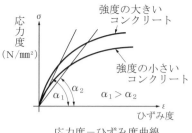

応力度－ひずみ度曲線

問題10　正しい

鋼材の線膨張係数とコンクリートの線膨張係数（ 1 /℃）はほぼ等しく、ともに 1 ×10^{-5}としている。鉄筋コンクリート構造計算規準。

問題11　正しい

コンクリートの長期許容応力度は、建築基準法施行令第91条から、次のようになる。

圧　縮：$f_c = F / 3$（N/mm^2）　　　F：設計基準強度（N/mm^2）

（$F = 21$N/mm^{2}以下の場合）

引張り：$f_t = F / 30$（N/mm^2）

したがって、コンクリートの**引張強度**は、一般に、**圧縮強度の 1 /10程度**である。

問題12　正しい

普通コンクリートの圧縮強度を100として、その他の強度の割合を示したのが、下表である。

圧　縮	引張り	曲　げ	せん断	付　着
100	8 ～13	15～25	15～25	15～25

圧縮強度＞曲げ強度＞引張強度である。

問題13　誤り、問題14　正しい

コンクリートは、乾燥に伴い、セメントペースト内部の自由水の一部が蒸発して収縮する。したがって、**乾燥収縮量**は、**単位水量**が多いものほど**大きく**なる。水セメント比が大きい＝単位水量が多くなり、乾燥収縮量は大きくなる。

逆に、**水セメント比が小さい**ものほど、**単位水量が少なく**なるので、**中性化**の進行は**遅く**なる。

問題15　誤り

混和剤（ＡＥ剤など）を用いたコンクリートは、一般に**ワーカビリティーと耐久性**が**改善**される。

その他の建築材料

check
問題1
テラゾブロックは、室内の床などに使用される。

check
問題2
大理石は、耐酸性・耐火性に強いので、一般に、屋外に適している。

問題3
check
強化ガラスは、フロート板ガラスの約3～5倍の強度を有し、加工後の切断により複雑な形状の開口部に適用することができる。

問題4
check
合わせガラスは、複数枚の板ガラスを専用スペーサーを用いて一定間隔に保ち、中空部に乾燥空気を封入したもので、断熱性が高く、ガラス表面の結露防止に有効である。

問題5
check
複層ガラスは、2枚の板ガラスを透明で強靭な中間膜で貼り合わせたもので、破損しても破片の飛散を防ぐことができる。

問題6
check
SSG（ストラクチュラル・シーラント・グレイジング）構法は、構造シーラントを用いて、板ガラスを支持部材に接着固定する構法である。

問題7
check
合成樹脂エマルションペイントは、耐アルカリ性に優れ、一般に、鉄鋼面の塗装に用いられる。

問題8
check
アルミニウムペイントは、熱線を反射し、素地材料の温度上昇を防ぐので、鉄板屋根や設備配管などの塗装に用いられる。

問題9
check
酢酸ビニル樹脂系の接着剤は、木質系下地材にプラスチック系床材を接着するのに効果がある。

問題10
  建築用シーリング材は、建築構成材の目地部分やサッシまわりの充てん等に用いられ、水密性、接着性及び変形に対する追従性などが要求される。

問題11
  ポリサルファイド系シーリング材は、コンクリート外壁のタイル張り目地に適している。

問題12
  石こうボードは、火災時に結合水が蒸発することによって熱を奪うので、防火性に優れている。

問題13
  けい酸カルシウム板は、耐火性に優れているので、鉄骨造の耐火被覆に適している。

問題14
  ロックウールは、耐熱性があるので、高温の場所における断熱材としても用いられる。

問題15
  グラスウールは、断熱性は高いが透湿性が大きいので、壁などの断熱材とする場合には、防湿材料と併せて用いられる。

問題16
  ＡＬＣパネルは、気泡コンクリートを用いた軽量なものであり、防水性に優れている。

問題17
  タイルのうわ薬には、表面からの吸水や透水を少なくする効果がある。

問題18
  ガルバリウム鋼板は、耐食性に優れ、防音材、断熱材を裏打ちしたものが、屋根や外壁材に使用される。

問題19
  チタン板は、一般に、耐久性、耐食性に優れ、銅板に比べて軽量である。

問題1　正しい

　テラゾブロックは、大理石や花こう岩の砕石粒と着色材・白色セメントを練り混ぜた上塗りモルタルと一般の骨材を使用した下塗モルタルを2層で加圧成形し、硬化後、研磨・つや出しをして仕上げたものである。**室内の壁・床仕上げ**に使用される。

問題2　誤り

　大理石は、酸に弱く、耐火性が低いので外装材に適さない。**内装材**として用いる。

問題3　誤り

　強化ガラスは、フロートガラスや熱線吸収ガラスに熱処理を施し、これらのガラスの**3〜5倍**の強度を有する加工ガラスである。万一ガラスが割れても破片が細粒状になり、大きな怪我になりにくい。なお、強化ガラスは、**強化加工後**は切断、小口処理、穴あけ、切欠き等の**加工はできない**ので、強化加工前に指定する。したがって、加工後の切断により所定の形状の開口部に適用することができない。

問題4　誤り

　合わせガラスは、複数の板ガラスを透明なプラスチックシートで張り合わせたもので、破損時の**破片の飛散防止**に有効である。

問題5　誤り

　複層ガラスは、通常**2枚**（特殊な場合は3枚）の板ガラスを**専用スペーサー**で等間隔に保ち、その**中空層**に**乾燥空気を封入**し、**断熱性**を**高めた**ガラスである。また、中空層の働きで室内側のガラスは冷えにくいため、ガラス面が**結露しにくく**なる。

問題6　正しい

　SSG構法は、構造（ストラクチュラル）シーラントという特殊なシーリング材を用いて、その接着力により金属支持部材に板ガラスを固定（グレイジング）する構法である。サッシを用いないのでフラットなガラスファサードが可能である。

問題7　誤り

　合成樹脂エマルションペイントは、水溶性で引火の危険がなく作業性もよい。耐水性、耐候性及び耐アルカリ性に優れており、一般に、**コンクリート面やモルタル面**の塗装に使用される。なお、鉄鋼面に適するのは、合成樹脂調合ペイントである。

問題8　正しい

　アルミニウムペイントは、熱線の反射が大きく素地材料の温度上昇を防ぐ効果があり、また、水分の浸透や気体の透過を抑制する機能があり、**鉄骨屋根（鉄板屋根）**、貯水槽の外面、**ダクトや配管**などに用いられている。JASS 18。

問題9　正しい

　酢酸ビニル樹脂系の接着剤は、**木質系下地**に対する適応性が高く、**プラスチック系床材**を接着するのに適している。

問題10・11　正しい

シーリング材は、カーテンウォール、サッシまわりなど建築物の目地まわりに充てんする合成樹脂である。

タイル張り壁の伸縮調整目地や建具枠などの取合い部に用いる目地は、温度変化等による伸縮、地震時などのムーブメントが考えられるので、シーリング材を使用する。建築用シーリング材は、JIS によりポリサルファイド系・シリコーン系など7種類がある。

問題12　正しい

せっこうは、火災時に結合水が蒸発して熱を奪うため、**防火性**に**優れている**。

問題13　正しい

けい**酸カルシウム板**は、けい酸カルシウム水和物を主原料とし、補強繊維を入れた板材。繊維強化セメント板の一種であり、**耐火性**に優れているので**鉄骨造**などの**耐火被覆**に適している。

問題14　正しい

ロックウールは岩綿ともいい、安山岩や玄武岩などの岩石を溶かして高圧空気を吹付け、急冷して繊維状としたもの。**軽量**で**断熱性、耐熱性、吸音性**に**優れている**。

問題15　正しい

グラスウール**断熱材**は、**断熱性は高い**が**透湿性が大きく**、**吸湿**すると**断熱性が低下**するので、湿度の高い場所における断熱材として用いない。壁などの断熱材とする場合には、**防湿材料と併せて**用いられる。

問題16　誤り

ＡＬＣパネルは、気泡コンクリートを用いた軽量で、**耐熱性・耐火性に優れ**、内外壁、屋根、床材などに使用される。なお、**吸水性・吸湿性**があるので**防止処理**が必要である。

問題17　正しい

かわらやタイルの**うわ薬**には、表面からの吸水や透水を少なくする効果がある。

問題18　正しい

ガルバリウム**鋼板**は、金属鋼板をアルミニウム・亜鉛・シリコンでメッキしたもので、優れた**耐食性・耐熱性**から建材として広く使用されている。防音材、断熱材を裏打ちしたものが、屋根や外壁材に使用される。

問題19　正しい

チタン板は、耐久、耐食性が非常によく、強度もある。ただし、高価なこと、加工性が劣るのが欠点である。銅板（密度：8.93g/㎤）に比べてチタン板（密度：4.51g/㎤）は軽量である。

No. 1 　図のような形状の断面A ～断面Dの断面二次モーメントに関する次の記述のうち、**最も不適当な**ものはどれか。ただし、X軸及びY軸まわりの断面二次モーメントをそれぞれI_X、I_Yとする。

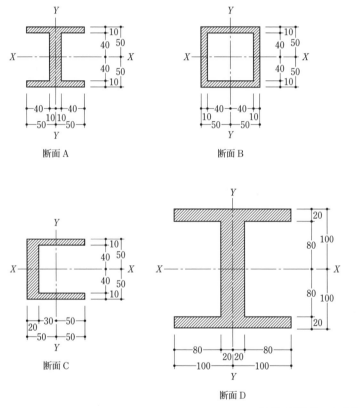

断面 A

断面 B

断面 C

断面 D

(寸法の単位はmmとする。)

1. 断面AのI_Yは、断面AのI_Xの0.5倍よりも小さい。
2. 断面BのI_Xは、断面AのI_Xと等しい。
3. 断面CのI_Xは、断面AのI_Xと等しい。
4. 断面CのI_Yは、断面AのI_Xと等しくない。
5. 断面DのI_Xは、断面AのI_Xの8倍と等しい。

No. 2　図のような等分布荷重を受ける幅300mmの矩形断面の単純梁において、A点の最大曲げ応力度が10N/mm²となるときの梁のせいの値として、**最も近い**ものは、次のうちどれか。ただし、部材の断面は一様とし、自重は無視するものとする。

1. 210 mm
2. 300 mm
3. 420 mm
4. 600 mm
5. 840 mm

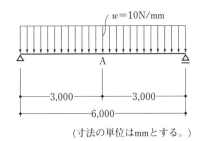

（寸法の単位はmmとする。）

No. 3　図−1のような荷重を受ける単純梁において、曲げモーメント図が図−2となる場合、C−D間のせん断力の大きさとして、**正しい**ものは、次のうちどれか。

1. 0 kN
2. 5 kN
3. 30 kN
4. 45 kN
5. 90 kN

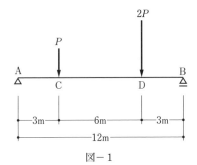

図−1

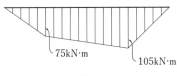

図−2

No. 4 図のような外力を受ける静定ラーメンにおいて、D点の曲げモーメントが0となる鉛直荷重Pの値として、**正しい**ものは、次のうちどれか。ただし、鉛直荷重Pの向きは、下向きを「+」、上向きを「-」とする。

1. - 2 kN
2. - 1 kN
3.   0 kN
4. + 1 kN
5. + 2 kN

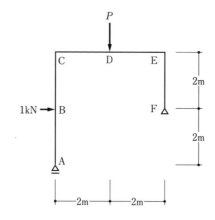

No.**5**　図のような外力を受ける静定トラスにおいて、部材A、B、Cに生じる軸方向力の組合せとして、**正しい**ものは、次のうちどれか。ただし、軸方向力は、引張力を「＋」、圧縮力を「－」とする。

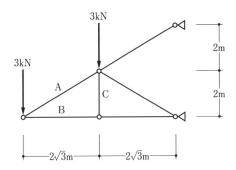

	A	B	C
1.	－ 6 kN	＋√3 kN	－ 3 kN
2.	－ 6 kN	＋ 3√3 kN	＋ 3 kN
3.	＋ 6 kN	－ 3√3 kN	0 kN
4.	＋ 6 kN	－√3 kN	0 kN
5.	＋ 6 kN	＋ 3√3 kN	0 kN

No. 6　図のような材の長さ、材端又は材の中央の支持条件が異なる柱A、B、Cの弾性座屈荷重をそれぞれP_A、P_B、P_Cとしたとき、それらの大小関係として、**正しいもの**は、次のうちどれか。ただし、全ての柱の材質及び断面形状は同じものとする。

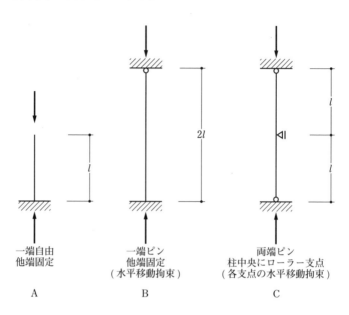

A	B	C
一端自由 他端固定	一端ピン 他端固定 (水平移動拘束)	両端ピン 柱中央にローラー支点 (各支点の水平移動拘束)

1. $P_A > P_B > P_C$
2. $P_A = P_C > P_B$
3. $P_B > P_A = P_C$
4. $P_C > P_A = P_B$
5. $P_C > P_B > P_A$

No. 7 構造計算における荷重及び外力に関する次の記述のうち、**最も不適当**なものはどれか。

1. 百貨店における床の単位面積当たりの積載荷重の大小関係は、一般に、「売場」＜「売場に連絡する廊下」である。

2. 屋根の積雪荷重は、屋根に雪止めがある場合を除き、その勾配が45度を超える場合においては、零とすることができる。

3. 風圧力の計算に用いるガスト影響係数G_fは、同じ地上高さの場合、一般に、地表面粗度区分がⅡよりⅢのほうが大きくなる。

4. 建築物の屋根版に作用する風圧力と、屋根葺き材に作用する風圧力とは、それぞれ個別に計算する。

5. 沖積粘性土の下層面が地盤面下15m以下である地域については、一般に、杭周面の「負の摩擦力」の検討を行う必要がある。

No. 8 構造計算における設計用地震力に関する次の記述のうち、**最も不適当**なものはどれか。

1. 振動特性係数R_tの算出のための地盤種別について、建築物の基礎底部の直下の地盤の大部分が、腐植土や泥土等で構成された沖積層で、その深さがおおむね30m以上である場合、第三種地盤とする。

2. 建築物の設計用一次固有周期（単位s）は、鉄骨造の場合、一般に、建築物の高さ（単位m）に0.03を乗じて算出する。

3. 振動特性係数R_tは、同一の地盤種別の場合、一般に、建築物の設計用一次固有周期が長くなるほど大きくなる。

4. 許容応力度等計算において、地盤が著しく軟弱な区域として指定された区域内における木造の建築物の標準せん断力係数C_0は、原則として、0.3以上とする。

5. 建築物の地上部分の各階における地震層せん断力係数C_iは、一般に、上階になるほど大きくなる。

No. 9 　地盤及び基礎構造に関する次の記述のうち、**最も不適当な**ものはどれか。

1. 基礎形式の設定に当たっては、地盤工学的問題を基礎形式で対応する場合、基礎形式は1つに限定せず複数の選択肢を考慮する。
2. 基礎梁の剛性を大きくすることは、一般に、不同沈下の影響を減少させるために有効である。
3. 液状化とは、振動・衝撃等による間隙水圧の上昇によって、水で飽和した粘性土が、せん断抵抗を失う現象である。
4. PHC杭とは、遠心力成形された中空円筒形をした工場生産の高強度コンクリート杭である。
5. 直接基礎の鉛直支持力の算定方法には、原地盤の地盤定数を推定して支持力式を用いる方法、平板載荷試験による方法等がある。

No. 10 　木造建築物の用語とその説明との組合せとして、**最も不適当な**ものは、次のうちどれか。

1. 散りじゃくり ―――― 塗壁と周囲の木部との接触部分において、塗壁の乾燥・収縮により、隙間ができるのを防ぐ目的で設ける溝
2. 方づえ ―――――― 鉛直構面の柱と横架材の交点の入隅部分において、柱と横架材を斜めに結んで隅を固める部材
3. 召合せ ―――――― 同一平面内にある「引分け戸や両開き戸の出会う部分」や「引違い戸の重なり合う部分」
4. 胴縁 ――――――― 天井材を止め付けるための下地部材
5. 登り淀 ―――――― 切妻屋根のけらば部分において、屋根勾配に沿って軒先から棟まで傾斜している部材

No. 11 木質構造の接合に関する次の記述のうち、**最も不適当な**ものはどれか。

1. 木材の比重は、一般に、接合部の接合耐力に影響を与える。
2. 追掛け大栓継ぎは、断面が大きい梁・桁などの横架材を、材軸方向に継ぐ場合に用いられる。
3. 接合部の木材の含水状態が、使用環境条件下において、接合具に錆を生じさせるおそれのある場合には、耐用年数に応じた防錆処理を施す。
4. ボルト接合においては、一般に、接合部が降伏する前に、木材に割裂、せん断、引張り等による脆性的な破壊が生じないようにする。
5. 木ねじ接合部は、ねじ部の存在により、一般に、釘接合部に比べて変形性能が大きい。

No. 12 枠組壁工法による2階建ての住宅に関する次の記述のうち、**最も不適当な**ものはどれか。

1. 耐力壁線に設ける開口部の幅は4m以下とし、かつ、その開口部の幅の合計はその耐力壁線の長さの$\frac{3}{4}$以下とする。
2. 耐力壁線相互の距離は、12m以下とする。
3. 外壁の耐力壁線相互の交差部の一方には、一般に、長さ90cm以上の耐力壁を設ける。
4. 耐力壁の壁材としてせっこうボードを張り付けるための釘には、一般に、CN50を使用する。
5. 耐力壁の隅角部を構成する隅柱は、一般に、3本以上のたて枠で構成する。

No. 13 平家建ての補強コンクリートブロック造の建築物に関する次の記述のうち、**最も不適当な**ものはどれか。

1. 軒の高さは、4.0m以下とする。
2. 補強ブロック組積体の許容圧縮応力度の大きさは、A種 < B種 < C種である。
3. 壁厚150mmの耐力壁の縦筋は、壁体内で重ね継ぎしてはならない。
4. 壁量は、150mm/m²以上とする。
5. 両側に開口部のある耐力壁の長さ（実長）は、450mm以上、かつ、耐力壁の有効高さの25%以上とする。

No. 14 鉄筋コンクリート構造に関する次の記述のうち、**最も不適当な**ものはどれか。

1. コンクリートの曲げひび割れ幅は、一般に、鉄筋応力が一定であれば、コンクリートのかぶり厚が厚いほど、また、鉄筋径が太いほど大きくなる。
2. あばら筋は、一般に、梁の「ひび割れの伸展の防止」や「せん断終局強度及び靱性の確保」に有効である。
3. 耐震壁の壁板のせん断補強筋比は、直交する各方向に関して、それぞれ0.25%以上とする。
4. 柱は、一般に、負担している軸方向圧縮力が大きくなると、靱性が大きくなる。
5. 耐震壁周辺のスラブや吹抜け部周囲のスラブなどは、地震時の面内せん断力が伝達可能なスラブ厚とする。

No. 15 図のように配筋された柱のせん断補強筋比 p_w を求める式として、正しいものは、次のうちどれか。ただし、地震力は、図に示す方向とする。

凡例
a_t　　　：主筋1本当たりの断面積
a_w　　　：せん断補強筋1本当たりの断面積
D_X、D_Y：柱の幅
s　　　　：せん断補強筋の間隔

1. $p_w = \dfrac{2a_w}{D_X s}$

2. $p_w = \dfrac{2a_w}{D_Y s}$

3. $p_w = \dfrac{3a_w}{D_X s}$

4. $p_w = \dfrac{3a_w}{D_Y s}$

5. $p_w = \dfrac{3a_t}{D_X D_Y}$

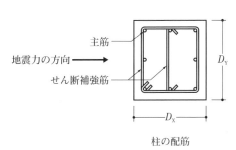

柱の配筋

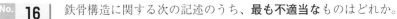

No. 16 鉄骨構造に関する次の記述のうち、**最も不適当な**ものはどれか。

1. 許容圧縮応力度の算定は、細長比によって規定されており、幅厚比にはよらない。

2. 曲げを受ける角形鋼管は、横座屈を考慮する必要はない。

3. 埋込み形式の柱脚において、埋込み深さは、柱の見付け幅のうち大きいほうの柱幅とすることができる。

4. 構造用鋼材の短期許容応力度は、圧縮、引張り、曲げ、せん断の長期許容応力度のそれぞれの数値の1.5倍である。

5. 十分な量のスチフナーを設けることで、ウェブの局部座屈を防止することができる。

No. 17 鉄骨構造の接合に関する次の記述のうち、**最も不適当なもの**はどれか。

1. 隅肉溶接の有効長さは、まわし溶接を含めた溶接の全長として算出する。
2. 柱梁接合部において、スカラップは、応力集中により部材の破断の原因となることがあるので、スカラップを設けない方法もある。
3. 高力ボルト摩擦接合のせん断耐力は、ボルト締付け力と摩擦面の状態によるすべり係数によって決まる。
4. 高力ボルト摩擦接合において、摩擦面のすべり係数など表面条件が同じ場合、二面摩擦の許容せん断力は、一面摩擦の許容せん断力の2倍とする。
5. 高力ボルトの接合において、ボルト孔の中心間の距離は、公称軸径の2.5倍以上とする。

No. 18 建築物の耐震設計、構造計画等に関する次の記述のうち、**最も不適当なもの**はどれか。

1. 建築物の耐震設計は、稀に生じる（中程度の）地震動に対して損傷による性能の低下を生じないことを確かめる一次設計と、極めて稀に生じる（最大級の）地震動に対して崩壊・倒壊等しないことを確かめる二次設計から構成される。
2. 鉄筋コンクリート造の建築物では、一般に、躯体にひび割れが発生するほど固有周期が長くなる。
3. 建築物の各階で重心と剛心の位置が一致しているが、剛性率が0.6未満の階がある場合には、地震時にねじれ振動が生じて損傷を受けやすい。
4. 鉄骨造の建築物について、極めて稀に発生する地震に対しては、一般に、鋼材が塑性域に入ることを許容しながら、保有耐力を発揮するまで接合部が破断しないことを確認する。
5. 木造軸組構法において、床組における床の面内の強度・剛性を高めるには、厚物の構造用合板を張るなどの方法がある。

No. 19 建築物の耐震診断、耐震補強等に関する次の記述のうち、**最も不適当なもの**はどれか。

1. 既存の鉄筋コンクリート造の建築物の耐震診断における第2次診断法は、主として梁降伏型となる建築物の耐震性能を評価するための手法である。
2. 既存の補強コンクリートブロック塀の耐震診断において、横筋や縦筋の状況等を確認し、「壁本体」の一体性だけでなく、「壁本体と控壁との間」や「壁と基礎との間」の一体性についても評価する。
3. 既存の木造住宅の耐震補強において、上下階の耐力壁や隅柱の位置を一致させたり、ピロティ部分の補強を行ったりすることは、建築物の一体性を確保するのに有効である。
4. 既存建築物の耐震補強において、部材の補強だけでは目標とする耐震性能を確保できない場合には、免震構造の採用や地震荷重を減らす方法等も有効である。
5. あと施工アンカーを用いた補強壁の増設工事において、新設するコンクリートの割裂を防止するために、アンカー筋の周辺にスパイラル筋等を設けることが有効である。

No. 20 建築材料として使用される木材及び木質材料に関する次の記述のうち、**最も不適当な**ものはどれか。

1. 含水率が繊維飽和点以上の木材では、膨張・収縮が起こりにくい。
2. 木材の腐朽菌は、水分、温度、酸素及び養分の全ての条件がそろったときに繁殖する。
3. 雨にさらされる下見板や雨戸に木材を用いる場合において、表側が木裏となるように使用する。
4. 大断面の木材の炭化速度は、標準的な火災のもとでは、毎分0.6～0.7mm程度である。
5. 耐腐朽性及び耐蟻性が高い木材として、アカマツ、クロマツ、ベイツガ等がある。

Ⅲ
建築構造

No. 21 コンクリートに関する用語とその説明との組合せとして、**最も不適当なものは、次のうちどれか。**

1. ブリーディング ───────── コンクリートを打ち込んだ直後から、練混ぜ水の一部が分離して、コンクリートの上面に上昇する現象

2. エフロレッセンス(白華) ───── コンクリート中の炭酸カルシウムなどがコンクリートの表面に析出した、白色の物質

3. 中性化 ──────────── 骨材がセメントペースト中に含まれるアルカリ成分と化学反応を起こし、水分を吸収して膨張することによって、コンクリートにひび割れを生じさせる現象

4. クリープ ───────── 一定の外力が継続して作用したときに、時間の経過とともにひずみが増大する現象

5. プラスティック収縮ひび割れ ── コンクリートが固まる前に、コンクリートの表面が急激に乾燥することによってひび割れが生じる現象

No. 22 コンクリートの材料に関する次の記述のうち、**最も不適当な**ものはどれか。

1. フライアッシュを使用することにより、フレッシュコンクリートのワーカビリティーを良好にすることができる。
2. コンクリートの水素イオン濃度(pH)は、12〜13程度のアルカリ性を示すので、鉄筋の腐食を抑制する効果がある。
3. 骨材の粒径は、均一であるより、小さな粒径から大きな粒径までが混ざり合っているほうが望ましい。
4. 高炉セメントB種を用いたコンクリートは、圧縮強度が同程度の普通ポルトランドセメントを用いたコンクリートに比べて、湿潤養生期間を短くすることができる。
5. 高性能AE減水剤の使用により、単位水量を低減させるとともに、優れたスランプ保持性能を発揮させることができる。

No. 23 鋼材に関する次の記述のうち、**最も不適当な**ものはどれか。

1. 鋼材は、一般に、炭素含有量が多くなると、溶接性が向上する。
2. 軟鋼は、炭素量が約0.15〜0.3%の炭素鋼であり、建築用の構造用鋼材として用いられる。
3. 常温において、SN400材のヤング係数とSN490材のヤング係数は、同じである。
4. 鋼材の引張強さは、一般に、温度が200〜300℃程度で最大となり、それ以上の温度になると急激に低下する。
5. 鋼材の密度は、コンクリートや木材よりも大きい。

No. 24 建築材料に関する次の記述のうち、**最も不適当な**ものはどれか。

1. 珪藻土（けいそう）を素材とした左官材料は、一般に、軽量で耐火性及び断熱性に優れている。
2. テラゾブロックは、壁や床などの内装材として用いられる。
3. 粘板岩（天然スレート）は、容易に層状に割裂できるので、屋根材などに用いられる。
4. 花こう岩は、高温でも火害を受けにくいので、耐火被覆材として用いられる。
5. 安山岩は、板状で硬いので、外構の床材などに用いられる。

No. 25 建築材料に関する次の記述のうち、**最も不適当な**ものはどれか。

1. 酢酸ビニル樹脂系接着剤は、耐水性、耐熱性に優れているので、屋外における使用に適している。
2. けい酸カルシウム板は、不燃材料であり、断熱性が高いので、防火構造や耐火構造の天井・壁に使用される。
3. シアノアクリレート系接着剤は、被着体表面の微量の水分と接触して瞬間的に硬化するので、迅速な作業が求められる場合に用いられる。
4. ステンレスシートは、屋根や庇（ひさし）の防水層に用いられる。
5. 押出成形セメント板は、中空のパネルであり、断熱性や遮音性に優れているので、外壁等に使用される。

学科Ⅲ（建築構造）　解答番号

[No. 1]	5	[No. 2]	2	[No. 3]	2	[No. 4]	5	[No. 5]	3
[No. 6]	5	[No. 7]	2	[No. 8]	3	[No. 9]	3	[No. 10]	4
[No. 11]	5	[No. 12]	4	[No. 13]	5	[No. 14]	4	[No. 15]	2
[No. 16]	3	[No. 17]	1	[No. 18]	3	[No. 19]	1	[No. 20]	5
[No. 21]	3	[No. 22]	4	[No. 23]	1	[No. 24]	4	[No. 25]	1

学 科 IV 建築施工

● 建築施工 出題一覧（直近10年間）●

分類項目	項目	平27年	平28年	平29年	平30年	令元年	令2年	令3年	令4年	令5年	令6年
工事監理・施工業務	施 工 計 画	1	1		1			1		1	1
	ネットワーク工程表		1			1	1		1		
	安 全 衛 生 管 理	2	2	1	2	2	2	1	2	2	1
	材 料 管 理	1		1		1		1	1		
	工 事 監 理 業 務		1					1			1
	渉 外 諸 手 続 き		1		1		1		1		1
各部工事	仮 設 工 事	1	1	1	1	1	1	1	1	1	1
	地 盤 調 査	1		1			1				
	土工事・基礎地業工事	1	2	1	2	2	1	2	2	2	2
	鉄 筋 工 事	2	1	1	1	1	1	1	1	1	1
	型 枠 工 事	1	1	1	1	1	1	1	1	1	1
	コンクリート工事	1	2	1	2	2	2	2	2	2	1
	鉄 骨 工 事	2	2	2	2	2	2	2	2	2	2
	コンクリートブロック工事	1	1	1			1		1		1
	木 工 事	2	2	2	2	2	2	2	2	2	2
	防 水・屋 根 工 事	1	1	1	1	1	1	1	1	1	1
	左 官 工 事										
	タイル・張石工事									1	
	塗 装 工 事	1	1	1	1	1	1	1	1	1	1
	建具・ガラス工事										
	内 装・断 熱 工 事										
	設 備 工 事	1	1	1	1	1	1	1	1	1	1
	改 修 工 事	1	1	1	1	1	1	1	1	1	1
	各種工事融合	2	2	2	3	3	2	3	2	2	2
用語機械	工 法・用 語	1※	1		1						
	機 械・器 具		1					1			
建 築 積 算		1	1	1	1	1	1	1	1	1	1
測 量				1		1		1			
工事契約	請 負 契 約	1	1	1	1	1	1	1	1	1	1
	契 約 図 書										
合　　　計		25	25	25	25	25	25	25	25	25	25

※平27年は用語・機械と測量の組合せで1問出題

工事契約

〔請 負 契 約〕

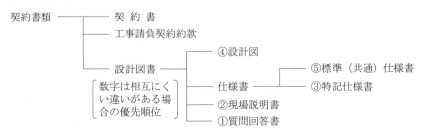

- ●契約書の内容：工事内容、請負金額と支払方法、着工と完成の時期、不可抗力による損害負担、紛争の解決方法など
- ●仕様書の内容：図面で表現できない材料の規格、品質、仕上げの程度、工法など

問題 1

次の記述について、**正しいか、誤っているか、判断しなさい**。

▌仕 様 書▐

問題 1
　仕様書は、設計図とともに工事請負契約書に添付される書類の一部である。

問題 2
　仕様書は、図面では表すことのできない事項を文章等で示している。

問題 3
　仕様書には、材料の品質や性能について記載することができる。

check **問題4**

　仕様書の記載内容には、構造計算の方法が指定されているが、工事費の内訳明細は記載されていない。

check **問題5**

　建築工事の設計図書間に相違がある場合の一般的な優先順位（高 → 低）は、現場説明書 → 特記仕様書 → 設　計　図 → 標準仕様書である。

▍ 工事請負契約約款 ▍

check **問題6**

　現場代理人は、主任技術者を兼ねる事が出来ない。

check **問題7**

　通常、請負工事中の出来形部分と工事現場に搬入した工事材料・建築設備の機器などに火災保険を掛ける者は、受注者である。

check **問題8**

　受注者は、工事材料の品質が設計図書に明示されていない場合は、中等の品質を有するものとすることができる。

check **問題9**

　受注者は、発注者の書面による承諾を得ずに、請け負った工事を一括して第三者に請け負わせてはならない。

▍ 工事請負契約書類 ▍

check **問題10**

　請負契約書には、主任技術者の氏名及び資格についても記載しなくてはならない。

check **問題11**

　請負契約書には、天災その他の不可抗力による損害の負担や設計変更に伴う請負代金の額の変更についても記載しなくてはならない。

check **問題12**

　請負契約書には、契約に関する紛争の解決方法についても記載しなくてはならない。

check **問題13**

　請負契約書には、工事着手及び工事完成の時期、請負代金の支払に関することを記載しなくてもよい。

IV 建築施工

解 説

問題1　正しい

　工事契約書類は、契約書、工事請負契約約款及び添付の設計図書（契約図書）である。設計図書は、設計図及び仕様書をいい、**現場説明書**及び**質問回答書**を含む。民間(七会)連合協定「工事請負契約約款」第1条の2。

　したがって、**仕様書は設計図書に含まれるため、工事請負契約書類にも含まれる**ことになる。

契約書類の構成

契約書類	契約書	
	工事請負契約約款	
	設計図書	設計図
		仕様書
		現場説明書
		質問回答書

問題2・3　正しい

　仕様書は、**設計図で表すことのできない施工上の規定事項を文章で表現したもの**で、記載される一般的な内容は、次のとおりである。

① **材料の種類・品質**・使用方法

② 施工の順序・方法・仕上程度

③ 一般共通事項（工事概要の明示、注意事項、各種の検査、施工関係者の権利・義務など各工事に共通な事項）

問題4　誤り

　仕様書には、一般に**構造計算の方法**の指定は**含まれない**。また、**工事費の内訳明細**などは、施工業者の工事運営上の内部資料であり、施主に明示するための資料ではない。仕様書には**記載しない**。

問題5　正しい

　すべての設計図書は、相互に補完するものとする。ただし、設計図書間に相違がある場合の優先順位は、原則として、次の①から⑤の順番のとおりとする。

① 現場説明に対する**質問回答書**

② **現場説明書**

③ **特記仕様書**

④ 図　　面**(設計図)**

⑤ **標準仕様書**

問題6　誤り

　主任技術者（又は**監理技術者**もしくは**監理技術者補佐**）、**専門技術者**及び**現場代理人**は、これを**兼ねることができる**。民間(七会)連合協定「工事請負契約約款」第10条。

問題7　正しい

受注者は、請負工事中の出来形部分と工事現場に搬入した**工事材料**などに**火災保険**をかけ、その証券の写しを発注者に提出する。民間（七会）連合協定「工事請負契約約款」第22条。

問題8　正しい

工事材料・建築設備の機器の品質については、設計図書についてその品質が明示されていないものがあるときは、**中等の品質**のものとする。民間（七会）連合協定「工事請負契約約款」第13条。

問題9　正しい

発注者の書面による承諾がなければ、**一括下請負としてはならない**。建設業法第22条（一括下請負の禁止）、民間（七会）連合協定「工事請負契約約款」第5条。

問題10　誤り
問題11・12　正しい、問題13　誤り

建築工事の**請負契約書**に記載しなければならない事項は、建設業法第19条（建設工事の請負契約の内容）第1項に示されている。

「**主任技術者の氏名および資格に関すること**」は、建設業法第19条1項各号には示されていないので、契約書に**記載しなくてもよい**。

主な記載内容は、
- 工事内容
- 請負代金の額
- **工事着手の時期及び工事完成の時期**
- 天災その他の不可抗力による**損害の負担**
- 工事完成後における**請負代金の支払の時期及び方法**
- 契約に関する**紛争の解決方法**

などである。

工事監理・施工業務

① 工事監理業務

● **工事監理者(建築士)の職務**
　○説明図・詳細図を施工者へ交付（設計意図を伝える）
　○施工計画、施工図、材料、設備などの検討、承諾、助言
　○施工についての指示、立会い
　○引き渡し時の立会い
　○関連他工事との連絡、調整

② 施工計画

① 　施工計画→原則として、工事の着手に先立ち検討する計画
② 　施工計画に含まれないもの
　●着工後の作業（詳細図・資材の発注）
　●監理者に明示する必要がない書類（資金計画）
　●確認申請手続き

施工計画	●施工計画をたてるに当たって、隣接建物など周囲の状況を十分調査する。 ●施工計画の時間的要素を検討するために、工程表を作成する。 ●施工計画に当たり、工事協力業者の選定を行う。

施工計画書	●工事の着手に先立ち、施工計画書(基本工程表、総合施工計画書及び主要な工事の工事種別施工計画書を含む)を施工者が作成し、監理者に提出する。

　　施工計画書の内容：工程、仮設、揚重、工法、労務、安全・衛生、品質、
　　　　　　　　　　　環境保全、養生

③ 工程計画

● **工程表作成時の注意点**
　①余裕を見込む
　②気候、風土、習慣などの影響
　③施工計画書、施工図・製作図の作成と承諾の時期
　④材料の準備・製作期間と現場搬入時期
　⑤各種試験の時期・期間
　⑥検査・施工の立会い時期
　⑦設備工事等その他の工事工程
　⑧仮設物の設置期間

● ネットワーク工程表

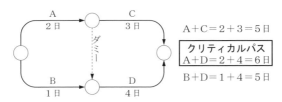

A + C = 2 + 3 = 5日

| クリティカルパス |
| A + D = 2 + 4 = 6日 |

B + D = 1 + 4 = 5日

① クリティカルパス：数あるパスのうち、全く余裕のないパス。工事全体の
　　　　　　　　　　最短時間
② トータルフロート：クリティカルパスからみて、その作業のもつ最大の余
　　　　　　　　　　裕時間
③ フリーフロート：後続作業との間に生ずる余裕時間

❹ 安全衛生管理

● 工事現場の主な安全・危害防止上の措置
　○深さ1.5m以上の根切り ──────── 山留めの検討
　○高さ2m以上での作業 ──────── 作業床の設置
　○3m以上の高所から物体投下 ──── 投下設備
　○足場（高さ5m以上）の組立・解体 ── 作業主任者の指揮
　○墜落の危険がある箇所 ──────── 高さ85cm以上の手摺等及び高さ
　　　　　　　　　　　　　　　　　　　35cm以上50cm以下の中桟等

❺ 材料管理

　○鉄　　　筋 ⇨ 受材の上に種類別に集積、シートで覆う
　○型　　　枠 ⇨ 直射日光を避ける
　○セメント ⇨ 気密性の高い倉庫で保管
　○アスファルトルーフィング ⇨ 屋内で立てて保管

受材

雨露・潮風などに
さらされないよう
に、シートなどで
おおう

ごみ・土・油など
が付着しないよう
にする

直接地上に置かない

種類ごとに断面をペイントなどで色分け

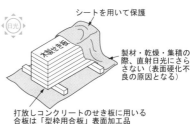

シートを用いて保護

製材・乾燥・集積の
際、直射日光にさら
さない（表面硬化不
良の原因となる）

打放しコンクリートのせき板に用いる
合板は「型枠用合板」表面加工品

雨露や直射日光をさける

砂付きルーフィングはラップ
部分を上にして1段積み

原則としてたて積み1段

湿気の少ない場所

次の記述について、**正しいか、誤っているか**、判断しなさい。

▌ 工事監理業務 ▌

check

問題1
監理者は、施工者の作成した工程表の内容を検討した。

問題2
監理者は、施工者の提出した請負代金内訳書の適否を検討した。

問題3
監理者は、工事材料が設計図書の内容に適合しているかどうかを検討した。

問題4
監理者は、各工事の専門工事業者と工事請負契約を締結した。

問題5
監理者は、施工者から建築主への工事請負契約の目的物の引渡しに立ち会った。

▌ 施工計画・工程計画 ▌

問題6
施工計画書は、仮設計画・安全衛生計画・品質計画などを記載し、施工順序・方法を具体的に示すものである。

問題7
工程表を作成するに当たっては、その土地の気候、風土、習慣等について考慮する。

問題8
施工計画をたてるに当たって、隣接建物など周囲の状況も十分調査する。

問題9
施工計画において、主要部位の詳細図を作成する。

問題10
工程表を作成するに当たり、工期の短縮を図る場合は、仕上工事の工程で行うようにする。

問題11
　総合施工計画書には、設計図書において指定された仮設物の施工計画に関する事項についても記載した。

問題12
　工事種別施工計画書には、工程表、品質管理計画書及びその他の必要事項を記載した。

▎ 安全衛生管理 ▎

問題13
　高さ５m以上の足場の組立て、解体は、作業主任者の指揮のもとに行う。

問題14
　掘削面の高さが2.5mの地山の掘削なので、作業主任者の指揮のもとに行った。

問題15
　深さが1.5mの根切り工事であったので、山留めの必要性を検討した。

問題16
　高さが２m以上の箇所で作業を行う場合は、足場を組み立てるなどの方法により作業床を設ける。

問題17
　高さが1.5mを超える箇所における作業については、安全に昇降するための設備を設けた。

IV　建築施工

【関連】
問題12　**工事種別施工計画書**は、工事の内容・品質に多大な影響を及ぼすと考えられる工事部分について、監理者と協議したうえで、必要工事部分について作成するもの。作成後は監理者の承認を受ける。

問題1　正しい
「工程表の検討及び報告」は、工事監理に関する「その他の標準業務」に該当する。令和6年国土交通省告示第8号。

問題2　正しい
「請負代金内訳書の検討及び報告」は、工事監理に関する「その他の標準業務」に該当する。令和6年国土交通省告示第8号。

問題3　正しい
「工事材料、設備機器等の検討及び報告」は、「施工図等を設計図書に照らして検討及び報告する業務」として、工事監理に関する「標準業務」に該当する。令和6年国土交通省告示第8号。

問題4　誤り
専門工事業者と工事請負契約を締結する業務は、**受注者（施工者）の業務**であり、工事監理業務ではない。

問題5　正しい
「工事請負契約の目的物の引渡しの立会い」は、工事監理に関する「その他の標準業務」に該当する。令和6年国土交通省告示第8号。

問題6　正しい
施工計画書は、工事の順序や方法などの施工計画を具体的に文書で示したもので、次のような事項を記載する。①工程計画　②**仮設計画**　③揚重計画　④工法計画　⑤**安全衛生計画**　⑥**品質計画**　⑦環境保全計画　⑧労務計画　⑨養生計画

問題7　正しい
工程表の作成に当たって考慮すべき主な事項は、①**気候、風土、習慣等**の影響　②施工計画書、製作図及び施工図の作成並びに承諾の時期　③主要材料等の現場搬入時期などである。建築工事監理指針。

問題8　正しい
施工計画の立案に当たっては、設計図書を検討するとともに、工事現場の敷地・地盤、その**周辺の状況**を調査する。

問題9　誤り
施工図、詳細図、原寸図などは、各種工事の施工に際して設計図書に不十分な部分がある場合に作成する図面である。したがって、**施工計画の段階では、主要部位の詳細図の作成は必要ない**。

問題10　誤り

　仕上工事は、天候に左右されることは少ないが、工事の種類や工程が多く、一つの工程が終了しないと次の工程に移れないなど工期が遅れがちであるので、工事をできるだけ重複させると共に工期を十分にとるように考慮する。仕上工事で工期の短縮を行ってはならない。なお、**工期の短縮**を図る場合は、**躯体工事**で行うのがよい。

問題11　正しい

　総合施工計画書は、工事期間中における工事敷地内の仮設資材や工事用機械の配置などを示したもので、工事がどのような過程で進捗するかを具体的に図面として示すものである。設計図書において指定された**仮設物等**がある場合は、総合施工計画書にその内容を**記述**し、**監理者の承認**を受ける必要がある。JASS 1。

問題12　正しい

　主要な工事(土工事、鉄筋コンクリート工事、鉄骨工事、左官工事等)については、**工程表**、品質管理計画書、施工要領書、その他の必要事項等が含まれた**工事種別施工計画書**を作成し、必要に応じて監理者と協議の上、承認を受ける。JASS 1。

問題13　正しい

　つり足場(ゴンドラのつり足場を除く)、張出し足場又は**高さが5m以上の構造の足場の組立て**、解体又は変更の作業には、**作業主任者**を選任し、その者に労働者の指揮を行わせる。労働安全衛生法第14条、労働安全衛生法施行令第6条第十五号。

問題14　正しい

　掘削面の高さが2m以上となる**地山の掘削**の作業には、**作業主任者**を選任し、その者に労働者の指揮を行わせる。労働安全衛生法施行令6条九号。

問題15　正しい

　深さ**1.5m以上**の**根切り工事**を行う場合は、地盤が崩壊するおそれがないとき等を除き、**山留め**を設ける。建築基準法施行令第136条の3第4項。

問題16　正しい

　事業者は、**高さが2m以上の箇所**(作業床の端、開口部等を除く)で作業を行なう場合において墜落により労働者に危険を及ぼすおそれのあるときは、足場を組み立てる等の方法により**作業床**を設けなければならない。労働安全衛生規則第518条1項。

問題17　正しい

　高さ又は深さが1.5mを超える箇所で作業を行うときは、原則として、当該作業に従事する労働者が**安全に昇降するための設備**等を設けなければならない。労働安全衛生規則第526条1項。

▌材料管理▌

check ☐☐☐
問題1
アスファルトルーフィングは、吸湿や折損を考慮して、屋内の乾燥した場所に立てて保管した。

check ☐☐☐
問題2
板ガラスは、振動等による倒れを防止するため、屋内に平置きにして保管した。

check ☐☐☐
問題3
砂は、泥土等が混入しないように周辺地盤より高いところに保管する。

check ☐☐☐
問題4
巻いたビニル壁紙は、くせがつかないように立てて保管した。

check ☐☐☐
問題5
セメントは、吸湿・風化を防止するために、出入口以外に開口部のない気密性の高い倉庫に保管した。

check ☐☐☐
問題6
打放しコンクリート型枠用合板は、直射日光に当て、十分に乾燥させてから保管した。

check ☐☐☐
問題7
鉄筋は、泥土が付かないように、受材の上に置き、シートで覆って保管した。

check ☐☐☐
問題8
高力ボルトは、乾燥した場所に保管し、施工直前に包装を解いた。

check ☐☐☐
問題9
ＡＬＣパネルは、反り、ねじれ等が生じないように、台木を水平に置き、その上に平積みにして保管した。

check ☐☐☐
問題10
合成樹脂調合ペイントが付着した布片は、水が入った容器に浸して保管した。

▌ 各 種 届 出 ▌

建築工事に関する申請・届出とその提出先の組合せについて、**正しい
か、誤っているか**、判断しなさい。

（渉外諸手続き）　　　　　　　　（提出先）

check

問題11
安全管理者選任報告書 ———————— 労働基準監督署長

check

問題12
道路占用許可申請書 ———————— 道路管理者

check

問題13
道路使用許可申請書 ———————— 警察署長

check

問題14
危険物貯蔵所設置許可申請書 ——— 消防署長

check

問題15
クレーン設置届 ———————————— 労働基準監督署長

check

問題16
建築物除却届 ———————————— 都道府県知事

check

問題17
完了検査申請書 ———————————— 建築主事又は指定確認検査機
関

Ⅳ 建築施工

問題1　正しい

アスファルトルーフィングは、雨露や直射日光を避け、湿気の影響を受けにくい場所に、耳がつぶれないように、**立て積み**で保管する。建築工事監理指針。

問題2　誤り

ガラスの保管は原則として**室内**とし、地震その他の振動による倒れを防止するため**ロープで縛り**、柱などの**構造躯体に緊結**しておく。また、平置きは避け、**立置き**とする。平置きでは特殊な機械設備がないと板ガラスを起こせなくなる。JASS 17。

問題3　正しい

砂・砂利の場合、床を**周辺地盤より高く**したり、水勾配を付けるなどの処理を行い、泥土等で汚れないように保管する。建築工事監理指針。

問題4　正しい

巻いた壁紙は、くせがつかないように**立てて保管**しなければならない。建築工事監理指針。

問題5　正しい

セメントは、非常に吸湿性が高く、空気中でも水分を吸収して風化作用を起こす。セメントの保管場所は、空気の流通を少なくするため、必要な出入口も大きさは最小限にするほか、なるべく、窓などの開口部を設けない構造とする。JASS 2。

問題6　誤り

打放しコンクリートの型枠を長時間直射日光にさらすと、セメントの硬化阻害物質の生成による**コンクリート表面の硬化不良の原因**になるおそれがあることと、紫外線による表面のいたみ、乾燥による吸水、コンクリート面の肌荒れなど好ましくないことが起こる。JASS 5。

問題7　正しい

鉄筋は、**台木**の上に、種類別に整頓して置き、防錆を考慮し、**雨、潮風にさらさないように**する。また、泥、油、ごみなどで汚さないようにする。JASS 5。

問題8　正しい

高力ボルトは、種類・等級・径・長さ・ロット番号ごとに区分し、雨水、じんあいなどが付着しない**乾燥した場所**に保管し、**施工直前に包装を解く**。JASS 6。

問題9　正しい

ＡＬＣパネルは、屋内の水平で乾燥した場所に、パネルに反り、ねじれ、ひび割れなどの損傷が生じないように**台木を水平に置き**、その上に整理して**積み重ねる**。最大積上げ高さは、2.0m以下とし、1.0m以下ごとに台木を設ける。JASS 21。

問題10　正しい

合成樹脂調合ペイント、さび止めペイント、フタル酸樹脂エナメルなどの残品や塗料かすおよび**使用後の布片**は**自然発火の可能性**が高く、これらのものは**水が入った金属製容器に入れる**などの措置が必要である。JASS 18。

問題11　正しい

安全管理者選任報告書は、**事業者**が**労働基準監督署長**に提出する。労働安全衛生規則第4条2項。

問題12　正しい

道路占用許可申請書は、**施工者**が**道路管理者**に提出する。道路法第32条。

問題13　正しい

道路使用許可申請書は、**施工者**が**警察署長**に提出する。道路交通法第77条1項。

問題14　誤り

危険物貯蔵所設置許可申請書は、**設置者**がその設置される区域により、<u>**都道府県知事、市町村長**に提出する</u>。消防法第11条。

問題15　正しい

クレーン設置届は、**事業者**が**労働基準監督署長**に提出する。クレーン等安全規則第5条。

問題16　正しい

建築物除却届は、**施工者**が**都道府県知事**に提出する。建築基準法第15条1項。

問題17　正しい

完了検査申請書は、**建築主**が**建築主事**又は**指定確認検査機関**に提出する。建築基準法第7条1項、同法第7条の2第1項。

下に示すネットワークによる工程表に関する次の記述のうち、**最も不適当な**ものはどれか。

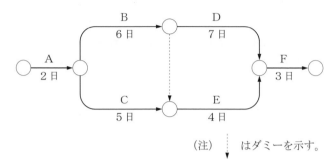

（注）┊ はダミーを示す。

1.　この工事全体は、最短15日で終了する。
2.　C作業の所要日数が１日増加しても、後続作業への影響はない。
3.　D作業の所要日数が４日減少すると、この工事全体の作業日数は、３日減少する。
4.　E作業のトータルフロート（その作業がとり得る最大余裕時間）は、３日である。
5.　E作業のフリーフロート（後続作業に影響せず、その作業で自由に使える余裕時間）は、３日である。

1.　工事全体の工期を決定するのは、クリティカルパスである。クリティカルパスは、最初の作業から最後の作業に至る最長パスをいう。

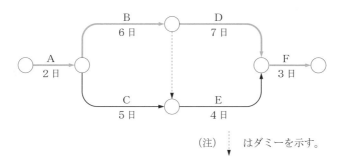

（注）⤓ はダミーを示す。

　各パスの所要日数を求める。
　A → B → D → F は、2 + 6 + 7 + 3 = 18日
　A → B → E → F は、2 + 6 + 4 + 3 = 15日
　A → C → E → F は、2 + 5 + 4 + 3 = 14日
　各パスの所要日数により、**クリティカルパス**は、**A → B → D → F** となり、この工事全体の作業日数は**18日**となる。

2.　C作業の後続作業Eは、ダミーによりB・C作業の両方が終了しなければ開始できない。B作業の所要日数は、C作業より1日多い6日であるから、C作業の所要日数が1日増加しても、後続作業Eへの影響はない。

3.　D作業の所要日数が4日減少して3日になると、A → B → D → F は、2 + 6 + 3 + 3 = 14日となり、クリティカルパスは、A → B → E → F となる。工事全体の作業日数は、15日となり18日から3日減少することになる。

4.　トータルフロート＝当該作業の最遅終了時刻−当該作業の最早終了時刻である。E作業の最遅終了時刻は、工事全体の作業日数を逆進して求めた18−3 = 15日であり、E作業の最早終了時刻は、A → B → E の 2 + 6 + 4 = 12日である。したがって、E作業のトータルフロートは、15日−12日＝3日となる。

5.　フリーフロート＝後続作業の最早開始時刻−当該作業の最早終了時刻である。E作業の後続作業Fの最早開始時刻は、A → B → D の 2 + 6 + 7 = 15日であり、E作業の最早終了時刻は、A → B → E の 2 + 6 + 4 = 12日である。したがって、E作業のフリーフロート＝15日−12日＝3日となる。

IV 建築施工

正答 ➡ ❶

地盤調査・測量

① 地盤調査の試験方法とその目的

- **土質試験**（粒度試験・一軸圧縮試験など）
  試料を採取し、その土の性質と分類を判断する。
- **ボーリング**
  地中に穴をあけ、各深さごとの土のサンプルを採取して、**地層の構成**を調査する。
- **サウンディング**
  ロッドにつけた抵抗体を地盤中に挿入し、貫入・回転・引抜きなどに対する抵抗から、土層の硬軟、締り具合又はその構成を調査する。**ベーン試験**、**スクリューウエイト貫入試験**（旧スウェーデン式サウンディング試験）などがある。
- **標準貫入試験**（動的貫入試験）
  標準貫入試験用サンプラーを **30 cm貫入**するのに必要な**打撃回数**（**N値**）を知ると同時に、土の試料採取を行う。
- **平板載荷試験**
  載荷板を用いて地盤に載荷し、荷重と沈下量の関係から**地耐力**を求める。
- **透水試験**
  地下水を揚水して、主に**透水性**を調べる試験（**地下水位を求める試験ではない**）。
- **物理探査**（電気探査など）
  電気探査は、電気抵抗などを利用し、地盤の構造、変化などを測定する。

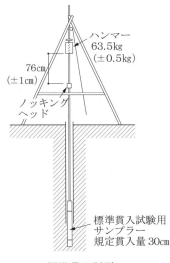

ハンマー
63.5kg
（±0.5kg）

76cm
（±1cm）

ノッキング
ヘッド

標準貫入試験用
サンプラー
規定貫入量30cm

標準貫入試験

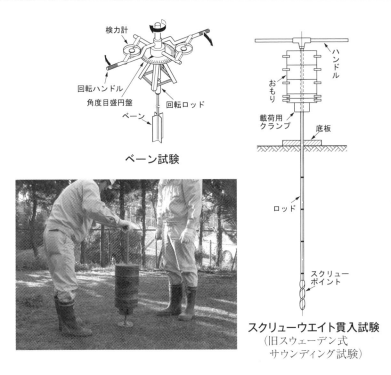

検力計

回転ハンドル

角度目盛円盤

ベーン

ベーン試験

ハンドル

おもり

載荷用
クランプ

底板

ロッド

スクリュー
ポイント

スクリューウエイト貫入試験
（旧スウェーデン式
サウンディング試験）

回転ロッド

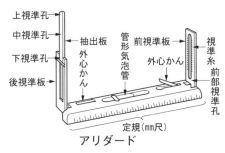

❷ 平板測量

- 現場で製図するので欠測がない
- 作業が簡単で所要時間が短い
- 高い精度は期待できない
- 天候に左右される
- 可視距離は50 m程度

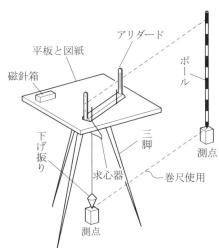

上視準孔

中視準孔

下視準孔

後視準板

抽出板
外心かん

管形気泡管

前視準板

外心かん

視準糸

前部視準板

前部視準孔

定規（mm尺）

アリダード

平板と図紙

アリダード

磁針箱

ポール

下げ振り

三脚

測点

求心器

巻尺使用

測点

<table>
<tr><td>問題
3</td><td>次の記述について、**正しいか、誤っているか、**判断しなさい。</td></tr>
</table>

▌地 盤 調 査 ▌

問題1
　標準貫入試験のN値とは、質量63.5±0.5kgのハンマーを76±1cm自由落下させ、標準貫入試験用サンプラーを30cm打込むのに要する打撃回数をいう。

問題2
　平板載荷試験は、地盤の透水性を調査するために、基礎底面の深さに載荷板をセットして行う。

問題3
　電気探査は、基盤の深さを調査するために行う。

問題4
　ベーン試験は、地盤の粒度組成を調査するために行う。

問題5
　スクリューウエイト貫入試験（旧スウェーデン式サウンディング試験）は、地盤の支持力（地耐力）を調査するために行う。

問題6
　ボーリングは、地盤構成を調査するために行う。

▌測　　量 ▌

問題7
　トラバース測量とは、トランシットと巻尺等を用いて距離や水平角度を測定する比較的精密な測量である。

問題8
　水準測量とは、レベルと標尺（箱尺）等を用いて高低差を測定する測量である。

問題9
　平板測量とは、アリダード、巻尺等を用いて距離や方位を測定し、現場で紙上に図解する測量である。

問題10
　面積測定（測量）では、複雑な地形の面積を測るときプラニメーターが用いられる。

問題11
　ポールは、直径約3cmの棒で、測点上に鉛直に立てて目標とするものであり、短距離の略測にも用いられる。

問題12
　放射法による平板測量は、障害物によって見通しの悪い地形に適している。

問題13
　進測法による平板測量は、敷地内の1測点から各測点の位置を求める方法である。

問題14
　平板測量は、地形よって、現場における作業能率が大きく異なる。

問題15
　平板測量は、簡単で迅速に作業ができ、高い精度が期待できる。

問題16
　平板測量における測点上への平板の据付けは、平板の水平・位置・方向の各条件を満足するように行う。

【関連】
問題7　トランシット（セオドライト）：望遠鏡により基準点と目標点をセットし、方向角、高度角を測定する機器。
問題8　レベル：水平に据えた望遠鏡により、測点に立てた標尺（箱尺）の目盛りを読んで高低差を測定する機器。
問題9　アリダード：現場で測量しながら作図する平板測量で用いられ、視準線の方向を観測する装置と、その方向を図上に描くための定規縁を備えている機器。
問題10　プラニメーター：図面上に描かれた境界線上を測針でなぞり、測輪の回転数を読み取ることにより、境界線で囲まれた部分の面積を測定する機器。

問題1　正しい
　標準貫入試験における**N値**とは、質量63.5±0.5kgのハンマーを76±1cm自由落下させ、標準貫入試験用サンプラーを**30cm打ち込む**のに要する打撃回数をいう。JIS A 1219（土の標準貫入試験方法）。

問題2　誤り
　平板載荷試験は、土を掘り、基礎の深さに設置した小さな載荷板に、実際の建物荷重に見合う荷重を載荷して、その**沈下量**を測り、地盤の**地耐力**を判定する試験。平板載荷試験の載荷板は、建築物が建つ基礎底面に相当する位置まで掘削し、その位置に設置する。なお、載荷板は直径30cmの円形とし、下面が平滑で厚さ25mm以上の鋼板とする。

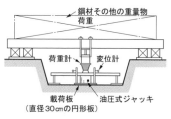

平板載荷試験

問題3　正しい
　電気探査は、地中に電流を流し、地下層の抵抗値とその変化から土質状態を推定し、**基盤の深さ**を求めることができる。

問題4　誤り
　ベーン試験は、軟らかい**粘土質地盤**の**せん断強さ**を調べるための試験で、十字形の抵抗翼（ベーン）をロッドの先端に付けて地中に回転しながら押し込み、その際の最大抵抗値から土のせん断強さを求める。建築工事監理指針。

問題5　正しい
　スクリューウエイト貫入試験（旧スウェーデン式サウンディング試験）は、原位置における土の硬軟、締まり具合又は土層の構成を判定するための静的貫入抵抗を求める。主に戸建住宅などの小規模構造物の支持力特性を把握する地盤調査方法として多く用いられる。建築工事監理指針。

問題6　正しい
　ボーリングは、**地盤構成**の確認や土質試験用試料の採取を目的に地盤に孔を掘る作業で、標準貫入試験やサウンディングなどの試験を行うための孔にもなる。ロータリーボーリングが多く用いられるが、浅い深さの調査にはオーガーボーリングが用いられる。建築工事監理指針。

問題7　正しい
　トラバース測量は、**トランジット**と巻尺等を用いて距離や水平角度を測定する比較的精密な測量である。

問題8　正しい
　水準測量は、高低測量とも呼ばれ、測点間の**高低差**を求める測量方式である。一般に**レベル**や**標尺**を用いて行われる。

問題9　正しい

　平板測量は、**平板、アリダード、求心器、磁針箱、巻尺**などの測量器具を用いて、直接現地で平板上に張った図紙の上に、一定の縮尺で地形を描く測量方式である。アリダードは、測線の方位を図紙上に求めるのに用いる。

問題10　正しい

　面積測定において、複雑な地形の面積を測るときの測量器具として**プラニメーター**が用いられる。

問題11　正しい

　ポールは、直径約3cm、長さ2mまたは3mで、棒の部分を20cm間隔に赤・白で塗り分けて見やすくしてトランシット測量などにおいて、目標として測点上に立てるものである。さらに、ポールの長さを生かし、短距離の略測にも用いられる。

問題12・13　誤り、問題14　正しい

　平板測量には、放射法・進測法などがあり、敷地の大小、**地形**などの状況に応じて選択する。

　放射法は、敷地の**見通しの良い**場合に、敷地内の1測点から放射線によって各測点の位置を求める方法であり作業能率が良い。

　進測法は、敷地の**見通しが良くない**場合など各測点に平板を据え付け結んでいく方法であり時間がかかる。

　よって、平板測量は、**地形**により**作業能率**は大きく**異なる**。

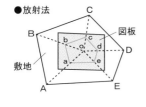

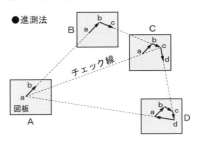

測量の途中または最後でチェックできる
細長い敷地の測量に適している

問題15　誤り

　平板測量は、作業が比較的簡単であるが、**高い精度は期待できない**。

問題16　正しい

　平板の据付けには、①平板が**水平**であること、②平板の**方向**が正しいこと、③平板の**位置**が正しいことの3点が重要である。

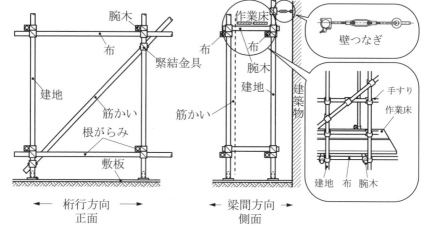

Check Point 4 仮設工事

◆足　　場
●用　　語

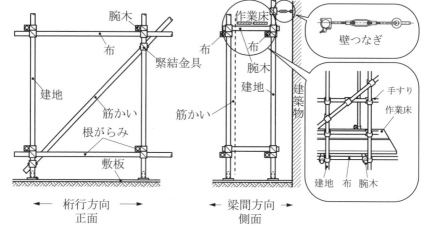

単管足場（本足場）の例

クランプ

固定ベース

●規　　定
　○墜落の危険のある箇所 ── 高さ85cm以上の手摺及び高さ35cm以上50cm
　　　　　　　　　　　　　　　　以下の中桟等
　○作業床の幅 ── 40cm以上
　○架設通路（登り桟橋）の勾配 ── 30°以下

		丸太足場	鋼　管　足　場	
			単管	枠組
建地間隔	桁行	2.5m以下	1.85m以下	1.85m以下
	梁間		1.5m以下	
地上第1の布の高さ		3.0m以下	2.0m以下	2.0m以下
壁つなぎ又は控え間隔	水平方向	7.5m以下	5.5m以下	8.0m以下
	垂直方向	5.5m以下	5.0m以下	9.0m以下

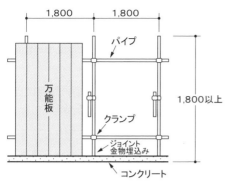

仮囲いの例

パイプ

万能板

クランプ

ジョイント
金物埋込み

コンクリート

1,800　1,800

1,800以上

つり足場

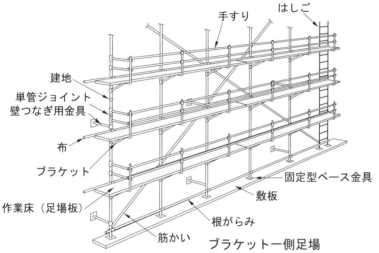

手すり

はしご

建地

単管ジョイント

壁つなぎ用金具

布

ブラケット

作業床（足場板）

筋かい

固定型ベース金具

敷板

根がらみ

ブラケット一側足場

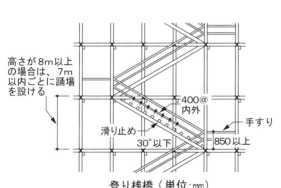

高さが8m以上
の場合は、7m
以内ごとに踊場
を設ける

400@
内外

滑り止め

30°以下

手すり

850以上

登り桟橋（単位:mm）

手すり

中さん

床付布わく

手すり柱

はしご型
建わく

アームロック

建わく
ジョイント

水平交差筋かい

交差筋かい

脚柱ジャッキ

脚輪

移動式足場（ローリングタワー）

問題1
軒の高さが9mを超える木造3階建住宅の工事現場の周囲には、危害防止のために、地盤面からの高さ1.8mの仮囲いを設けた。

問題2
縄張りは、工事開始に先立ち、隣地境界を決定するため、縄などを使用した仮設表示物である。

問題3
ベンチマークは、コンクリート杭を用いて移動しないように設置し、その周囲に養生を行った。

問題4
高さが2mの位置にある足場の作業床については、幅を50cmとし、かつ、床材間の隙間がないようにした。

問題5
単管足場における高さ2.5mの位置にある作業床において、墜落の危険を及ぼすおそれのある箇所には、作業床からの手摺の高さを95cmとし、高さ40cmの中桟を設けた。

問題6
足場板については、長手方向に支点の上で重ね、その重ねた部分の長さを25cmとした。

問題7
高低差が2.1mの登り桟橋は、勾配を30°度とし、滑止めのために踏さんを設けた。

問題8
架設通路を設けるに当たって、勾配が35度であったので、階段とした。

問題9
高さが9m以上の登り桟橋において、踊り場を高さ3mごとに設けた。

問題10
単管足場の組立てに当たって、建地の脚部にベース金具を用い、地盤上に直接建てた。

問題11
　単管足場の地上第一の布は、地盤面からの高さ２mの位置に設けた。

問題12
　単管足場の壁つなぎの間隔は、垂直方向５m、水平方向5.5mとした。

問題13
　単管足場の建地の間隔を、けた行方向、はり間方向とも1.6mとした。

問題14
　単管足場の建地の間隔が、けた行方向1.7m、はり間方向1.3mのとき、建地間の最大積載荷重は、400kgと表示した。

問題15
　くさび緊結式一側足場（ひとかわ）については、建地の間隔を1.8mとし、建地間の最大積載荷重を400kgと表示した。

問題16
　高さが12mの枠組足場における壁つなぎの間隔を、垂直方向、水平方向ともに８m以下とした。

問題17
　高さが２mの作業場所から不要な資材を投下するに当たって、資材が飛散するおそれがなかったので、投下設備を設けずに不要な資材の投下を行った。

問題18
　はしご道のはしごの上端は、床から60cm突出させた。

問題19
　移動はしごは、幅30cm以上の丈夫な構造とし、すべり止め装置を取り付けた。

Ⅳ
建築施工

問題1　正しい

　木造の建築物で高さが13m若しくは軒の高さが9mを超えるもの又は木造以外の建築物で2以上の階数を有するものについて、建築工事等を行う場合は、工事現場の周囲にその地盤面からの高さが1.8m以上の仮囲いを設けなければならない。ただし、これらと同等以上の効力を有する既存の囲いなどがある場合は、設けなくてもよい。建築基準法施行令第136条の2の20。

問題2　誤り

　縄張りは、配置図にしたがって建物の位置を現地に表示する作業である。縄張り作業は、関係者立ち会いの上、設計図面から敷地境界、道路境界などの位置を確認した後、要所に地ぐいを打ち、建築物の位置を出し、これに縄をかけて建築物の平面形や間仕切位置などを表示し、敷地の状況と比較・検討した上で建築物の位置を決定する。したがって、縄張りは、隣地境界を決定するための縄などを使用した仮設表示物ではない。JASS 2。

問題3　正しい

　ベンチマークは、建築物等の高低及び位置の基準であり、移動のおそれのない箇所に監理者の指示のもと、少なくとも2箇所以上設定する。適当な箇所がない場合には、新たに木杭やコンクリート杭を打ち込むなどして、十分に堅固に設定し、その周囲にさくなどを設け養生する。JASS 2。

問題4　正しい

　足場（一側足場を除く）における高さ2m以上の作業場所には作業床を設け、つり足場の場合を除き、幅は40cm以上とし、床材間の隙間は3cm以下とする。労働安全衛生規則第563条1項二号。

問題5　正しい

　墜落等のおそれのある箇所には、高さ85cm以上の手摺及び高さ35cm以上50cm以下の中桟等を設ける。労働安全衛生規則第563条1項三号。

問題6　正しい

　足場板を長手方向に重ねるときは、支点の上で重ね、その重ねた部分の長さは、20cm以上とする。労働安全衛生規則第563条4項一号ハ。

問題7・8　正しい

　架設通路（登り桟橋）の勾配は、30度以下とする。ただし、階段を設けたもの又は高さが2m未満で丈夫な手掛を設けたものは、勾配が30度を超えることができる。勾配が15度を超えるものには、踏桟その他の滑止めを設ける。労働安全衛生規則第552条1項二号及び三号。

問題9　正しい

　建設工事に使用する高さ8m以上の登り桟橋には、高さ7m以内ごとに踊場を設ける。労働安全衛生規則第552条1項六号。

問題10　誤り

鋼管足場（単管足場、枠組足場）の組立てに当たっては、足場の脚部には足場の滑動または沈下を防止するため、**ベース金具**を用い、かつ、**敷板、敷角**等を用いなければならない。したがって、敷板、敷角を用いず、地盤上に直接建ててはならない。労働安全衛生規則第570条1項一号。

問題11　正しい

単管足場の**地上第一の布**は**2.0m以下**の位置に設ける。労働安全衛生規則第571条1項二号。

問題12　正しい

単管足場の**壁つなぎ又は控えの間隔**は、**垂直方向5m以下、水平方向5.5m以下**とする。労働安全衛生規則第570条1項五号イ。

問題13　誤り、問題14　正しい

単管足場の**建地の間隔**は、**桁行方向を1.85m以下、梁間方向は1.5m以下**とする。したがって、梁間方向の1.6mは、間隔が広すぎる。**建地間の積載荷重**（布にかかる荷重）は、**400kg以下**とする。労働安全衛生規則第571条1項一号及び四号。

問題15　誤り

くさび緊結式一側足場において、**建地の間隔は1.85m以下**とし、**建地間の積載荷重は200kg以下**とする。建築工事監理指針。

問題16　正しい

枠組足場（高さ5m未満のものを除く）の壁つなぎの間隔は、**垂直方向9m以下、水平方向8m以下**とする。労働安全衛生規則第570条1項五号。

問題17　正しい

3m以上の高所から物体を投下するときは、適当な**投下設備**を設ける。したがって、高さが2mなので投下設備を設けなくてもよい。建築基準法施行令第136条の5、労働安全衛生規則第536条。

問題18　正しい

はしご道のはしごの上端は、**床から60cm以上突出**させる。労働安全衛生規則第556条1項五号。

問題19　正しい

移動はしごについては、次に定めるところに適合したものでなければ使用してはならない。一．丈夫な構造とすること。二．材料は、著しい損傷、腐食等がないものとすること。三．**幅は、30cm以上**とすること。四．**すべり止め装置の取付け**その他転位を防止するために必要な措置を講ずること。労働安全衛生規則第527条（移動はしご）。

IV
建築施工

◆山留め工事

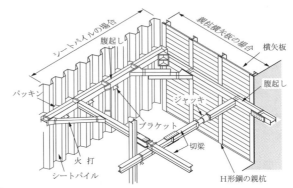

鋼製切梁を使った山留め

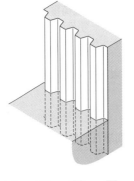

シートパイル

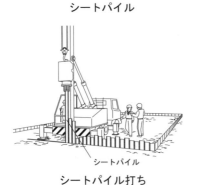

シートパイル打ち

親杭横矢板工法

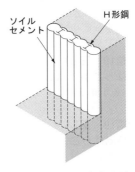

ソイルセメント山留め壁

◆割石地業・砂利地業・地肌地業

割石地業　　　　　砂利地業　　　　　地肌地業

　○　捨てコンクリート地業：構造上の意味はなく、墨出しをするために行う

◆木造住宅の布基礎
　〔使用コンクリート〕
　● 設計基準強度：24 N／mm^2
　● スランプ：18 cm

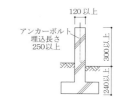

◆木　　　杭
　腐食を避けるため杭頭を常に地下水面下になるように打ち込む

◆既製コンクリート杭

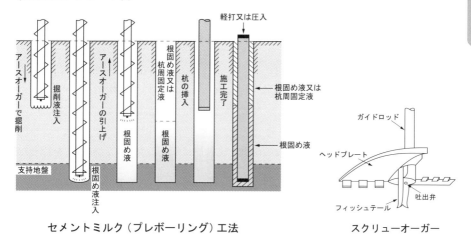

セメントミルク（プレボーリング）工法　　　　　スクリューオーガー

問題 5

次の記述について、**正しいか、誤っているか、判断しなさい。**

check ☐☐☐

問題1

　敷地に余裕があったので、山留め壁や支保工を用いずに、法付けオープンカット工法を採用した。

check ☐☐☐

問題2

　工事現場が住宅地で地下水位が高いので、山留め工事として、ソイルセメント柱列山留め壁工法を採用した。

check ☐☐☐

問題3

　シルト質細砂層の地盤に、真空吸引して揚排水するウェルポイント工法を採用した。

check ☐☐☐

問題4

　山留め壁に作用する側圧を十分に切ばりに伝達させるために、腹起しを連続して設置した。

check ☐☐☐

問題5

　砂地業は、軟弱地盤に砂を充てんし、地盤を改良する地業である。

check ☐☐☐

問題6

　比較的良好な地盤に、切込砂利を用いて砂利地業を行った。

check ☐☐☐

問題7

　地盤を強化するために、捨てコンクリート地業（均しコンクリート地業）を行った。

check ☐☐☐

問題8

　基礎スラブからの荷重を支持層に伝えるために、杭地業を行った。

check ☐☐☐

問題9

　既製コンクリート杭の継手は、特記がなかったので、アーク溶接による溶接継手とした。

check ☐☐☐

問題10

　セメントミルク工法による掘削後のアースオーガーの引抜きにおいて、アースオーガーを逆回転させながら行った。

check ☐☐☐

問題11

　杭打工事による騒音及び振動の測定は、作業場所の敷地境界線において行った。

問題12
　打撃工法による既製コンクリート杭の打込みにおいて、支持地盤への到達の確認を、「打込み深さ」及び「貫入量」により判断した。

問題13
　アースドリル工法による掘削において、支持地盤への到達の確認を、「掘削深度」及び「排出される土」により判断した。

問題14
　打込み工法による作業地盤面以下への既製コンクリート杭の打込みにおいて、やっとこを用いて行った。

問題15
　支持層は深いが、小規模の建物なので、節付コンクリート杭を摩擦杭として施工した。

Ⅳ
建築施工

解 説

問題1　正しい

　法付けオープンカット工法は、根切りの周囲の土砂がくずれないように適当な法（斜面）を付けて掘削する工法である。**山留め壁・支保工を必要としない**ので、敷地に余裕があり、法面に**湧水の恐れのな**い場合に適する工法である。

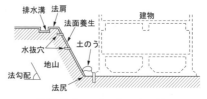

法付けオープンカット工法

問題2　正しい

　ソイルセメント柱列山留め工法は、山留め壁としてセメントミルクを注入しつつ、その位置の土を撹はんしてソイルセメント壁を造成し、骨組にH鋼などを建て込んだものである。**振動・騒音**が**少なく**、**止水**もかなり期待できるので、工事現場が住宅地で地下水位が高い場合の山留め工事に適する。建築工事監理指針。

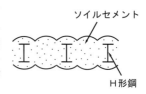

問題3　正しい

　ウェルポイント工法は、根切り部に沿ってウェルポイントという小さなウェル（**井戸**）を多数設置し、真空を利用して**揚水**する工法で、粗砂層からシルト質細砂層程度の地盤に適用される。建築工事監理指針。

問題4　正しい

　腹起しは、山留め壁にかかる側圧を十分に切ばりに伝えるための水平部材であり、原則として、連続して設置する。JASS 3。

問題5　正しい

　砂及び砂利地業は、厚さ60mmを標準とし、根切り底に敷き均し（厚さ300mmを超える場合は300mmごと）、突き固め・振動締めなどで締め固め、所定の砂層をつくり、**軟弱地盤を改良**する地業である。公共建築工事標準仕様書。

問題6　正しい

　砂利地業は、比較的よい地盤で行なわれている。この砂利地業は正確に根切りをして、切込砂利（砂まじりの砂利）を敷き、ランマーなどで転圧して締め固める地業である。

　【参考】砂利地業に使用する**砂利**は、切込砂利、切込砕石又は再生**クラッシャラン**とし、所定の粒度を有するものとする。

問題7　誤り

　捨てコンクリート地業（均しコンクリート地業）は、基礎などの下に、前処理として打つ敷ならしコンクリートのことで、地盤を強化するためのものではない。この上に基礎や柱位置の**墨出し**等をするためのものである。

問題8　正しい

　杭地業は、基礎スラブからの荷重を**地盤（支持層）に伝える**ために、基礎スラブ下の地盤中に設けられた柱状の地業である。

問題9　正しい

　既製杭の**継手**の工法は、**アーク溶接**又は機械式継手（無溶接継手）とし、適用は特記による。公共建築工事標準仕様書。

問題10　誤り

　アースオーガーに逆回転を加えるとオーガーに付着した土砂が落下するので掘削時、引抜き時ともに<u>正回転</u>とする。建築工事監理指針。

問題11　正しい

　杭打工事など著しい騒音や振動を発生する作業は、法律により規制が定められている。この規制における**騒音及び振動の測定**は、作業場所の**敷地境界線**において行う。騒音規制法第2条及び振動規制法第2条。

問題12　正しい

　既製コンクリート杭を**打撃工法**で打ち込む場合は、本杭施工の前に試験杭を打ち、適切な施工方法等の検討を行う。試験杭の杭打ち試験において、「**打込み深さ**」、「**最終貫入量**等」の管理基準値を確認し定める。建築工事監理指針。

問題13　正しい

　アースドリル工法において、掘削深さが所定の深度に達し、「**排出される土**」により予定の支持層に達したことが確認されたら、スライム処理をして検測テープにより、4箇所以上「**掘削深度**」を測定し、検測を行う。建築工事監理指針。

問題14　正しい

　既製コンクリート杭を作業**地盤面以下**に打ち込む場合には、図のような**やっとこ**が用いられる。やっとこをかける長さは4m程度を限度とし、長いものは避ける。建築工事監理指針。

杭打ち作業地盤
やっとこ（鋼製）
根切り底
杭

問題15　正しい

　節付コンクリート杭は、**節によって土との摩擦抵抗を大きくした摩擦ぐい**である。したがって、支持層が深く、支持ぐいの使用ができない場合に用いると適切である。

鉄筋コンクリート工事

① 鉄筋工事

〔加工・組立て〕

- 切　　断 ——————— シヤーカッター又は電動カッター（のこ）を使用
- 曲 げ 加 工 ——————— 常温で折り曲げ機又はバーベンダーを使用
- 末端部のフック —————— 丸鋼は全て、異形鉄筋は、あばら筋・帯筋、柱・梁（基礎梁以外）の出隅、煙突
- 鉄筋相互の固定 ————— なまし鉄線で結束
- 鉄筋相互のあき ————— 粗骨材最大寸法の 1.25 倍以上、かつ、25 mm 以上、また丸鋼では径、異形鉄筋では呼び名の 1.5 倍以上

〔定着・継手〕

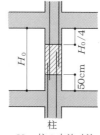

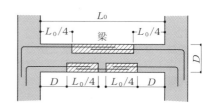

▨ 継手の好ましい位置

H_0：柱の内法寸法
（中間階の場合）

L_0：梁の内法寸法

- ガス圧接継手

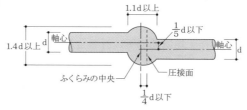

② 型枠工事

〔型枠の加工・組立て〕

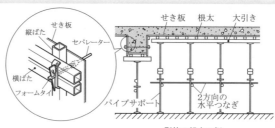

型枠の組立て例

- **組 立 て 時**
  - 足場その他の仮設物に緊結しない
  - 梁やスラブにはむくりをつける
  - 上下階の支柱は、できるだけ同一平面上に配置
  - パイプサポートの支柱は３本以上継がない（２本で継ぐ）

- **取りはずし時**
  - 基礎、梁側、柱、壁のせき板の存置期間は、コンクリート圧縮強度５N／mm^{2}以上の確認後、取り外す
  - スラブ下、梁下のせき板は、原則として、支保工取り外し後、取り外す
  - 支柱の盛替えは、行わない

③ コンクリート工事

◆運搬・打込み・養生
●運搬・打継ぎ時間
  - 練混ぜから打込み終了までの時間

外気温	打込み時間限度
25℃以下	120 分以内
25℃超	90 分以内

  - 打継ぎ時間間隔の限度

外気温	打継時間間隔の限度
25℃未満	150 分以内
25℃以上	120 分以内

●打　継　ぎ

梁・床スラブ・屋根スラブ	●中央又は端から１／４の付近で垂直に打継ぐ
柱・壁	●床スラブ（屋根スラブ）、梁の下端 ●床スラブ、梁、基礎梁の上端

●締固め（棒形振動機）
  - 間隔は 60 cm以下とし、できるだけ垂直に挿入する
  - 下層に振動機の先端が入るように挿入する
●養　　生
  - 湿潤養生期間：５日間以上（普通ポルトランドセメント、短期、標準）
  - 養生温度：２℃以上に保つ（寒冷期、５日間以上）

<table>
<tr><td>

**問題
6-1**

</td><td>鉄筋工事に関する次の記述について、**正しいか、誤っているか、**判断しなさい。</td></tr>
</table>

■ 加工・組立て ■

問題1
　鉄筋については、切断はシヤーカッターで行い、折曲げは自動鉄筋折曲げ機で行った。

問題2
　柱・梁の最小かぶり厚さは、帯筋及びあばら筋の外側からこれを覆うコンクリート表面までの最短距離とした。

問題3
　鉄筋の加工において、見込んでおくべきかぶり厚さは、必要な最小かぶり厚さに施工誤差10mmを加えた値を標準とした。

問題4
　鉄筋組立ての結束線は、径0.8mm以上のなまし鉄線を使用し、その端部は内側に折曲げた。

問題5
　鉄筋相互のあきは、粗骨材の最大寸法の1.25倍以上かつ25mm以上、また丸鋼では径、異形鉄筋では呼び名の数値の1.5倍以上とする。

問題6
　帯筋のフックの位置は、直近の帯筋のフックと同じ位置とならないようにした。

問題7
　柱主筋の台直しが必要になったので、鉄筋を常温で緩やかに曲げて加工した。

問題8
　梁の鉄筋のかぶり厚さの検査は、コンクリートの打込みに先立って行った。

問題9
　鉄筋の定着長さ・継手長さには、末端部のフックの長さを含めなかった。

問題10
　屋根スラブの下端筋として用いる鉄筋の直線定着の長さを、10d以上、かつ、150mm以上とした。

問題11
　梁主筋は、異形鉄筋を用いて重ね継手とし、出隅部分の主筋の末端にフックを設けた。

問題12
　径の異なる鉄筋の重ね継手の長さは、細いほうの鉄筋の径（呼び名の数値）に所定の倍数を乗じて算出した。

問題13
　ガス圧接部のふくらみの直径は、原則として、鉄筋径の1.2倍以上とする。

問題14
　ガス圧接に当たって、圧接部における鉄筋中心軸の偏心量は、鉄筋径の1/5以下とした。

問題15
　ガス圧接継手の圧接部において、ふくらみの直径が規定値に満たなかったので、再加熱し、圧力を加えて所定のふくらみとした。

問題16
　圧接部について外観試験を行ったところ、圧接部のずれが規定値を超えていたので、圧接部を切り取って再圧接した。

問題17
　ガス圧接継手における圧接部の全数について外観検査を行い、さらに合格とされた圧接部の抜取り検査として超音波探傷試験を行った。

解 説

問題1　正しい
鉄筋は、設計図書に指定された寸法及び形状に合わせ、**切断**においては、**シヤーカッター**または電動カッターなどにより、**折曲げ**においては、自動鉄筋折曲げ機（バーベンダー）により**常温**で正しく加工する。JASS 5。

問題2　正しい
かぶり厚さは、**鉄筋表面**とこれを覆う**コンクリートの表面**までの**最短距離**をいう。したがって、柱の鉄筋に対するコンクリートのかぶり厚さは、**帯筋の外側**から、また、梁の鉄筋に対するコンクリートのかぶり厚さは、**あばら筋の外側**から測定する。JASS 5。
【参考】壁の**打継ぎ目地**部分における鉄筋のかぶり厚さについては、**目地底**から必要なかぶり厚さを確保する。

問題3　正しい
柱、はり等の鉄筋の加工に用いる**かぶり厚さ**は、施工誤差を考慮し、**最小かぶり厚さに10mmを加えた**数値を標準とする。JASS 5。

問題4　正しい
鉄筋の交差部の要所では、0.8mm程度の**なまし鉄線**を用いて互いに堅固に結束する。また、**結束線の端部**は、かぶり厚さを確保するために**内側に折り曲げる**。建築工事監理指針。

問題5　正しい
鉄筋相互のあきは、粗骨材の最大寸法の**1.25倍以上かつ25mm以上**、また丸鋼では径、異形鉄筋では**呼び名の数値の1.5倍以上**とする。JASS 5。

問題6　正しい
帯筋の**フックの位置**は、直近のものと同じ位置にならないよう隅を順次まわるように配置するのがよく、2つの隅に交互に配置してもよい。鉄筋コンクリート造配筋指針。

問題7　正しい
鉄筋の位置ずれを生じた場合は、極力、台無し以外の是正方法を検討する。やむを得ずに現場で台直しを行う場合は、その折曲げ勾配を1/6以下としてできる限り緩やかに曲げて、既設コンクリートを傷めないように慎重に施工する。建築工事監理指針。

問題8　正しい
かぶり厚さは、コンクリート躯体の耐力、耐久性及び耐火性を左右する重要な検査項目であり、コンクリートの打上がり後も検査することになっているが、この場合は、不良箇所発見後の対策が困難である。先手管理のために、**コンクリート打設直前に工事監理者の検査を受ける**。JASS 5。
【関連】鉄筋のかぶり厚さを確保するために、鉄筋と型枠との間に十分な強度をもった**スペーサーを適切に配置**する。

問題9　正しい

フックのある場合の重ね継手及び定着の長さは、**フック部分を含まない**。公共建築工事標準仕様書。

問題10　正しい

床・屋根**スラブ下端筋**の異形鉄筋の**定着長さ**は、片持ちスラブの場合を除き、**呼び名**に用いた数値の**10倍かつ、150mm以上**とする。JASS 5。

問題11　正しい

はり主筋の重ね継手が、はりの出隅及び下端の両隅にある場合や柱の四隅にある主筋で、重ね継手の場合及び最上階の柱頭にある場合は、**異形鉄筋**であっても、**主筋の末端にフック**を設ける。公共建築工事標準仕様書。

問題12　正しい

径が異なる鉄筋の重ね継手の長さは、**細い鉄筋の径**による。公共建築工事標準仕様書。

問題13　誤り

圧接部のふくらみの直径は、**鉄筋径の1.4倍以上**（1.4d以上）でなければならない。したがって、1.2d以上では合格判定基準に達していない。

問題14　正しい

鉄筋中心軸の偏心量は、**鉄筋径の1／5以下**とする。平成12年告示第1463号。

問題15・16　正しい

外観試験で不合格となった圧接部の修正は、圧接部の**ふくらみの直径**やふくらみの**長さ**が規定値に満たない場合には、**再加熱**し、圧力を加えて所定のふくらみとする。

圧接部の**ずれ**や相互の鉄筋の**偏心量**が規定値を超えた場合には、**圧接部を切り取って再圧接**する。公共建築工事標準仕様書。

〔圧接部の補正〕

偏心量 形状不良 圧接面のずれ	切り取り ⇩ 再　圧　接
直径・長さの不足 曲　が　り	再　加　熱

問題17　正しい

ガス圧接継手の継手部の検査方法としては、**外観検査**を行い合格していることを確認した後、**抜取検査**を行う。抜取検査には、非破壊検査（内部欠陥の検査）である**超音波探傷法**と破壊検査である引張試験法がある。JASS 5。

‖ 型 枠 工 事 ‖

check

問題1
　木製せき板には、コンクリートの硬化不良を防ぐために、長期間、直射日光で乾燥させたものを使用した。

check

問題2
　型枠は、その剛性を確保するため、足場と連結させた。

check

問題3
　コンクリート床スラブの型枠を支える支柱は、上下階で平面上の同一位置になるようにした。

check

問題4
　支柱としてパイプサポートを継いで使用する場合は、4本以上のボルトを用いる。

check

問題5
　支柱として用いるパイプサポートは2本継ぎとした。

check

問題6
　スラブ下・梁下のせき板は、支保工を取り外した後に取り外した。

check

問題7
　柱・壁のせき板は、コンクリートの圧縮強度が5 N/mm^{2}以上に達したことを確認したので、取り外した。

check

問題8
　建築物の計画供用期間の級が「標準」であり、コンクリートの打込み後5日間の平均気温が20℃以上であったので、圧縮強度試験を行わずに柱及び壁のせき板を取り外した。

check

問題9
　スラブや梁下の支保工は、コンクリートの圧縮強度が、設計基準強度の100％以上に達したことを確認した後に、取り外した。

check

問題10
　せき板の取外し後は、直ちに、所定の材齢までの期間、コンクリートの表面を湿潤養生で養生した。

check

問題11
荷卸しされたコンクリートの塩化物量が、0.2kg/m³であったので、許容範囲内とした。

check

問題12
フレッシュコンクリートの状態については、打込み当初及び打込み中に随時、ワーカビリティーが安定していることを目視により確認した。

check

問題13
構造体コンクリート強度の判定のための供試体は、適切な間隔をあけた3台の運搬車を選び、それぞれ1個ずつ合計3個作製した。

check

問題14
フレッシュコンクリートの試験用試料の採取は、普通コンクリートを用いているので、荷卸し場所で採取した。

check

問題15
打設されるコンクリートのスランプと所要スランプとの差が3cmであったので、許容範囲内とした。

check

問題16
耐久設計基準強度とは、構造物及び部材の供用期間に応ずる耐久性を確保するために必要なコンクリートの圧縮強度をいう。

check

問題17
コンクリートのひび割れ防止として、コンクリートの単位セメント量をできるだけ多くする。

check

問題18
コンクリートのひび割れ防止として、スランプをできるだけ小さくする。

IV
建築施工

問題1 誤り

　木材は、長時間太陽光にさらされると、セメントの硬化阻害物質が生成され、これによって、コンクリート表面の硬化不良を生ずる。したがって、木製せき板に用いる木材は、製作、乾燥および集積などの際、できるだけ直射日光にさらさないように、シートなどを用いて保護したものを使用する。JASS 5。

問題2 誤り

　型枠は、**足場**、やり方等の仮設物と**連結させない**。公共建築工事標準仕様書。

問題3 正しい

　上下階の支柱が同一位置にないと、強度が十分に発現していないコンクリートスラブに応力が生じ、悪影響を与えることになるので、できるだけ**同じ位置**に**支柱**を**配置**する。JASS 5。

問題4 正しい

　パイプサポートを**継いで**用いるときは、**4以上のボルト**又は専用の金具を用いて継ぐ。労働安全衛生規則第242条七号。

問題5 正しい

　支柱として用いるパイプサポートは、**3本以上継いで用いてはならない**。したがって、2本継ぎまでとしたことは適切である。労働安全衛生規則第242条七号。

問題6 正しい

　スラブ下及びはり下のせき板は、原則として、**支柱を取り外した後**に取外す。公共建築工事標準仕様書。

問題7・8 正しい

　計画供用期間の級が短期及び**標準**の場合、基礎・梁側・柱及び壁のせき板は、下表による存置期間中の平均気温によった日数若しくはコンクリートの**圧縮強度が5 N/mm²以上**得られた場合に取り外すことができる。ただし、計画供用期間の級が長期及び超長期の場合は、コンクリートの圧縮強度が10N/mm²以上得られた場合のみ取り外すことができる。JASS 5。

建築物の部分	存置日数（日）・平均気温		コンクリートの圧縮強度
	20℃以上	10℃以上20℃未満	5 N/mm²※
基礎・梁側・柱・壁	4日	6日	

※計画供用期間の級が長期及び超長期の場合は10N/mm²。

問題9 正しい

　スラブ下及び梁下の支保工の**存置期間**は、コンクリートの圧縮強度が**設計基準強度の100%以上**得られたことが確認されるまでとする。JASS 5。

問題10　正しい

せき板の取外し後、コンクリート表面から水分が蒸発するため、取外し後は所定の材齢まで**初期養生**を行う。JASS 5。

問題11　正しい

コンクリートの耐久性を確保するため、コンクリートに含まれる**塩化物の含有量**は、塩化物イオン量で**0.3kg/㎥以下**とする。平成12年建設省告示第1446号。

問題12　正しい

フレッシュコンクリートの状態は、打込み当初及び打込み中随時、**ワーカビリティーが安定**していることを目視により確認する。公共建築工事標準仕様書。

問題13　正しい

構造体コンクリート強度の判定において、**1回の試験**に使用する**供試体の数は3個**とする。また、適切な間隔をあけた**3台の運搬車**から、それぞれ試料を採取し、**1台につき1個(合計3個)**の供試体を作製する。公共建築工事標準仕様書。

問題14　正しい

フレッシュコンクリートの試験に用いる試料の採取は、製造工場ごとに、**普通コンクリート**の場合は、工事現場の**荷卸し場所**とする。公共建築工事標準仕様書。

問題15　誤り

スランプの許容差は、表のように定められている。公共建築工事標準仕様書。
したがって、<u>3cmは許容範囲外である。</u>

スランプの許容差(単位 cm)

スランプ	スランプの許容差
5, 6.5	±1.5
8 以上 18 以下	±2.5
21	±1.5

問題16　正しい

耐久設計基準強度は、構造物の設計時に定めた**耐久性を確保**するために必要な強度であり、**計画供用期間**(大規模な補修を必要とすることなく供用できる期間)の**級**に応じて定められる。JASS 5。

問題17　誤り、問題18　正しい

鉄筋コンクリート造の**ひび割れ防止**には、乾燥収縮によるひび割れの原因となる**単位水量と単位セメント量**はできるだけ<u>**小さく**</u>しなければならない。一般に、コンクリートの**スランプを小さく**すると**単位水量と単位セメント量を少なく**することができる。JASS 5。

▎コンクリート工事（運搬及び打込み）▎

問題1
コンクリートの打込み速度は、良好な締固め作業ができる範囲を考慮して決めた。

問題2
コンクリートの圧送に先立ち、コンクリートの品質の変化を防止するために、富調合のモルタルを圧送した。

問題3
コンクリートの打継ぎ面は、新たにコンクリートを打ち込む前に、レイタンスなどを取り除き、十分に乾燥させた。

問題4
棒形振動機による締固めの加振時間は、コンクリートの表面にセメントペーストが浮き上がるまでとした。

問題5
コンクリート棒形振動機を用いて締め固める場合、打込み各層ごとに、その下層に振動機の先端が入るようにして加振した。

問題6
スラブのコンクリートは、打込み後に表面の荒均しを行い、凝結が終了する前にタンピングを行った。

問題7
柱には、フレキシブルホースから、直接打込まないようにした。

問題8
階高が高い柱の打込みは、縦型シュートを用いて、コンクリートが分離しない高さから行った。

問題9
梁のコンクリートは、壁及び柱のコンクリートの沈みが落ち着いた後に打ち込み、スラブのコンクリートは、梁のコンクリートが落ち着いた後に打ち込んだ。

問題10
　片持ちスラブ・パラペット・ひさしは、これを支持する躯体部分と一体打ちとした。

問題11
　スラブの打込みは、遠方から手前に後退しながら行った。

問題12
　階段を含む打込み区画は、階段まわりから打ち込んだ。

問題13
　連続した長い壁の打込みは、振動機を用いて壁の端部から横流しした。

問題14
　梁の鉛直打継ぎ位置は、そのスパンの中央付近とした。

問題15
　柱の水平打継ぎ位置は、スラブの上端とした。

問題16
　コンクリートの打込み過程における打重ね時間の間隔は、外気温が25℃であったので、120分以内を目安とし、先に打ち込まれたコンクリートが再振動可能な時間内とした。

問題17
　コンクリートの練混ぜ開始から打込み終了までの時間は、外気温が28℃であったので、90分以内とした。

問題18
　スラブのコンクリート打込み後、24時間以上が経過したので、振動を与えないように注意して、そのスラブ上での墨出し作業を行った。

問題19
　寒冷期の工事であったので、コンクリートを寒気から保護し、打込み後5日間にわたって、コンクリートの温度を2℃以上に保った。

■ 解 説

問題1　正しい
　コンクリートの**打込み速度**は、コンクリートのワーカビリティー及び打込み場所の施工条件などに応じ、**良好な締固めができる範囲**とする。公共建築工事標準仕様書。

問題2　正しい
　コンクリートの圧送に先立ち、**富調合のモルタル**を圧送してコンクリートの品質の変化を防止する。また、必要に応じてモルタルの圧送に先立ち、水を用いて装置の内面を潤す。公共建築工事標準仕様書。

問題3　誤り
　コンクリートの**打継ぎ面**は、**レイタンス及びぜい弱なコンクリート**を取り除き、健全なコンクリートを露出させる。また、散水などにより**湿潤**にしておき、表面に溜まった水を高圧空気などによって取り除いて、新たに打ち込むコンクリートと一体となるように処置する。JASS 5。

問題4・5　正しい
　コールドジョイントを防止するために、コンクリート棒形振動機は、**先に打込まれたコンクリートの層**に振動機の**先端が入るように**挿入し、後から打込むコンクリートと一緒に締め固める。また、棒形振動機の**加振時間**はコンクリートの表面に**ペーストが浮き上がるまで**とする。JASS 5。

問題6　正しい
　コンクリートの沈み、材料分離、ブリーディング、プラスチック収縮ひび割れなどによる不具合は、**コンクリートの凝結が終了する前にタンピング**などにより処置する。JASS 5。

問題7　正しい
　柱の打込みは、コンクリートを一度**スラブ又は梁で受けた後柱各面から打込む**。はり筋と柱筋の交差している箇所から直接打ち込むと、特にコンクリートが分離しやすい。また、直接柱に打ち込む場合は、コンクリートの落下高さを低くして、できるだけ柱の中心部に落とし込むようにする。

問題8　正しい
　ホースなどからコンクリートが離れて落ちる高さが大きすぎるとコンクリートの分離が生じ、また、衝撃で鉄筋を動かしたりスペーサーなどが外れたりするおそれがある。**階高が高い柱**等、型枠の高さが大きい場合、**縦形シュート**を用いるか、型枠中間に開口部を設けるなどして、コンクリートの分離を防止する。JASS 5。

問題9　正しい
　梁及びスラブのコンクリートの打込みの進め方は、**壁及び柱**のコンクリートの**沈みが落ち着いたのち**に、梁を打ち込み、梁のコンクリートが**落ち着いたのち**に、スラブを打ち込む。公共建築工事標準仕様書。

問題10　正しい
　防水上打ち継ぎ部が弱点となりやすい**パラペット**や力学上片持ばりになる**ひさし**は、**打ち継ぎは設けない**で、これを支持する躯体部分と一体打ちとする。

問題11　正しい
　スラブのコンクリートの**打込み**は、**遠方から手前へ**と打ち逃げの形で、打ち進める。建築工事監理指針。

問題12　正しい
　階段のある打込み区画は、**階段回り**から打込む。建築工事監理指針。

問題13　誤り
　コンクリートを1箇所にまとめて打込み、その後、振動機等で横流しをすると材料分離を生ずる。したがって、<u>コンクリートは**打込む場所**にできるだけ**近い位置に打込む**</u>。建築工事監理指針。

問題14・15　正しい
　打継ぎは、**はり及びスラブ**の場合は、その**スパンの中央又は端から1/4の付近**に設け、**柱及び壁**の場合は、**スラブ、壁ばり又は基礎の上端**に設ける。公共建築工事標準仕様書。

問題16　正しい
　打込み継続中における**打継ぎ（打重ね）時間間隔の限度**は、外気温が25℃未満の場合は150分、**25℃以上**の場合は**120分**を目安とし、先に打ち込まれたコンクリートの再振動可能時間以内とする。JASS 5。

問題17　正しい
　コンクリートの**練混ぜから打込み終了までの時間**は、外気温が25℃以下の場合は120分以内、**25℃を超える**場合は**90分**以内とする。公共建築工事標準仕様書。

問題18　正しい
　コンクリートの打込み後、少なくとも**1日間（24時間）**はその上を**歩行**したり、**作業してはならない**。また、その後、**墨出し**等でスラブの上に乗る場合でも、コンクリートに**振動・衝撃を与えない**ように静かに作業しなければならない。JASS 5。

問題19　正しい
　寒冷期においては、コンクリートを寒気から保護し、コンクリート**打込み中及び打込み後5日間**は、コンクリートの温度が**2℃を下らない**ようにし、かつ、乾燥、震動等によってコンクリートの凝結及び硬化が妨げられないように養生しなければならない。建築基準法施行令第75条。

① 工場作業

1　工場作業の流れと出題ポイント

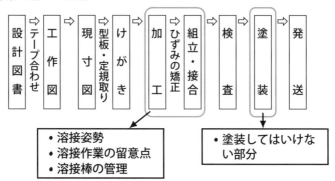

2　溶接接合
- ●溶接作業者 ⇨ 溶接技能検定試験に合格した**有資格者**
- ●溶接材料 ⇨ 吸湿させないよう保管。吸湿させた場合、**再乾燥**させてから使用
- ●溶接姿勢 ⇨ できるだけ**下向き**
- ●溶接環境 ⇨ **気温−5℃を下回る場合、溶接作業不可**
- ●溶接の余盛り ⇨ 必要以上に**大きくしてはならない**

② 現場作業

1　現場作業の流れ

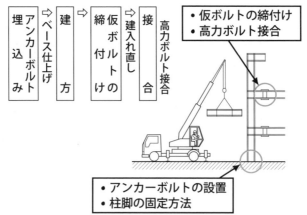

2　建方作業

① ベースプレート下面の**ならしモルタル**は、あと詰め工法とし、**無収縮性のモルタルを注入**する。

② アンカーボルトの先端は、ねじ山がナットの先に**3山以上**出るようにする。

③ 部材に曲がり・ねじれなどが生じた場合は、建方に先だって修正する。

④ 建方時に使用する**仮ボルトの本数**は、接合部のボルト群に対して**1/3程度**で、かつ、**2本以上**とする。

⑤ ターンバックル付き**筋かい**を利用して、建入れの**ひずみ直しを行ってはならない**。

⑥ 建方精度の検査は、下げ振りやトランジットなどで、鉛直・水平の各方向について行う。

3　高力ボルト接合

① **高力ボルト**M22の**孔径の最大値**は、ボルト径に**2mmを加えたもの**とする。

② 高力ボルトは、ボルト・ナット及び座金をセットとして規格が定められている。

③ 摩擦面のすべり係数は、0.45以上確保する。
　　⇨ 摩擦接合面は、**塗装してはならない**。

④ ボルトの締付け作業は、部材の密着に注意し、1次締め、マーキング及び本締めの3段階で行う。

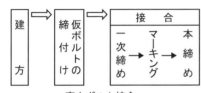

高力ボルト接合

マーキング

⑤ 高力ボルト群の締付けは、**中央部のボルトから順次**、端部のボルトに向かって行う。

⑥ ボルトの締付け検査は、トルクコントロール法、ナット回転法のいずれも、すべてのボルトについて行う。

⑦ **高力ボルトと普通ボルト**を併用する場合には、**高力ボルトだけで全応力に耐え**られるように設計しなければならない。

⑧ **高力ボルトと溶接を併用**する場合には、**高力ボルトを先**に締め付けた後、溶接を行わなければならない。

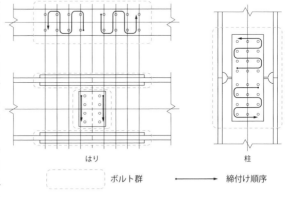

はり　　　　　柱

[____] ボルト群　　　⟶ 締付け順序

問題1
　吸湿の疑いのある溶接棒は、再乾燥させてから使用した。

問題2
　作業場所の温度が−7℃であったので、溶接開始に先立ち、溶接部及び周辺部を加熱してから溶接を行った。

問題3
　完全溶込み溶接における余盛は、母材表面から滑らかに連続する形状とした。

問題4
　溶接姿勢は、できるだけ下向きがよい。

問題5
　完全溶込み溶接において、溶接部の始端部及び終端部に鋼製エンドタブを用いた。

問題6
　ベースプレート支持工法は、あと詰め中心塗り工法とし、流動性のよい無収縮性のモルタルを充てんした。

問題7
　ベースプレートとアンカーボルトの緊結を確実に行うため、ナットは二重とし、ナット上部にアンカーボルトのねじ山が3山以上出るようにした。

問題8
　高力ボルト接合による継手の仮ボルトの締付け本数は、一群のボルト数の1/3以上、かつ、2本以上とした。

問題9
　柱の溶接継手におけるエレクションピースに使用する仮ボルトについては、一群のボルト数の3/4を締め付けた。

問題10
　高力ボルトの締付け作業において、高力ボルトを取り付け、マーキングを行った後に、一次締めと本締めを行った。

問題11
　トルシア形高力ボルトの本締めにおいては、専用のレンチでピンテールが破断するまで締め付けた。

問題12
　高力ボルト孔の食い違いが2㎜以下であったので、リーマー掛けによって孔の位置を修正した。

問題13
　高力ボルト締めによる摩擦接合部の摩擦面には、錆止め塗装を行わなかった。

問題14
　高力ボルト接合部における一群の高力ボルトの締付けは、群の中央部から周辺部に向かう順序で行った。

問題15
　高力ボルトと溶接とを併用する継手において、高力ボルトを先に締め付けた後、溶接を行った。

問題16
　鉄骨の建方において、建方の進行とともに、小区画に区切って、建入れ直し及び建入れ検査を行った。

Ⅳ
建築施工

【関連】高力ボルト

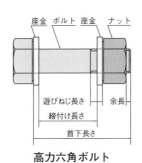

高力六角ボルト　　　　　トルシア形高力ボルト

問題1　正しい

　溶接材料は、湿気を吸収しないように保管し、被覆材の剥脱・汚損・変質・吸湿・著しく錆の発生したものは使用してはならない。**吸湿**の疑いがあるものは、その溶接材料の種類に応じた乾燥条件で**乾燥して使用**する。JASS 6。

問題2　誤り

　作業場所の温度が**−5℃を下回る**場合には、溶接を**行ってはならない**。なお、作業場所の温度が**−5℃から5℃**においては、接合部より**100mm**の範囲の**母材部分**を適切に**加熱**すれば**溶接することができる**。公共建築工事標準仕様書。

問題3　正しい

　余盛は、応力集中を避けるため過度にならないように**母材表面から滑らかに連続する形状**とする。完全溶込み溶接（突合せ溶接）・すみ肉溶接とも余盛の許容値が定められている。鉄骨工事技術指針。

問題4　正しい

　溶接姿勢は、作業架台やポジショナーを設置し、できるだけ**下向き**溶接で行い、健全な溶接部が得られるようにする。JASS 6。

問題5　正しい

　一般に溶接の始端には、溶込み不良やブローホールなど、また、終端には、クレーター割れなどの欠陥が生じやすい。これらの欠陥の発生を防ぐため**溶接の始端及び終端**には、原則として適切な形状の鋼製**エンドタブ**を取り付ける。JASS 6。

問題6　正しい

　ベースプレートの支持工法は、特記のない場合は、ベースモルタルの**あと詰め中心塗り工法**とし、工法に使用するモルタルは、**無収縮モルタル**とする。JASS 6。

問題7　正しい

　アンカーボルトは、二重ナット及び座金を用い、その先端はねじがナットの外に**3山以上**出るようにする。ただし、コンクリートに埋め込まれる場合は、二重ナットとしないことができる。公共建築工事標準仕様書。

問題8　正しい

　建方時に使用する**仮ボルト（中ボルトなど）**の本数は、接合部のボルト1群に対して**1/3程度**、かつ**2本以上**とする。JASS 6。

問題9　誤り

　柱又は梁を現場溶接接合（継手）とする場合は、仮接合するために**エレクションピース**等を使用する。この場合の仮ボルトは、**高力ボルト**を使用し、**全数**締め付ける。JASS 6。

問題10　誤り
　トルシア形高力ボルトの締付け作業は、部材の密着に注意した締付け順序で、**1次締め**、**マーキング**及び**本締め**の3段階で行う。したがって、マーキングは、1次締めの後に行う。

問題11　正しい
　トルシア形高力ボルトの**本締め**は、トルシア形高力ボルト専用の締付け機を用いて行い、**ピンテール**が**破断**するまでナットを締め付ける。JASS 6。

問題12　正しい
　接合部組み立て時に積層した板間に生じた**2mm以下**の高力ボルト孔の**食違い**は、**リーマー掛け**して修正してよい。JASS 6。

問題13　正しい
　錆止め塗装しない部分は以下のとおりとする。
　塗装する場合は、特記による。JASS 6。
① 工事現場溶接を行う箇所及びそれに隣接する両側100mm以内、かつ、超音波探傷試験に支障を及ぼす範囲
② **高力ボルト摩擦接合部**の**摩擦面**
③ **コンクリート**に密着する部分及び**埋め込まれる部分**
④ 密閉される閉鎖形断面の内面
⑤ ピン、ローラー等密着する部分及び回転又は摺動面で削り仕上げした部分
⑥ 組立により肌合せ(密着する面)となる部分

問題14　正しい
　1群の高力ボルトの締付けは、群の**中央部より周辺部**に向かう順序で行う。公共建築工事標準仕様書。

問題15　正しい
　高力ボルト接合と溶接接合とを**併用**する継手では、先に溶接を行うと溶接熱により、接合部が変形するおそれがあるので、原則として、**高力ボルトを先**に締付け、その後、**溶接**を行う。JASS 6。

問題16　正しい
　建入れ直しは建方時の誤差、すなわち、柱の倒れ・出入り等を修正し、建方精度を確保するために行うものであるが、建方がすべて完了してから行ったのでは十分に修正できない場合が多い。したがって、建方の進行とともに、できるだけ**小区画**に区切って**建入れ直し**と**建入れ検査**を行うことが望ましい。建築工事監理指針。

〔補強コンクリートブロック〕

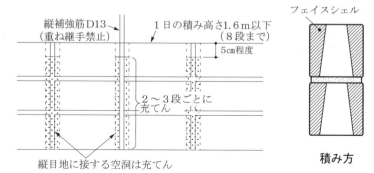

問題 8

次の記述について、**正しいか、誤っているか**、判断しなさい。

▌ **補強コンクリートブロック工事** ▌

check

問題 1
　高さ1.5mの塀における基礎の根入れの深さは、30cmとした。

check

問題 2
　高さ2mの補強コンクリートブロック造の塀において、長さ4m
ごとに控壁を設けた。

check

問題 3
　コンクリートブロックは、フェイスシェル厚の厚い方を下にして
積み上げた。

問題4
　各段のブロック積みに先立ち、モルタルと接するブロックの面に適度な水湿しを行った。

問題5
　ブロック積みは、中央部から順次隅角部に向かって、水平に行った。

問題6
　耐力壁については、ブロックの1日の積み上げ高さを1.6mとした。

問題7
　縦目地空洞部には、ブロック4段ごとにモルタルを充填した。

問題8
　耐力壁の縦筋は、ブロックの空洞部内において重ね継手とした。

問題9
　耐力壁の横筋は、重ね継手の長さを45ｄとし、定着長さを40ｄとした。

問題10
　直交壁のない耐力壁の横筋の端部については、180°フックとし、壁端部の縦筋にかぎ掛けとした。

問題11
　壁鉄筋のかぶり厚さの最小値は、フェイスシェルの厚さを含めて、20mmとした。

問題12
　コンクリートブロックの空洞部の充てんコンクリートの打継ぎ位置は、ブロック上端面と同一とした。

問題13
　耐力壁において、電気配管は、ブロックの空洞部を利用して埋め込んだ。

解 説

問題1　正しい

　高さ**1.2mを超える**補強コンクリートブロック造の塀において、基礎の丈は、35cm以上とし、**根入れの深さは、30cm以上**とする。建築基準法施行令第62条の8第七号。

問題2　誤り

　高さ**1.2mを超える**補強コンクリートブロック造の塀においては、**長さ3.4m以下**ごとに**控壁**を設ける。建築基準法施行令第62条の8第五号。

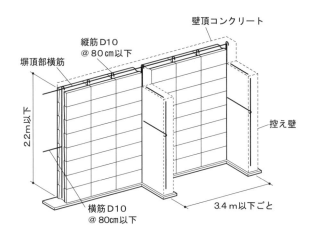

問題3　誤り

　水平目地のモルタル塗布と組積の安定をよくするため、原則として、**フェイスシェルの厚いほうを上**(薄いほうを下)にして積む。JASS 7。

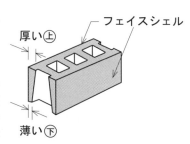

問題4　正しい

　モルタルと接するブロックの面は、モルタルの練り混ぜ水を過度に吸収しないように、適度に**水湿し**を行う。ただし、水湿しが適当でない場合は、この限りでない。公共建築工事標準仕様書。

問題5　誤り

　ブロックの組積にあたっては、縦遣方を基準として水糸を張り、水糸にならって**隅角部**より各段ごとに順次**水平に**積み回る。建築工事監理指針。

問題6　正しい

　ブロックの1日の積み上げ高さは、**1.6m（8段）以下**とする。JASS 7。

398

問題7 誤り

補強コンクリートブロック造でのコンクリートまたは**モルタルの充填**は、空洞部の断面が小さいので、打込み高さが高いと充填が不完全になりがちである。そこで、<u>打込みは2〜3段ごとに行い</u>、ブロック1段分ぐらいの充填コンクリートまたはモルタルをよく突き固めて豆板や、すができないようにする。JASS 7。

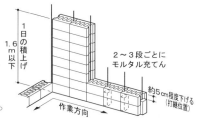

問題8 誤り

耐力壁の**縦筋**は、原則として、<u>**空洞部内で重ね継手を用いてはならない**</u>。補強コンクリートブロック造設計規準。

【関連】耐力壁の**縦筋**は、原則として、**ブロックの中心部**に配筋し、上下端を**臥梁**、**基礎**等に**定着**する。

問題9 正しい

壁横筋の重ね継手長さは45dとし、**定着長さは40d**とする（dは呼び名に用いた数値）。公共建築工事標準仕様書。なお、建築基準法施行令第62条の4第6項二号では横筋の重ね継手長さは、溶接する場合を除き、径の25倍以上と規定している。

問題10 正しい

壁横筋は、壁端部縦筋に**180度フック**により**かぎ掛け**とする。ただし、直交壁がある場合は、直交壁に定着させるか、直交壁の横筋に重ね継手とする。公共建築工事標準仕様書。

問題11 誤り

壁鉄筋の**かぶり厚**さの最小値は、**20mm以上**とする。ただし、ブロックの**フェイスシェル**は、かぶり厚さに**含まない**。公共建築工事標準仕様書。

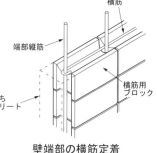

壁端部の横筋定着

問題12 誤り

1日の作業終了時の縦目地空洞部の充てんコンクリートの**打継ぎ箇所**は、<u>ブロック上端から**約5cm程度下げた位置**とする</u>。JASS 7。

問題13 正しい

ブロックの空洞部を通して、**電気配管**することが**できる**。ただし、上下水道・ガス管などの比較的太い配管は、原則として、埋込んではならない。JASS 7。

◆**使用方法・接合方法**

● 根太・垂木の継手位
置は乱に配置

● その他

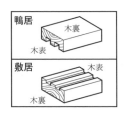

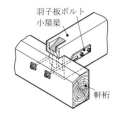

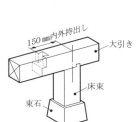

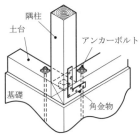

問題 9 次の記述について、**正しいか、誤っているか、判断しなさい。**

問題1

大壁造において、耐力壁下部のアンカーボルトは、その耐力壁の両端の柱心から300mm程度離れた位置に埋め込んだ。

問題2

防腐処理において、薬剤を塗布した後、十分に乾燥させ、2回目の塗布を行った。

問題3

大引の継手は、床束心から150mm程度持ち出した位置とし、腰掛け蟻継ぎ、釘2本打ちとした。

問題4

根太の継手の位置は、乱に配置した。

問題5

畳下床板の継手位置は、根太上とし、突付け・釘打ちとした。

check ☐☐☐

問題6
　床張り用面材には、JISによる「Ｆ☆☆☆☆」のパーティクルボードを使用した。

check ☐☐☐

問題7
　壁胴縁の取付間隔は、せっこうボードでは303mm 程度とし、せっこうラスボードでは455mm程度とした。

check ☐☐☐

問題8
　敷居は、木材の木裏を下、鴨居は木裏を上にして用いた。

check ☐☐☐

問題9
　心持材の化粧柱には、見えがくれ面に背割を行ったものを使用した。

check ☐☐☐

問題10
　根太間隔が450mm程度であったので、畳敷きの床の下地として、厚さ12mmの構造用合板を使用した。

check ☐☐☐

問題11
　厚さ12mm の板材の留付けには、長さ32mm の釘を用いた。

> 　各部材の接合箇所とそこに使用する接合金物との組合せについて、**正しいか、誤っているか、判断しなさい。**

check ☐☐☐

問題12
　小屋梁と軒げた ──────── 羽子板ボルト

check ☐☐☐

問題13
　筋かいと柱・横架材 ────── 筋かいプレート

check ☐☐☐

問題14
　柱と土台・横架材 ─────── かど金物

check ☐☐☐

問題15
　床組・小屋組隅角部 ────── 火打金物

check ☐☐☐

問題16
　通し柱と胴差し ──────── かね折り金物

check ☐☐☐

問題17
　管柱と管柱 ───────── 短ざく金物

問題1 誤り

大壁造において、**アンカーボルトの位置**は、**柱心より200mm以内**とし、なるべく耐力壁の外側に設ける。住宅金融支援機構「木造住宅工事仕様書」。

問題2 正しい

薬剤の塗布等による**防腐・防蟻処理**における塗布又は吹付けは、**1回処理**したのち、十分に乾燥させ、**2回目の処理**を行う。JASS 11。

問題3 正しい

大引きの継手は、束心から**150mm**程度持ち出し、**腰掛けあり継ぎ、釘2本打ち**とする。公共建築工事標準仕様書。

問題4 正しい

継手を平面的にも立体的にも、同一箇所（同一線上）継ぎにすると、構造物の耐力は低下するので、**継手の位置は乱**または、ちどりに配置する。建築工事監理指針。

問題5 正しい

下張り用床板の合板は、**厚さ12mm**とし、受材心で突付け、乱に継ぎ、釘打ち又は木ねじ止めとする。畳下の床板は、**根太上で突付け**継ぎ、釘打ちとする。公共建築工事標準仕様書。

問題6 正しい

建材の選定においては、JIS又はJASに定める**F☆☆☆☆**（ホルムアルデヒド放散量の平均値0.3mg/*l*）レベルの材料又はこれと同等以上の性能を有するものを使用する。住宅金融支援機構「木造住宅工事仕様書」。

問題7 正しい

壁胴縁の取付間隔は、一般の**石こうボード**の場合は**300mm程度**とし、**石こうラスボード**の場合は、**450mm程度**とする。公共建築工事標準仕様書。

問題8 正しい

敷居、鴨居の溝じゃくりを行う場合は、**木表に溝**を付ける。敷居、鴨居は、乾燥すると木裏が凸になる傾向があり、溝じゃくりを木裏に設けると建具の開閉が固くなる。**敷居は木裏を下、鴨居は木裏を上**にして用いる。

問題9 正しい

化粧の柱の心持材の場合は、**背割り**（あらかじめ背の部分に樹心まで、のこぎりで引き込むこと）を行ったものとする。公共建築工事標準仕様書。

問題10　正しい

　畳下地が合板張りの場合は、「**合板の日本農林規格**」における所定の**構造用合板**に適合するもので、**厚さは12mm**とし、**根太間隔は450mm**程度とする。公共建築工事標準仕様書。

問題11　正しい

　釘径は、板厚の1/6以下とし、かつ、**釘の長さは打ち付ける板厚の2.5倍以上**とし、板厚10mm以下の場合は4倍を標準とする。建築工事監理指針。したがって、厚さ12mmの板材の留付けには、12×2.5＝30mm以上の釘の長さが必要である。

問題12　正しい

　羽子板ボルトは、小屋ばりと軒げた、軒げたと柱、はりと柱、胴差と通し柱の連結に用いる。

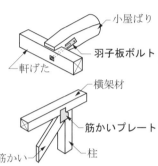

問題13　正しい

　筋かいプレートは、筋かいを柱及び横架材に同時に接合するのに用いる。

問題14　正しい

　かど金物は、引張りを受ける柱の上下(柱と土台・軒桁等)の接合に用いる。

問題15　正しい

　火打金物は、床組及び小屋組隅角部の補強に用いる。

問題16　正しい

　かね折り金物は、通し柱と胴差しの接合に用いる。

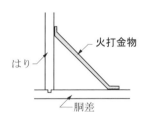

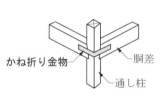

問題17　正しい

　短ざく金物は、1・2階管柱の連結、胴差相互の連結等に用いる。

Check Point 10 防水・屋根工事

① 防水工事（アスファルト防水）

- 下地コンクリートは、十分に乾燥させる
- ルーフィングは、原則、水下から水上に張る
- 排水口（ドレン）まわり、出隅入隅は、一般部より先にルーフィングで増し張り
- 屋根スラブとパラペットの交差部（＝入隅部）は、45度の勾配をつける
- 保護コンクリートには伸縮目地を設置

② 屋根工事

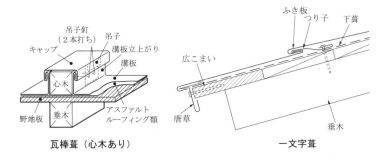

瓦棒葺（心木あり）　　　　　　一文字葺

問題 10

次の記述について、**正しいか、誤っているか、判断しなさい。**

▌ アスファルト防水 ▌

問題1
　コンクリート下地は、清掃を行い、十分に乾燥させた後、アスファルトプライマーを均一に塗り付けた。

問題2
　アスファルトルーフィングは、水上側から水下側に向かって張り進めた。

問題3
　屋根露出防水密着工法による平場のアスファルトルーフィングの重ね幅は、長手・幅方向とも50mmとした。

問題4

出隅・入隅等へのルーフィングの増張りは、一般平場部分へのルーフィングの張付けに先立って行った。

問題5

下地コンクリートスラブの打継ぎ箇所には、幅50㎜の絶縁用テープの張り付けを行った後、その上に幅300㎜のストレッチルーフィングの増張りを行った。

問題6

防水層の下地で屋根スラブとパラペットの交差する入隅部分は、通りよく直角に仕上げた。

問題7

保護コンクリートに設ける伸縮調整目地の深さは、その保護コンクリート厚さの1/2程度とした。

問題8

平場の保護コンクリートに設ける伸縮調整目地のパラペットに最も近い目地は、パラペットの立上りの仕上げ面から600㎜の位置に設けた。

問題9

平場の保護コンクリートのひび割れを防止するため、伸縮調整目地内ごとに溶接金網を敷き込んだ。

▍ 各 種 防 水 ▍

問題10

シート防水工事（合成高分子系）において、防水下地の屋根スラブとパラペットとの交差する入隅部分は、通りよく直角とした。

問題11

塩化ビニル樹脂系ルーフィングシートを用いた防水工事において、平場のシートの重ね幅を40㎜とした。

問題12

シーリング工事において、バックアップ材を用いて二面接着とした。

問題13

外壁のコンクリートと鋼製建具枠との取合い部分に、変成シリコーン系シーリング材を用いた。

IV 建築施工

Ⅳ 建築施工

解　説

問題1　正しい

アスファルトプライマーは、下地コンクリートが**十分乾燥**していることを確認した後、入念な清掃を行ってから塗布する。下地の乾燥が不十分だと、プライマーの付着が悪く、また防水層施工後にふくれが生じたりする。JASS 8。

問題2　誤り

ルーフィング類は、水勾配に逆らわないように、**水下側から水上側**に向かって張り進める。JASS 8。

問題3　誤り

アスファルトルーフィングの継目は、**長手（縦）、幅（横）とも100mm程度重ね**、水下から水上に張り上げる。JASS 8。したがって、50mmでは不足している。

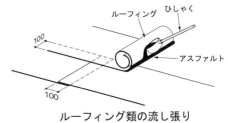

ルーフィング類の流し張り

問題4　正しい

出隅・入隅は、平場のルーフィングの張付けに先立ち、幅**300mm**以上のストレッチルーフィングを用いて均等に**増張り**する。建築工事監理指針。

問題5　正しい

コンクリートスラブの**打継ぎ箇所**及び著しいひび割れ箇所には、**幅50mm程度**の**絶縁用テープ**を張り付け、その上に**幅300mm以上**のストレッチルーフィングを**増張り**する。公共建築工事標準仕様書。

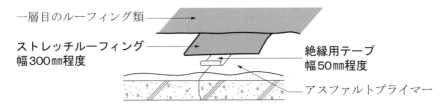

一層目のルーフィング類

ストレッチルーフィング
幅300mm程度

絶縁用テープ
幅50mm程度

アスファルトプライマー

コンクリート打継ぎ部の処理

問題6　誤り

アスファルト防水層の場合、立上がりの**入隅部**は、**45度**に仕上げる。公共建築工事標準仕様書。

問題7　誤り

屋根アスファルト防水の保護コンクリートに設ける**伸縮目地**は、目地幅25mm、深さは**コンクリートの上面から下面に達する**ものとする。公共建築工事標準仕様書。

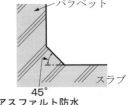

パラペット

スラブ

45°
アスファルト防水
の立上がり入隅部

問題8　正しい

　平場の屋根防水保護層には、伸縮目地を設ける。伸縮調整目地の割付は、周辺の立上り部の**仕上り面から600mm 程度**とし、中間部は**縦横間隔3,000mm 程度**とする。また、伸縮調整目地は、排水溝を含めて、立上りの仕上り面に達するものとする。公共建築工事標準仕様書。

問題9　正しい

　平場の保護コンクリートには、ひび割れを防止するため、伸縮調整目地を設け、伸縮調整目地内ごとに**溶接金網**を敷き込む。建築工事監理指針。

問題10　正しい

　合成高分子系シート防水の入隅の下地は、**通りよく直角**とし、出隅は、面取りとする。公共建築工事標準仕様書。

問題11　正しい

　塩化ビニル樹脂系ルーフィングシートの**重ね幅**は、**縦横とも40mm 以上**とし、接合部は熱風融着又は溶剤溶着により接合し、その端部を液状シール材でシールする。公共建築工事標準仕様書。

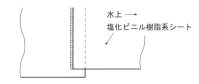

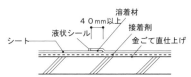

問題12　正しい

　バックアップ材とは、シーリング材の充てん深さを所定の寸法に保持するために目地に装てんする成形材料である。シーリング材への不利な応力を防止するため、目地底に接着させず（３面接着の防止）、常に**２面接着**とする役割もある。JASS 8。

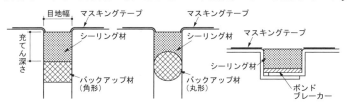

問題13　正しい

　雨掛り部分の鋼製建具枠回りに使用するシーリング材は、外壁のコンクリートとの取合い部分には、**変成シリコーン系シーリング材**を使用する。公共建築工事標準仕様書。

◆セメントモルタル塗り

工程	調合（セメント量）
下塗り	富調合（多い）
中塗り	↓
上塗り	貧調合（少ない）

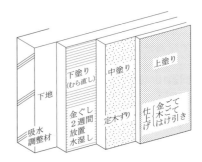

問題 11　次の記述について、**正しい**か、**誤っているか**、判断しなさい。

▌ セメントモルタル塗り ▌

check
問題1
　下塗りには、上塗りよりも、荒めの砂を用いた富調合のモルタルを使用した。

check
問題2
　コンクリート壁の下地面は、デッキブラシで水洗いを行い、モルタルの接着を妨げるものを除いた。

check
問題3
　塗装合板型枠を用いたコンクリート面のモルタル塗りにおいて、ポリマーセメントペーストを塗布した後、モルタル塗りを行った。

check
問題4
　コンクリート壁面へのモルタル塗りは、下塗り → むら直し → 中塗り → 上塗りの順で行った。

check
問題5
　コンクリート下地壁のセメントモルタル塗りにおいて、中塗りは、下塗り後1週間放置してから行った。

問題6
　上塗りは、中塗りの2日後に、硬化の程度を見計らい行った。

問題7
　壁の各層の1回当たりの塗り厚は7mm以下とし、仕上げ厚（塗り厚の合計）は20mmとした。

問題8
　コンクリート下地のセメントモルタル塗りにおいて、1回に練り混ぜるモルタルの量は、120分以内に使い切れる量とした。

問題9
　コンクリートを下地とした床面へのセメントモルタル塗りは、コンクリート硬化後、なるべく早い時期に行った。

▌ その他の左官 ▌

問題10
　せっこうプラスター塗りにおいて、中塗りが半乾燥の状態のうちに、上塗りを行った。

問題11
　せっこうプラスター塗りの上塗りにおいて、プラスターは、加水後120分を目安に使い終えた。

問題12
　本しっくい塗りは、下塗り、鹿子ずり、中塗り、上塗りに分けて行った。

問題13
　コンクリート床面へのセルフレベリング材塗りにおいて、低温の場合の養生期間は14日とした。

問題14
　繊維壁塗りは、乾燥した日を選んで施工し、仕上げ後は通風を与えた。

問題15
　コンクリート壁面へのロックウールの吹付けに当たって、吹付け厚さは、仕上げ厚さの1.2倍程度とし、吹付け後、こてで圧縮して所定の厚さに仕上げた。

問題1　正しい

モルタル塗りの調合の原則は、**下塗りはセメント量の多い富調合**として下地との付着を高め、**上塗りは貧調合**として乾燥収縮を小さくしてひび割れを防ぐ。JASS 15。したがって、下塗りは、上塗りより荒めの砂で富調合のモルタルを用いる。

問題2　正しい

コンクリート、コンクリートブロック壁面の下地処置は、**デッキブラシ等で水洗い**を行い、モルタル等の**接着を妨げるものを除く**。公共建築工事標準仕様書。

問題3　正しい

塗装合板、金属製型枠を用いたコンクリート下地は、平滑過ぎるため、モルタルとの有効な付着性能が得られにくい。したがって、**ポリマーセメントペースト**または吸水調整材を**塗布**し、モルタル塗りを行う。建築工事監理指針。

問題4　正しい

壁モルタル塗りは、①**下塗り**、②**むら直し**、③**中塗り**、④**上塗り**の順で行う。公共建築工事標準仕様書。

問題5　誤り

中塗りは、**下塗りを2週間以上**できるだけ長期間放置し、乾燥収縮による**ひび割れ**を発生させてから、**水湿し**をして塗り付ける。JASS 15。

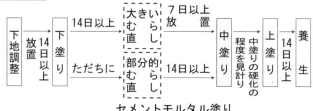

セメントモルタル塗り

問題6　正しい

上塗りは、中塗りの硬化の程度を見計らい、**1～2日後**に施す場合と**7～10日**程度放置してから塗る場合とがある。JASS 15。

問題7　正しい

壁モルタル塗りの1回の塗厚は、原則として、**7mm以下**（JASS 15では、6mmを標準、9mmを限度）とする。また、仕上げ厚または**全塗厚**（タイル張りにあっては、張付けモルタルを含む。）は、床の場合を除き、**25mm以下**とする。公共建築工事標準仕様書。

問題8　誤り

1回の練り混ぜ量は、品質確保のため、**60分以内に使い切れる量**とする。公共建築工事標準仕様書。

問題9　正しい
　コンクリート**床面**の場合は、**コンクリート硬化後**なるべく**早い時期**に塗付けを行う。コンクリート打込み後、長時間放置したものは、モルタルの浮きを防止するために粉塵等を十分清掃し、水洗いを行う。公共建築工事標準仕様書。

問題10　正しい
　せっこうプラスター・ドロマイトプラスター・しっくい塗りの**上塗り**は、**中塗り**が**半乾燥**のとき塗り付ける。JASS 15。

石こうプラスター塗り

問題11　誤り
　せっこうプラスターは、水を加えてよく練る。下塗り及び中塗りには、加水後2時間以上、<u>**上塗り**には、**1.5時間(90分)以上**経過したものを**使用しない**</u>。JASS 15。

問題12　正しい
　本しっくい塗りの工程は、**下塗り、むら直し・鹿子ずり及び中塗り、上塗り**の順に行う。むら直しと鹿子ずりは、中塗り厚を均一にするための工程で、両者ともに行う場合といずれか一方だけ、又は両者とも省略される場合があるが、工程が多いほど高級工事となる。JASS 15。

問題13　正しい
　セルフレベリング材塗り後の**養生期間**は、一般に**7日以上**、**低温の場合は14日以上**とし、表面仕上げ材の施工までの期間は、30日以内を標準とする。公共建築工事標準仕様書。

問題14　正しい
　繊維壁塗りは、乾燥した日を選んで施工し、仕上げ後は**通風を与えて**、なるべく早く乾燥させる。早く乾燥させると、糊の変質やかびの発生を防ぐ効果がある。住宅金融支援機構「木造住宅工事仕様書」。なお、セメント系、石こう系の材料を使用する左官工事では、早期乾燥は不具合発生の原因となるので注意する。

問題15　正しい
　ロックウール吹付け厚さは、所定の厚さの**1.2倍程度**とし、こてで圧縮して所定の厚さに仕上げる。公共建築工事標準仕様書。

◆タイル工事

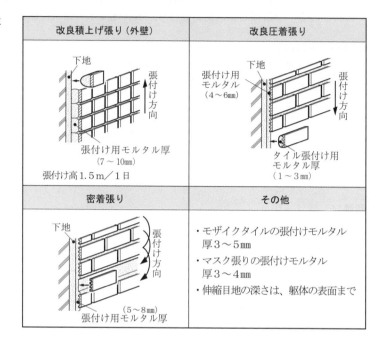

工　　法	改良積上	改良圧着	密　着	一般床
セメント	1	1	1	1
砂	2～3	1～2	1～2	1～2

● 張付けモルタル調合比

問題 12 次の記述について、**正しいか、誤っているか**、判断しなさい。

問題1
　タイル張りは、窓や出入口まわり等の役物から先に張り付けた。

問題2
　セメントモルタルによるタイル張りにおいて、タイル張りに先立ち、下地モルタルに水湿しを行った。

問題3

外壁の改良圧着張りにおいて、張付け用モルタルの調合は、容積比でセメント1：砂2とした。

問題4

外壁のタイル張り工事において、下地のひび割れ誘発目地の位置に、伸縮調整目地を設けた。

問題5

外壁の二丁掛けタイルの密着張りにおいて、張付けモルタルの塗り厚は、15mm程度とした。

問題6

内壁タイルの密着張りにおいて、張付けモルタルの1回の塗付け面積は、2㎡/人以内とした。

問題7

内壁タイルの密着張りにおいて、タイルは、上部から下部へ、一段置きに水糸に合わせて張った後、それらの間を埋めるように張り進めた。

問題8

二丁掛けタイルの改良積上げ張りにおいて、張付け用モルタルの塗り厚は、7mm程度とした。

問題9

改良積上げ張りにおいて、1日の張付け高さは、1.5mまでとした。

問題10

外壁の改良圧着張りにおいて、張付けモルタルの1回の塗付け面積は、2㎡／人以内とした。

問題11

内壁の接着剤張りにおいて、張付け用接着剤の塗り厚は、所定のくし目ごてを用いて、3mm程度とした。

問題12

内壁のモザイクタイル張りにおいて、張付けモルタルは二度塗りとし、その塗り厚の合計を4mm程度とした。

解 説

問題1　正しい

コーナー部や開口部回りの**役物タイル**は、その他の平部分のタイル張りに先立ち、基準を設けるために施工する。公共建築工事標準仕様書。

問題2　正しい

セメントモルタルを用いたタイル張り（壁・床共通）において、タイル張りに先立ち、下地モルタルに適度の**水湿し**又は吸水調整材の塗布を行う。公共建築工事標準仕様書。

問題3　正しい

改良圧着張りにおける、張付け用モルタルの調合は、容積比で**セメント1：砂1〜2**とする。公共建築工事標準仕様書。

問題4　正しい

タイル張り壁面の**伸縮調整目地**は、コンクリート面及び下地モルタル面の伸縮調整目地と必ず**一致させる**。おのおのの位置が異なった場合、コンクリート面あるいは下地モルタル面の伸縮調整目地の位置にあるタイルには、ひび割れ又は浮きが発生する。JASS 19。

問題5　誤り、問題6　正しい

壁タイルの**密着張り**における、**張付けモルタルの塗り厚は5〜8mm**とする。

また、張付けモルタルの1回の塗付け面積の限度は、張付けモルタルに触れると手に付く状態のままタイル張りが完了できることとし2㎡/人以内とする。公共建築工事標準仕様書。

問題7　正しい

壁タイルの**密着張り**による張付けは、**上部より下部**へと行う。水糸を一段ごとに張り、一段置きに数段張り付けた後、それらの間のタイルを張る。JASS 19。

問題8　正しい

改良積上げ張りにおける、張付けモルタルの塗厚は、**7〜10mm**とする。JASS 19。

問題9　正しい

改良積上げ張りにおける、**1日の張付け高さの限度**は、**1.5m以下**とする。JASS 19。

問題10　正しい

壁タイルの改良圧着張りの張付けモルタルの**1回の塗付け面積の限度は2㎡／人以内**とする。公共建築工事標準仕様書。

問題11　正しい

　接着剤張りにおいて、張付け用接着剤の塗り厚は、**くし山部の高さ（3mm程度）**とする。建築工事監理指針。

問題12　正しい

　モザイクタイル張りにおいて、内壁・外壁とも下地面に対する張付け用モルタルの塗付けは**二度塗り**とし、その合計の塗厚は**3〜5mm程度**を標準として平坦にならす。JASS 19。

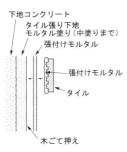

改良圧着張り

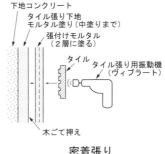

密着張り

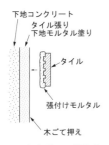

改良積上げ張り

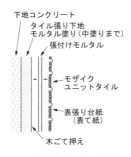

モザイクタイル張り

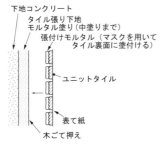

マスク張り

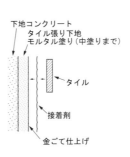

接着剤張り（モルタル下地）

◆主な塗料

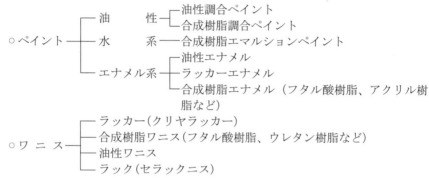

○その他
●マスチック塗材：合成樹脂エマルションに細骨材・充てん材などを配合したもの。ローラーで仕上げる。

◆素地と適応塗料

種類	素地	木部	金属	モルタル・コンクリート
ペイント	油　性	○	○	×
	水　系	○	×	○
	エナメル系	△	○	△
ワニス		○	×	△

●コンクリート素地の乾燥3～4週間放置
●ワニスの着色工程
　①オイルステイン塗
　②ワニス仕上

問題1
　工場塗装において、亜鉛めっき鋼面には、素地ごしらえとして化成皮膜処理を行った。

問題2
　鉄鋼面の素地ごしらえにおいて、溶剤ぶきにより油類を除去した。

問題3
　夏期における屋内のコンクリート面への塗装において、素地調整後のコンクリート面の乾燥期間を、7日間とした。

問題4
　合成樹脂調合ペイントは、セメントモルタルなどアルカリ性の材料への使用に適している。

問題5
　塗装を行うに当たって、中塗り及び上塗りは、各層の色を変えて塗装した。

問題6
　外壁の吹付け塗装において、スプレーガンを素地面に対して、直角に向け平行に動かし、1行ごとの吹付け幅の約1/3を重ねながら吹き付けた。

問題7
　合成樹脂エマルションペイントは、金属面への使用に適している。

問題8
　アクリル樹脂エナメルは、耐アルカリ性に優れ、コンクリート面への使用に適している。

問題9
　ウレタン樹脂ワニスは、木部への使用に適している。

問題10
　フタル酸樹脂エナメルは、鉄鋼面・木部への使用に適している。

問題11
　マスチック塗材は、ALCパネル・コンクリート面への使用に適している。

IV 建築施工

問題1　正しい

　亜鉛めっき鋼面に施された塗装は、はく離することが多いので、塗膜との付着性を向上させるため**素地ごしらえ**として、工場塗装の場合は**化成皮膜処理**を行う。建築工事監理指針。

問題2　正しい

　鉄鋼面の素地ごしらえには、化成皮膜処理する方法、ブラスト法による方法、電動工具・手工具等を使用する方法と3種類あるが、いずれにしても油類を除去する工程では、**溶剤（シンナー）ぶき**を行う。建築工事監理指針。

問題3　誤り

　コンクリート面の素地の**乾燥期間**は、**夏期では21日（3週間）以上**、冬期においては**28日（4週間）以上**とする。建築工事監理指針。

問題4　誤り

　合成樹脂調合ペイントは、素地が木部、鉄鋼面および亜鉛めっき鋼面の塗料として用いるもので、**モルタル・コンクリート**には**適用しない**。公共建築工事標準仕様書。

問題5　正しい

　中塗り及び上塗りは、なるべく**各層の色を変えて**塗る。公共建築工事標準仕様書。塗装の仕上りをよくするには、薄く何回も塗り重ねることが色むらや塗膜の厚さを最終的に確保する無難な方法である。回数を多くし、しかも何回目の塗りでそれが全面に行われたかどうかを知るには、各回のペンキの色を少しずつ変えることが必要である。

問題6　正しい

　スプレーガンは、塗り面に**直角**に向け平行に動かさなければならない。また、1か所に止めて手先だけで吹き付けると塗膜が不均一になるので、1行ごとに**吹付け幅が約1/3ずつ重なる**ように吹き付ける。JASS 18。

問題7　誤り

　合成樹脂エマルションペイントは、建築物内外部のコンクリート、プラスター、せっこうボードなどの面、木部に適するが、**金属面には適用できない**。なお、鉄部など金属面には、合成樹脂調合ペイントなどを用いる。公共建築工事標準仕様書。

問題8　正しい

　アクリル樹脂エナメル塗りは、塗膜が固く、防食性・耐候性・耐衝撃性や耐薬品性に優れており、一般に屋外の**コンクリート**、**モルタル面**及び金属系材料の建具や外装材などに用いられる。JASS 18。

問題9　正しい
　ウレタン樹脂ワニスは、建築物の内部の建具、手すり、床等の**木質系部材**に対する透明仕上げに適用する。建築工事監理指針。

問題10　正しい
　フタル酸樹脂エナメルは、素地が**木部、鉄鋼面**および亜鉛めっき鋼面の塗料として用いる。JASS 18。

問題11　正しい
　マスチック塗材は、素地が**コンクリート**、モルタル、**ALCパネル**及び押出成形セメント板の下地面に、多孔質のハンドローラーを用いて塗る工法に用いる。公共建築工事標準仕様書。

| ポイント | 各種塗料 |

木部	適合する 素地と塗料	• 木　　部 —— ウレタン樹脂ワニス • 木　　部 —— オイルステイン • 木　　部 —— フタル酸樹脂エナメル • 木　　部 —— クリヤーラッカー
	適合しない 素地と塗料	• 木　　部 —— アクリル樹脂エナメル • 木　　部 —— マスチック塗材
金属	適合する 素地と塗料	• 亜鉛めっき鋼板 —— 合成樹脂調合ペイント • 鋼　　板 —— フタル酸樹脂エナメル
	適合しない 素地と塗料	• 鉄　　部 —— 合成樹脂エマルションペイント
セメント系	適合する 素地と塗料	• コンクリート面 —— 合成樹脂エマルションペイント • モルタル面 —— 塩化ビニル樹脂エナメル • ALCパネル —— マスチック塗材 • コンクリート面 —— アクリル樹脂エナメル • モルタル面 —— アクリル樹脂系非水分散系塗料 • 石こうボード面 —— 合成樹脂エマルション模様塗料
	適合しない 素地と塗料	• モルタル面 —— 合成樹脂調合ペイント • モルタル面 —— フタル酸樹脂エナメル • ALCパネル面 —— ウレタン樹脂ワニス

1 建具工事

- 木製建具：使用する木材は含水率15%以下、高さ2m以上の場合は丁番を3枚使用
- アルミサッシ：コンクリート・モルタル・異種金属と接する部分は絶縁処理
- 保管：平 積 み ────── フラッシュ戸
  立てかけ ────── 格子戸、アルミサッシ

2 ガラス工事

- 防煙垂れ壁：網入ガラス、線入板ガラスを使用

問題 14 次の記述について、**正しいか、誤っているか**、判断しなさい。

▌建 具 工 事 ▌

問題1
　アルミサッシがモルタルに接する部分は、サッシの保護塗膜をはがして付着性を高めた。

問題2
　アルミサッシと鋼材が接する部分には、電気的絶縁のために、塗膜処理を行った。

問題3
　建具の保管に当たって、障子・ふすまは平積みとし、フラッシュ戸は立てかけとした。

check
問題4

室内に用いる木製建具材には、加工・組立て時の含水率（質量百分率）が、15%の人工乾燥材を使用した。

check
問題5

高さ 2.3mの木製の開き戸には、ステンレス鋼製の木製建具用丁番を2枚使用した。

check
問題6

鉄骨部材に取り付けるアルミサッシ枠まわりのシーリング材の施工に当たって、プライマー及びバックアップ材を用いて、二面接着とした。

▌ ガラス工事 ▌

check
問題7

屋外に面して合わせガラスをはめ込む場合、下端のガラス溝に径6mmの水抜き孔を1箇所設けた。

check
問題8

防煙垂れ壁には、網入り板ガラスを使用した。

check
問題9

外部に面する網入り板ガラスは、縦小口（下端から1／4の高さまで）及び下辺小口に防錆テープを用いて防錆処置を行った。

check
問題10

厚さ15mmの単板ガラスのステンレス製建具へのはめ込みにおいて、建具枠のガラス溝のかかり代を10mmとした。

check
問題11

ガラスブロック積みにおいて、特記がなかったので、平積みの目地幅の寸法を5mm程度とした。

check
問題12

熱線反射ガラスの清掃は、ガラス表面の反射膜に傷を付けないように、軟らかいゴム、スポンジ等を用いて水洗いとした。

IV

建築施工

解 説

問題1 誤り

アルミニウム材は、**アルカリに弱いので**、アルカリ性材料（コンクリート・**モルタル**）に接する箇所には、**耐アルカリ塗装**（一般には、透明のアクリル樹脂系又はウレタン樹脂系塗料）**を施す**。これは、複合皮膜としてサッシの表面仕上げに用いられている保護塗膜であるので、<u>これをはがしてはならない</u>。JASS 16。

問題2 正しい

アルミニウムは、鉄よりイオン化傾向が大きく、接すると電食が生じる。これを防ぐには、**異種金属間に電気的絶縁材**を挿入すればよく、一般には、**めっきまたは塗膜**を施す。JASS 16。

問題3 誤り

フラッシュ戸は平積みとし、格子戸・ガラス戸・板戸は立てかけ、または平積み、**障子・襖は立てかけ**として変形を防ぐ。いずれも、種別ごと及び同寸法ごとに框・桟の位置をそろえて保管する。JASS 16。

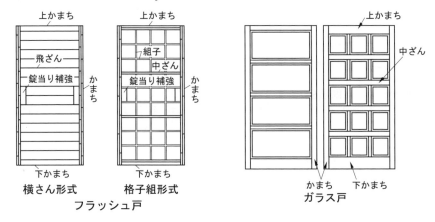

問題4 正しい

屋内に使用する**木製建具材**の加工及び組立て時の**含水率（質量百分率）**は、特記による。特記がなければ**15％以下**とする。公共建築工事標準仕様書。

問題5 誤り

木製建具の高さが**2ｍ以上**の場合は、**ステンレス鋼製**の木製建具用丁番を**3枚**使用する。公共建築工事標準仕様書。

問題6 正しい

アルミサッシ枠を鉄骨造に取付ける場合のシーリング材の施工は、**プライマー及びバックアップ材**を用い、**2面接着**とする。また、プライマーは、施工箇所の下地材料に適したものとする。建築工事監理指針。

問題7　誤り

外部に面する複層ガラス、合わせガラス、網入り板ガラス及び線入り板ガラスを用いる下端**ガラス溝**には、**径6mm以上の水抜き孔**を**2箇所以上**設ける。また、セッティングブロックによるせき止めがある場合には、セッティングブロックの中間に1箇所追加する。公共建築工事標準仕様書。

問題8　正しい

防煙垂れ壁は、火災時において加熱で割れてもガラスが崩れ落ちたりしない**網入**または、**線入板ガラス**を使用する。JASS 17。

問題9　正しい

外部に面する網入り板ガラス等の下辺小口および**縦小口下端より1／4の高さ**には、ガラス用防錆塗料または防錆テープを用いて、**防錆処理**を行う。公共建築工事標準仕様書。

問題10　誤り

かかり代は、風圧によりガラスがたわんで外れないこと、バックアップ材の深さおよびシーリング材の目地深さを確保することなどから、**10mm以上**とし、**板厚の1.2倍**とする。厚さ15mmの場合、18mm以上のかかり代が必要。JASS 17。

問題11　誤り

平積みしたガラスブロックの目地幅は、特記がなければ、**8mm以上、15mm以下**とする。公共建築工事標準仕様書。

問題12　正しい

熱線反射ガラスの清掃は、その製造業者の指定する方法により行うが、ガラス表面の反射膜を傷つけないように、軟らかいゴム・スポンジあるいはガーゼなどを用いて**水洗い**を行う。JASS 17。

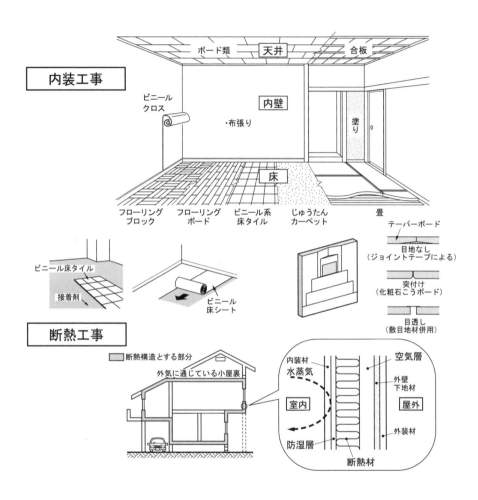

内装工事

ボード類　天井　合板

ビニールクロス

内壁

・布張り

塗り

床

フローリングブロック　フローリングボード　ビニール系床タイル　じゅうたんカーペット　畳

テーパーボード

目地なし（ジョイントテープによる）

突付け（化粧石こうボード）

目透し（敷目地材併用）

ビニール床タイル

接着剤

ビニール床シート

断熱工事

断熱構造とする部分

外気に通じている小屋裏

内装材
水蒸気

室内

防湿層

空気層

外壁下地材

屋外

外装材

断熱材

① 内装・断熱工事

- ●ビニル系・ゴム系床タイル（シート）の張付け
  地下室等湿気がある場合はエポキシ樹脂系接着剤を使用
- ●洗面室まわり壁下地：普通合板１類を使用

② ユニット工事

● **フリーアクセスフロア**

表面材は、電子計算機の誤動作の原因とならないように帯電防止性能のあるものを使用するのが望ましい

パネルは、配線取出し機能を有し、配線開口の増設ができるものとする

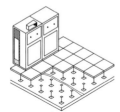

フリーアクセスフロア

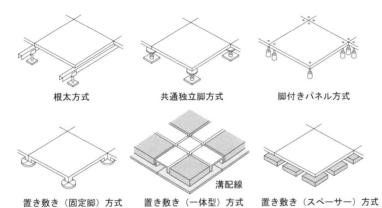

根太方式	共通独立脚方式	脚付きパネル方式
置き敷き（固定脚）方式	置き敷き（一体型）方式　溝配線	置き敷き（スペーサー）方式

● **階段滑り止め**

接着工法による場合は、下地乾燥後清掃のうえ、エポキシ樹脂系接着剤及び小ねじを用いて取り付ける

● **ブラインド**

横形ブラインドの取付け用ブラケットは、ブラインドの幅が1.8 m未満はヘッドボックスの両端、1.8 mを超える場合は中間に1個以上増し、小ねじ等を用いて堅固に取り付ける

● **カーテンレール**

窓等に取り付けるカーテンレールは、ブラケットを使用する場合、取り付け間隔は450 mm以内とする

● **バスユニットは、躯体の防水措置が不要**

▌ 内 装 工 事 ▌

問題 1
　せっこうボードの壁面を目地のない塗装仕上げとするために、テーパー付きせっこうボードを用いた。

問題 2
　洗面脱衣室にビニル床シートを張り付けるに当たって、ウレタン樹脂系の接着剤を使用した。

問題 3
　コンクリート壁下地へのせっこうボードの直張りにおいて、せっこうボード張付け後10日放置し、仕上げに支障がないことを確認してから、表面に通気性のある壁紙を張り付けた。

問題 4
　壁の木造下地材に木質系セメント板を直接張り付ける場合、留付け用小ねじの間隔は、各ボードの周辺部で200mm程度とした。

問題 5
　床仕上げに用いる、フローリングの施工に先立ち、割付けは室の中心から行い、寸法の調整は出入口の部分を避けて壁際で行った。

問題 6
　ビニル床シートの張付けは、シートの搬入後、直ちに、室の寸法に合わせて切断して張り付けた。

問題 7
　全面接着工法によりタイルカーペットを張り付けるに当たって、粘着はく離形接着剤を用いた。

問題 8
　洗面脱衣室などの継続的に湿潤状態となる壁の下地材料として、JASによる普通合板の1類を使用した。

問題 9
　天井の仕上げに用いる化粧合板の切断は、化粧裏面から行った。

▌断 熱 工 事 ▌

問題10
　外壁に設けるポリエチレンフィルムの防湿層は、継目を木下地の上に設け、その重ね幅を50mmとした。

問題11
　外壁内の結露を防ぐために、グラスウール断熱層の室内側を厚さ0.15mmのポリエチレンフィルムで覆った。

問題12
　木造住宅の屋根面におけるはめ込み工法による断熱工事に当たって、断熱層の室内側に通気層を設けた。

問題13
　布基礎の断熱材の取付けを打込み工法により行う場合、押出法ポリスチレンフォームを用いた。

▌ユニット工事 ▌

問題14
　工場生産された建築部品である階段の金属製の滑り止めは、エポキシ樹脂系接着剤及び小ねじを使用して、取り付けた。

問題15
　工場生産された建築部品である事務室の窓のブラインドは、幅及び高さを現場実測して製作されたものを取り付けた。

問題16
　工場生産された建築部品である応接室の窓のカーテンレールは、ブラケットを900mm間隔で取り付けた。

問題17
　工場生産された建築部品である電子計算機室のフリーアクセスフロアの支持脚部には、緩衝用ゴム付きのものを用いた。

問題18
　バスユニットの据付け工事に当たって、バスユニットを据付ける床の防水措置は、考慮する必要はない。

問題1　正しい
　塗装下地のせっこうボード張りにおいて、**ジョイント部を目地なしの平たん状態**にするときは、**テーパーエッジ付きせっこうボード**等を用いて、ジョイントコンパウンド、ジョイントテープで処理する。JASS 26。

問題2　正しい
　ビニル床シートの接着剤は、洗面所など**湿気・水の影響**を受けやすい箇所には**エポキシ樹脂系又はウレタン樹脂系**を使用する。なお、一般の床にはアクリル樹脂系などを使用する。公共建築工事標準仕様書。

問題3　正しい
　コンクリート下地への**せっこうボードの直張り工法**において、せっこうボード表面に仕上げを行う場合、せっこうボード張付け後、仕上げ材に**通気性のある場合で7日以上**、**通気性のない場合で20日以上**放置し、直張り用接着材が乾燥し、仕上げに支障のないことを確認してから、仕上げを行う。公共建築工事標準仕様書。

問題4　正しい
　壁の**木造下地材**に、木質系セメント板などの**ボード類を直接張り付ける**場合の**留付け用小ねじ類の間隔**は、**周辺部で200mm程度、中間部で300mm程度**とする。公共建築工事標準仕様書。

問題5　正しい
　フローリング類の**割付**は、割付墨に合わせ、**室の中心より両側に張り分ける**。割付が半端になる場合の**寸法の調整**は、美観的なこともあり、出入口を避け、**壁際の**見え隠れとなる箇所で行うようにする。JASS 26。

問題6　誤り
　ビニル床シートは、搬入時、ロール状に巻かれており、製造時に発生する内部ひずみが施工時に収縮となって現れる傾向がある。したがって、張付けに先立ち、仮敷きを行い、巻きぐせを取る。JASS 26。

問題7　正しい
　タイルカーペットの張付けは、**粘着はく離形接着剤**を使用し、タイルカーペット全面接着工法とする。公共建築工事標準仕様書。

問題8　正しい
　壁の下地を合板とする場合は、「**合板の日本農林規格**」における所定の普通合板に適合するもので、洗面室、洗濯室等の**水掛かり箇所**では接着の程度を**1類**、その他の箇所では**2類**を用いる。公共建築工事標準仕様書。

問題9 誤り
　壁・天井の仕上げに用いる**化粧合板の切断・穴あけ**の加工は、**化粧表面**から行い、切断面にたれ、まくれなどが生じないようにする。

問題10　正しい
　木造建築の断熱工事における**防湿層の継目**は、木下地の上で重ね合せることを原則とし、その**重ね幅**は、**30mm以上**とする。JASS 24。

問題11　正しい
　外壁内の内部結露を防ぐために、グラスウールやロックウールなどの**断熱材（断熱層）の室内側を防湿材（防湿層）**で覆うことが必要である。そのときの防湿材には、厚さ0.05mm以上の防湿フィルムなどで裏打ちする。住宅金融支援機構「木造住宅工事仕様書」。

問題12　誤り
　屋根面に断熱層を施工した場合、内部結露防止のため、**断熱層の室外側**に**通気層**を設ける。なお、はめ込み工法とは、フェルト状断熱材やボード状断熱材を屋根の下地材の間にはめ込み充てんする工法。

問題13　正しい
　布基礎等の**断熱材打込み工法**の断熱材は、JIS 規格品によるビーズ法ポリスチレンフォーム・**押出法ポリスチレンフォーム**・硬質ウレタンフォームなどを使用する。公共建築工事標準仕様書。

問題14　正しい
　接着工法による階段の滑り止めの取り付けは、**エポキシ樹脂系接着剤**及び小ねじを用いる。公共建築工事標準仕様書。

問題15　正しい
　ブラインドの取り付けは、幅及び高さを**現場で実測**した寸法にて行う。公共建築工事標準仕様書。

問題16　誤り
　カーテンレールの取付けにブラケットを使用する場合は、**取付け間隔を450mm以内**とする。なお、直接下地に取り付ける場合も450mm以内とする。

問題17　正しい
　フリーアクセスフロアの**支持脚部**には、がたつき防止のための**緩衝材**（ゴム等）を用いる。建築工事監理指針。

問題18　正しい
　ユニットバス自体が防水設計となっているので、これを据付ける床の**防水措置を講ずる必要は少ない**。

◆外壁改修工事

- コンクリート打放し仕上げ外壁
  - ひび割れ部の改修

改修工法	ひび割れ幅	特　徴
Uカットシール材充填工法	1.0mm超 0.2mm以上1.0mm以下（挙動）	・**挙動のあるひび割れに適用**
樹脂注入工法	0.2mm以上 1.0mm以下	・挙動のある部分に用いると、他の部分にひび割れを誘発する恐れがある ・耐用年数が期待できる
シール工法	0.2mm未満	・一時的な漏水防止処置

◆建具改修工事

- かぶせ工法
  - 既存建具の外周枠を残し、その上から新規金属製建具を取り付ける工法。アルミニウム製建具の場合、既存枠に著しい腐食がないことを確認し、**既存枠へ新規に建具を取り付ける際は、小ねじ留めとし、中間の留め付け間隔は** 400 ㎜**以下**とする。

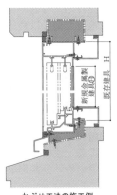

かぶせ工法の施工例

◆内装改修工事

- 壁・天井改修工事
  - せっこうボードのジョイント形式は、内装工事と同様

せっこうボードのエッジの種類

目地工法の種類	せっこうボードのエッジの種類
継目処理工法（目地なし）	**テーパーエッジ**, ベベルエッジ
突付け工法	**ベベルエッジ**, **スクェアエッジ**
目透し工法	

◆耐震改修工事

- 鉄骨ブレースの設置工事
  - 鉄骨が取り付く範囲の**既存構造体のコンクリート面**に、**目荒し**を行う
- 柱補強工事
  - 連続繊維補強工法において、**連続繊維シート**の貼り付け後の**上塗り**は、張付けシートの上面に**下塗り**の含浸接着剤樹脂がにじみ出るのを確認した後、ローラーで**塗布**する

次の記述について、**正しいか、誤っているか、判断**しなさい。

check

問題1
コンクリート打放し仕上げの外壁改修において、幅0.5mmの挙動のあるひび割れについては、Uカットシール材充塡工法を採用した。

check

問題2
コンクリート打放し仕上げの外壁改修工事において、0.5mmのひび割れは、特記がなかったので、自動式低圧エポキシ樹脂注入工法により改修した。

check

問題3
エポキシ樹脂注入工法によるコンクリート外壁のひび割れ改修工事において、エポキシ樹脂注入材の硬化を待って、注入器具を撤去した。

check

問題4
モルタル塗り仕上げのコンクリート外壁の冬期における改修工事において、既存モルタルを撤去した後、躯体に著しい不陸があったので、下地処理として、その箇所を目荒し、水洗いのうえ、モルタルで補修し、14日間放置した。

check

問題5
外壁のタイル張替えにおいて、張付け後のタイルの引張接着強度については、接着力試験機を用いて測定した。

check

問題6
かぶせ工法によるアルミニウム製建具の改修工事において、既存枠へ新規に建具を取り付けるに当たり、小ねじの留付け間隔は、中間部で500mmとした。

check

問題7
防煙シャッター更新工事において、スラットの形状は、インターロッキング形とした。

check

問題8
下地がモルタル面の塗装改修工事において、既存塗膜を全面撤去した後、合成樹脂調合ペイントを塗布した。

check

問題9
床の改修において、ビニル床シートの張付け前にモルタル下地の乾燥程度を確認するため、高周波式水分計による計測を行った。

check

問題10
　床の改修工事において、タイルカーペットは、粘着剝離形接着剤を使用し、市松張りとした。

check

問題11
　せっこうボードを用いた壁面の目地を見せる目透し工法による内装の改修において、テーパー付きせっこうボードを用いた。

check

問題12
　天井の改修において、天井のふところが1.5mであったので、補強用部材を用いて、軽量鉄骨天井下地の吊りボルトの水平補強と斜め補強を行った。

check

問題13
　軽量鉄骨壁下地材の錆止め塗料塗りは、現場での溶接を行った箇所には行ったが、高速カッターによる切断面には行わなかった。

check

問題14
　防水改修工事におけるアスファルト防水の既存下地の処理において、下地コンクリートのひび割れが0.7mmの箇所があったので、その部分をU字形にはつり、シーリングを充填した後、アスファルトルーフィングを増し張りした。

check

問題15
　枠付き鉄骨ブレースを設置する耐震改修工事において、鉄骨が取り付く範囲の既存構造体のコンクリート面には、目荒らしを行った。

check

問題16
　コンクリート柱の耐震改修工事において、連続繊維シートを張り付けて、シートの上面に下塗りの含浸接着樹脂がにじみ出るのを確認した後、ローラーで上塗りを行った。

解　説

問題1　正しい

外壁のコンクリート打放し仕上げのひび割れ部の改修工法は、次表による。
建築改修工事監理指針。

改 修 工 法	ひ び 割 れ 幅	特　　　徴
Uカットシール材充填工法	1.0mm超 0.2mm以上1.0mm以下（挙動）	・挙動のあるひび割れに適用
樹脂注入工法	0.2mm以上 1.0mm以下	・挙動のある部分に用いると、他の部分にひび割れを誘発するおそれがある ・耐用年数が期待できる
シール工法	0.2mm未満	・一時的な漏水防止処置

問題2　正しい

コンクリート打放し外壁の改修において、**樹脂注入工法**は、主に**ひび割れ幅が0.2mm～1.0mm以下のひび割れ**を改修するための工法で、自動式低圧エポキシ樹脂注入工法、手動式エポキシ樹脂注入工法、機械式エポキシ樹脂注入工法の３種類の工法がある。**特記がない場合**は、微細なひび割れから大きなひび割れまで対応できる**自動式低圧エポキシ樹脂注入工法**とする。建築改修工事監理指針。

問題3　正しい

エポキシ樹脂注入工法によるコンクリート外壁のひび割れ改修工事において、**エポキシ樹脂注入後の処理**は、注入した樹脂の**硬化を待って注入用器具**や注入用パイプを**除去**し、平滑にする。建築改修工事監理指針。

問題4　正しい

コンクリート、コンクリートブロック等の壁で、ひずみ、**不陸等の著しい箇所**は、目荒し、水洗い等のうえ、**モルタルで補修**し、14**日以上放置**する。公共建築改修工事標準仕様書。

問題5　正しい

外壁のタイル張替え工法において、**施工後の引張接着強度**の試験方法は、油圧式引張試験機（**接着力試験機**）による引張接着強度の測定により、試験は所定の接着強度が発現したと予想される時期に行う。公共建築改修工事標準仕様書。

問題6　誤り

かぶせ工法により、既存枠へ新規に建具を取り付ける場合は、原則として**小ねじ留め**とし、留め付けは、端部は100mm以下、**中間の留め付け間隔は400mm以下**とする。公共建築改修工事標準仕様書。

問題7　誤り

防煙シャッターのスラットは、**オーバーラッピング形**とする。建築改修工事監理指針、JASS 16。インターロッキング形は遮煙性が確保できないため、防煙シャッターには適用できない。

問題8　誤り

合成樹脂調合ペイントは、素地が**木部、鉄鋼面**及び**亜鉛めっき鋼面**で既存塗膜が油性調合ペイント、合成樹脂調合ペイント及びフタル酸樹脂エナメルの塗替えの場合並びに合成樹脂調合ペイントを新規に塗る場合に適用する。公共建築改修工事標準仕様書。したがって、**コンクリート・モルタル面には適用しない。**

問題9　正しい

張付けが可能な**下地の乾燥程度**を判断する方法として、**高周波式水分計**による測定がある。測定方法は、高周波式水分計をコンクリート下地表面に手で押し当てたときの表示値を読み取るという簡便な方法である。建築改修工事監理指針。

問題10　正しい

タイルカーペットの張付けは、**粘着剥離形接着剤**を使用し、タイルカーペット全面接着工法とする。敷き方は、特記がなければ、平場は市松敷き、階段部分は模様流しとする。公共建築工事標準仕様書。

問題11　誤り

目透し工法は、目地を美しく見せるために突付けとせず、隙間（一般に6～9mm）を開けて底目地をとり、**ベベルエッジボード**又は**スクェアエッジボード**を張る工法である。建築改修工事監理指針。なお、テーパーエッジボード（テーパー付きせっこうボード）は、目地のない平滑な面を作る継目処理工法に用いられる。

問題12　正しい

軽量鉄骨天井下地の改修工事において、**天井のふところが1.5m以上**の場合は、**吊りボルトの水平補強、斜め補強**を行う。公共建築改修工事標準仕様書。

問題13　正しい

軽量鉄骨壁下地において、現場での溶接を行った箇所には錆止め塗料を塗り付ける。なお、**高速カッター等による切断面**には、亜鉛の犠牲防食作用が期待できるため、**錆止め塗料塗りは行わなくてよい。**建築改修工事監理指針。

問題14　誤り

防水改修工事における**アスファルト防水の既存下地の処理**において、下地コンクリートの**ひび割れ**が、**0.5mmを超える**箇所はU字形にはつり、シーリングを充填した後、**ストレッチルーフィングを幅300mm以上増張り**する。建築改修工事監理指針。

問題15　正しい

　鉄骨ブレースの設置工事において、鉄骨ブレースの取り付く**範囲の既存構造体の****コンクリート面**に、**目荒し**を行う。公共建築改修工事標準仕様書。

問題16　正しい

　コンクリート柱の耐震改修工事において、連続繊維シートによる補強を行う場合、貼り付けた**連続繊維シートの上面**に、**下塗りの含浸接着樹脂がにじみ出るのを確認****した後**、上塗りの含浸接着樹脂をローラー又ははけで塗布する。公共建築改修工事標準仕様書。

Ⅳ
建築施工

Check Point 17 設備工事

◆各 種 設 備
- ●給水管地中埋設深さは、30cm以上・凍結深度以上
- ●給水管は、排水管の上に埋設、両管の間隔は50cm以上
- ●排水トラップの深さは、5cm〜10cm
- ●排水横走り管は、細いものほど急勾配
- ●エレベーターシャフト内に、他の配管は設置できない
- ●プロパンガスのガス漏れ検知器は床上30cm以内に設置

問題 17　次の記述について、**正しいか**、**誤っているか**、判断しなさい。

問題1
給湯管には、架橋ポリエチン管を使用した。

問題2
排水横管は、管径が細いものほど急勾配とした。

問題3
寒冷地以外の一般敷地内において、特記がなかったので、給水管の地中埋設深さは、土かぶりを300mmとした。

問題4
給水管と排水管を平行に地中に埋設するに当たり、両配管の水平実間隔を500mm以上とし、給水管が排水管の上方になるようにした。

問題5
雨水立て管と通気立て管とを兼用した。

問題6
木造住宅において、屋内給水管の防露・保温材には、特記がなかったので、厚さ20mmの保温筒を使用した。

check

問題7
　手洗器の排水管には、臭気防止のため、排水トラップの深さが50mm以上100mm以下のPトラップを設けた。

check

問題8
　雨水用の排水ますには、その底部に深さ15cmの泥だめを有するものを用いた。

check

問題9
　屋内電気配線は、ガス管と接触しないように、離して施設した。

check

問題10
　電気のスイッチボックスは、メタルラスに接しないように、木板等を用いて絶縁した。

check

問題11
　ユニットバスの設置に当たって、下地枠の取付けに並行して、端末設備配管を行った。

check

問題12
　LPガス（プロパンガス）のガス漏れ警報設備の検知器の上端は、床面から上方30cmの位置に取り付けた。

check

問題13
　自動火災報知設備の熱複合式スポット型感知器を、その下端が天井面の下方30cm以内になるように取り付けた。

check

問題14
　換気設備のダクトは、住戸内から住戸外に向かって、先下がり勾配となるようにした。

check

問題15
　温水床暖房に用いる埋設方式の放熱管を樹脂管としたので、管の接合は、メカニカル継手とした。

Ⅳ
建築施工

解　説

問題1　正しい

　給湯管には、水道用耐熱性硬質塩化ビニルライニング鋼管・耐熱性硬質ポリ塩化ビニル管・鋼管・被覆鋼管・ポリブデン管・**架橋ポリエチレン管**などを使用する。空気調和・衛生設備工事標準仕様書。

問題2　正しい

　排水横走り管は、**細いものほど急勾配**とする。SHASE-S 010（空気調和・衛生設備工事標準仕様書）。

管径（mm）	勾　　　配	管径（mm）	勾　　　配
65	1/50 以上	125	1/150 以上
75、100	1/100 以上	150	1/200 以上

問題3　正しい

　管の**地中埋設深さ**（土かぶり）は、車両通路では600mm以上、それ以外（**一般敷地**）では**300mm以上**とする。ただし、寒冷地では凍結深度以上とする。公共建築工事標準仕様書（機械設備工事編）。

問題4　正しい

　漏水しても安全なように、**給水管**は**排水管より上部**とし、かつ、両配管の**水平距離は50cm以上**とする。SHASE-S 010。

問題5　誤り

　通気管は便器や洗面器などの**トラップの封水を保護**するために、これらの排水立て管の途中に連絡する。また、雨水排水の立て管は、汚水排水管若しくは通気管と兼用、又はこれらに連結してはならない。昭和50年建設省告示第1597号。

問題6　正しい

　防露・保温材の種類は、筒、帯又は板とし、特記のない限り、**厚さ20mmの保温筒**とする。住宅金融支援機構「木造住宅工事仕様書」。

問題7　正しい

　排水トラップは、排水管を通して、下流の下水道等からの悪臭ガスや虫類等が屋内に侵入するのを防ぐためのものである。手洗器の排水用には一般に、Ｐトラップ又はＳトラップを使用し、**排水トラップの深さは50mm 以上100mm以下**とする。

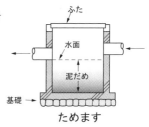

問題8　正しい
　ためますには、底部に**深さ15cm以上の泥だめ**を設ける。住宅金融支援機構「木造住宅工事仕様書」。

問題9　正しい
　屋内**電気配線**は、弱電流電線、水道管、**ガス管**もしくはこれらに類するものと**接触しないように**施設する。住宅金融支援機構「木造住宅工事仕様書」。

問題10　正しい
　メタルラス張り等に接する位置ボックス（**スイッチボックス**やアウトレットボックスなど）及び電気機械器具の金属製部分は、次のいずれかにより絶縁し、釘、取付けねじ等は、メタルラス張り等と接触させない。
① 　位置ボックス周辺のラス張りを切り取る。
② 　**木板**、合成樹脂板等により、**隔離**する。
住宅金融支援機構「木造住宅工事仕様書」。

問題11　正しい
　ユニットバスの**設置**に当たって、設備配管が含有される場合には、**下地枠の取付け**に**並行**して、**端末設備配管**を行う。配管の位置は正確に行い、下地金物類を切断することのないようにする。JASS 25。

問題12　正しい
　プロパンガスの比重は空気より重く、漏洩したガスは床面に滞留する。したがって、**プロパンガスのガス漏れ警報器**の検知器は、**燃焼器**から水平距離で**4 m以内、床面上30cm以内**の位置に設ける。昭和56年建築省告示第1099号。

問題13　正しい
　自動火災報知設備の熱複合式スポット型感知器は、下端が**天井面の下方30cm以内**になるように取り付ける。消防法施行規則第23条。

問題14　正しい
　換気設備のダクト（管）は、雨水・結露水が機械側に逆流しないよう**住戸内から住戸外へ先下がり勾配**となるように施工する。住宅金融支援機構「木造住宅工事仕様書」。

問題15　正しい
　温水床暖房に用いる埋没方式において**樹脂管**を使用する場合、**放熱管の接合**は、**メカニカル継手**とする。空気調和・衛生設備工事標準仕様書。

	区分	名称	用途・使途
地業・基礎工事	機械・器具	ドロップハンマー	錘（モンケン）を落下させ杭を打つ。二本子、真矢式など。
		ディーゼルハンマー	燃料の爆発力で錘を上げ、杭を打つ。
		バイブロハンマー	上下方向の振動力により杭を打つ。
		アースオーガー	ビットスクリューで穴をあける。｜杭を作る機械。
		アースドリル	回転バケットで土中に穴をあける。
		ランマー	｜突き固め用機械。
		ソイルコンパクター	
		トレミー管	水中コンクリートを打つ場合にトレミー管というパイプを通してコンクリートを流し込む。内径は15〜25cm。
	工法・用語	オープンケーソン工法	建物内部の底を掘削し、自重により地中に建物を沈下させる地業工事。
		セメントミルク工法	埋め込み杭工法の一般的なプレボーリング工法。
		オールケーシング工法	鉄製ケーシングを圧入しながら、ハンマーグラブで掘削し、大口径の杭、台柱（ピアー）などを地中に作る。
		リバースサーキュレーション工法	土砂を泥水とともに排除し、あとで泥水のかわりにコンクリートを打ち込み、杭・台柱（ピアー）などを地中に作る。
		ウェルポイント工法	真空ポンプによる排水工法。
		鋼矢板工法	鋼矢板（シートパイル）を打設し、山留め、止水を目的とする。
鉄筋工事	機械・器具	シヤーカッター	せん断による鉄筋切断機。
		バーベンダー	鉄筋の折曲げ機。
		ガス圧接機	鉄筋のガス圧接に使用する。
コンクリート工事	機械・器具	コンクリートミキサー	コンクリートの練り混ぜ機。
		コンクリートポンプ	コンクリート圧送機。
		フレキシブルホース	コンクリート輸送管先端に取り付ける弾性ホース。
		カート	小型二輪車。一輪車もある。
		トラックミキサー	アジテータートラックともいう。
		バイブレーター	コンクリートに「す」ができないように振動を与える機械。棒状、面状などがある。
		タンパー	コンクリートの打ち込み後に再打する器具。
		リバウンドハンマー（シュミットハンマー）	コンクリート強度の非破壊試験器。
		エアメーター	コンクリートの空気量を測定する。

鉄骨工事	機械・器具	リーマ	鉄骨工事に使用されるもの。ドリルであけた穴をさらに広げるもの。
		インパクトレンチ	高力ボルト締付け工具。
		トルクレンチ	高力ボルト締付け・検査工具でトルク値（締付け強さの値)が読み取れるようになっている。
		ポジショナー	回転ジグと同様、溶接姿勢を良好に保つため、鋼材を自由に回転する器具。
その他の工事	機械・器具	モルタルポンプ	モルタル圧送機。
		モルタル吹付け機	圧縮空気でモルタルなどを吹き付ける器具。
		スプレーガン	モルタル等の吹付け機。
		モルタルミキサー	左官用モルタルを練る機械。
		研磨機	表面研ぎ出し機。
		ポリッシャー	表面つや出し機。
		塗料用スプレーガン	塗料の吹付け機。
		ローリングタワー	移動式の足場。
		チェンソー	手持電動ノコギリ。
		ハンドソー	手持電動丸ノコ。
		プレーナー	手持電動カンナ。
		ルーター	溝切り電動工具。
		コーキングガン	シーリング材の充てん機。
		セパレーター	型枠せき板の間隔を保持する器具。
		フォームタイ	型枠締付け金物。
		グラインダー	研削機。
		サンドブラスト	砂を吹き飛ばし研磨する。
		ジャッキ	揚重工具。
		ウィンチ	巻胴にロープを巻き取る揚重機。
		ドライブイット	コンクリートにくぎを打ち込む工具。
		グラウトミキサー	グラウト用モルタル混練機。
		グラウトポンプ	モルタルグラウト用ポンプ。
	工法・用語	ポストテンション工法	プレストレストコンクリート工法の一種。
		スライディングフォーム工法	型枠を解体せずに、上昇スライディングさせながらコンクリートを打ち込んでいく工法。
		プレウェッチング	骨材を前もって湿らせ、表面を乾燥飽水状態とすること。
		レイタンス	コンクリート打ち込み後、ブリーディングにともなって表面に出る微細な物質。
		コンシステンシー	主として水量によって左右されるコンクリートの流動性。

check

問題1
　振動コンパクター ─────── コンクリート打込み作業

check

問題2
　ウインチ ─────────── 揚　　重

check

問題3
　トルクレンチ ───────── 鉄筋工事

check

問題4
　モーターグレーダー ────── 整地転圧

check

問題5
　油圧パイルハンマー ────── くい打ち

check

問題6
　バイブロハンマー ─────── 木　工　事

check

問題7
　山留め工事 ──────── 鋼矢板工法、親杭横矢板工法、水平
　　　　　　　　　　　　　切ばり工法

check

問題8
　杭　地　業 ──────── 地盤アンカー工法

check

問題9
　山留め工事 ──────── オールケーシング工法

check

問題10
　杭　地　業 ──────── スライディングフォーム工法

check

問題11
　鉄筋工事 ───────── グリップジョイント工法

check

問題12
　塗装工事 ───────── トーチ工法

check

問題13
　タイル工事 ──────── マスク張り工法

次の記述について、**正しいか、誤っているか**、判断しなさい。

check

問題14
　パワーショベルは、機械の接地面より上方の掘削に適しているが、下方の掘削には向かない。

check

問題15
　クラムシェルは、クレーンブームにバケットを吊るし、バケットを開いて落下させ、閉じて土砂を掘削する。

check

問題16
　バックホウを用いて、当該接地面よりも下方の掘削を行った。

check

問題17
　鉄筋のガス圧接において、鉄筋の圧接端面の処理に、グラインダーを使用した。

check

問題18
　鉄骨を工場から現場まで運搬するために、トラッククレーンを使用した。

check

問題19
　高い天井の作業に、ローリングタワーを使用した。

check

問題20
　内装工事において、木造下地に仕上げ用のボードを張り付けるに当たって、接着剤を主とし、タッカーによるステープルを併用した。

IV 建築施工

■ 解　説

問題1　誤り

　振動コンパクター(ソイルコンパクター)は、**土工事**などの突固め用機械である。

問題2　正しい

　ウインチは、巻胴にロープを巻きとることにより、対象物を**揚重**したり、移動させたりする機械。

問題3　誤り

　インパクトレンチや**トルクレンチ**は、鉄骨工事における**高力ボルトの締付け**に使用する。

問題4　正しい

　モーターグレーダーは、車輪を有する自走式で、広い路面を平らに形成し、**整地**する。

問題5　正しい

　油圧ハンマーは、**既製コンクリート杭の打込み**に使用する。

問題6　誤り

　バイブロハンマーは、杭工事において、起振機によって生じた上下振動を杭に伝え、土と杭との間の摩擦力を減らし、**杭を貫入**させるもの。山留め工事の杭・矢板の**引抜き**にも利用できる。

問題7　正しい

- **鋼矢板工法**：鋼矢板(シートパイル)をかみ合せ、連続して打込み山留め壁とする工法。山留め工事である。
- **親杭横矢板工法**：鉛直に設置した親杭に掘削の進行に伴って、横矢板をかませ、山留め壁とする山留め工法の一つである。
- **水平切ばり工法**：矢板面に腹起こしをあて、水平面縦横に切ばりをかって、陸棚をつくり、土圧を支持する方法で、代表的な山留め工法である。なお、切ばりが長くなれば、中間を支柱でささえたり、腹起こし側に火打ばりを設ける。

問題8　誤り

　地盤アンカー工法：切ばりの代わりに、山留め壁にかかる側圧を、良質地盤に定着させた地盤アンカーによって、支えながら掘削する工法。**山留め工事**である。

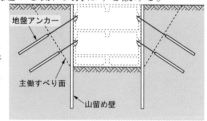

地盤アンカー工法

問題9 誤り
　オールケーシング工法：杭の全長にわたり、ケーシング（掘削孔壁の崩壊を防ぐ鋼製のチューブ）を揺動（または回転）・圧入しながら、ケーシング内を掘削・排土し、コンクリートを打ち込みながらケーシングを引き抜き、杭を築造する工法。<u>山留め工事とは関係がない</u>。

問題10 誤り
　スライディングフォーム工法：滑り型枠工法ともいい、主としてサイロの構築に用いられる**型枠工事**の工法。

問題11 正しい
　グリップジョイント工法：D29以上の太い**異形鉄筋を接合**するのに適している。スリーブ（さや管）に鉄筋端部を挿入し、油圧式ジャッキで締め付けて接合する工法。

問題12 誤り
　トーチ工法：改質アスファルトシート防水工事のことで、プロパンガスを燃料とするトーチバーナーで、改質アスファルトルーフィングシートの裏面を熱して改質アスファルトを溶融しながら、下地に溶着し防水層をつくる工法。

トーチバーナー

問題13 正しい
　マスク張り工法：25mm角を超えるユニットタイル裏面にモルタル塗布用のマスクを乗せて張付けモルタルを塗り付け、マスクを外してからユニットタイルをたたき押えをして張り付ける工法。

問題14・15 正しい
　記述の通り。

問題16 正しい
　バックホウは、機械の接地面より**下方の土砂**を前方から手前に掘削する。

問題17 正しい
　鉄筋の圧接端面は、完全な金属肌の状態でなければ良好な接合が得られないので、圧接作業当日に、冷間直角切断機による端面処理や**グラインダー研削**を行う。

問題18 誤り
　トラッククレーンは、道路を自走でき、機動性に富んでいるが、運搬には使用しない。比較的低い**鉄骨建方**など、揚重作業に広く用いられる。

問題19 正しい
　ローリングタワーは、高い天井作業などを行うときに用いる**移動式足場**。

問題20 正しい
　ボード類を下地張りの上に張る場合は、接着剤を主とし、必要に応じて、小ねじ、**タッカー**によるステープル等を併用して張り付ける。

◆工事価格の構成

- ●直接仮設費
  足場など
- ●共通仮設費
  仮囲い・現場事務所など

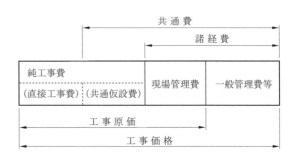

◆積　算

- ●歩掛り：ある条件で施工された実績数値
- ●複合単価：2種類以上の費用の合算（材料費＋労務費など）

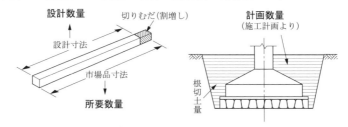

問題 19 次の記述について、**正しいか、誤っているか**、判断しなさい。

問題1
　工事費は、工事価格に消費税等相当額を加えたものである。

問題2
　工事価格は、工事原価と一般管理費等を合わせたものである。

問題3
　工事原価は、純工事費と現場管理費を合わせたものである。

問題4
　純工事費は、直接工事費と共通仮設費を合わせたものである。

問題5
　共通仮設費は、現場事務所の設置や動力、光熱、用水等に要する費用である。

問題6
　共通費は、共通仮設費と現場管理費とを合わせた費用であり、一般管理費は含まれない。

問題7
　複合単価は、材料費や労務費など、2種類以上の費用を合わせたものの単価である。

問題8
　設計数量は、設計図書に基づいた施工計画により求めた数量である。

問題9
　計画数量は、設計図書に記載されている個数や設計寸法から求めた長さ、面積、体積等の数量である。

問題10
　所要数量は、定尺寸法による切り無駄及び施工上やむを得ない損耗を含んだ数量である。

問題11
　鉄筋コンクリート造のコンクリート数量は、鉄筋及び小口径管類によるコンクリートの欠除はないものとみなして算出した。

問題12
　鉄骨の溶接数量は、溶接の種類に区分し、溶接断面形状ごとに長さを求め、すみ肉溶接脚長12mmに換算した延べ長さによって算出した。

問題13
　鉄筋の所要数量は、鉄筋の設計数量の4％増とした。

問題14
　鉄骨造の形鋼及び平鋼の所要数量を求めるため、設計数量に対する割増率を5％とした。

問題15
　鉄骨造の接合部用ボルト類の所要数量を求めるため、設計数量に対する割増率を4％とした。

問題16
　遣り方の数量は、建築物の建築面積により算出した。

解 説

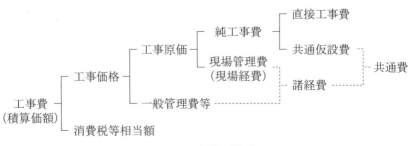

工事費の構成

問題1　正しい

工事費(積算価額)は、工事価格に消費税等相当額を加えたものである。

問題2　正しい

工事価格は、工事原価と一般管理費等を合わせたものである。

問題3　正しい

工事原価は、純工事費と現場管理費を合わせたものである。

問題4　正しい

純工事費は、直接工事費と共通仮設費を合わせたものである。

問題5　正しい

共通仮設費は、仮囲い・仮事務所などの仮施設をはじめ、仮設電力・用水などをいう。

問題6　誤り

共通費は、共通仮設費と諸経費(現場管理費と一般管理費等)を合わせたものである。したがって、一般管理費は共通費に含まれる。

問題7　正しい

複合単価は、材料持ちで施工する場合の費用の単価で、材料費・労務費・小運搬費・工具損料・仮設費など2種以上の費用を合わせたものの単価をいう。

問題8　誤り

設計図書に記載されている個数や設計寸法から求めた長さ、面積、体積等の数量を**設計数量**といい、大部分の施工数量がこれに該当する。建築数量積算基準。
　(例)コンクリート体積、左官工事や塗装工事などの仕上面積などの数量。

問題9　誤り

設計図書に基づいた施工計画により求めた数量を**計画数量**といい、仮設や土工の数量等がこれに該当する。建築数量積算基準。

（例）根切土量（作業上必要な余掘りを含む）、埋戻し土量。

問題10　正しい

所要数量は、定尺寸法による切り無駄や施工上やむを得ない損耗を含んだ数量をいう。一般に、材料は、市場品寸法と設計寸法に違いがあり、加工するときに切り無駄を生じることが多い。建築数量積算基準。

（例）鉄筋、鉄骨、木材等の数量。

問題11　正しい

コンクリートの数量は、調合、強度、材料などにより区別し、各部分ごとに設計寸法により、計測・計算した体積とするが、**鉄筋**及び**小口径管類**によるコンクリートの**欠除はないものとする**。また、開口部の内法の見付面積が1か所当たり、0.5㎡以下の場合は、原則として、開口部によるコンクリートの欠除はないものとする。建築数量積算基準。

問題12　誤り

溶接数量は、原則として種類、溶接断面形状ごとに長さを求め、すみ肉溶接脚長6㎜に換算した延べ長さとする。建築数量積算基準。

問題13　正しい

鉄筋についてその所要数量を求めるときは、その**設計数量の4％増**を標準とする。建築数量積算基準。

問題14　正しい

鉄骨造の形鋼及び平鋼の所要数量を求めるための設計数量に対する**割増率**は、**5％**とする。建築数量積算基準。

問題15　正しい

鉄骨造の接合部用ボルト類の所要数量を求めるための設計数量に対する**割増率**は、**4％**とする。建築数量積算基準。

問題16　正しい

遣り方の数量は、**建築面積**により算出する。建築数量積算基準。

No. 1 施工計画に関する次の記述のうち、**最も不適当な**ものはどれか。

1. 設計図書に指定がない工事の施工方法については、必要に応じて、監理者と施工者とが協議のうえ、施工者の責任において決定した。
2. 総合施工計画書には、設計図書において指定された仮設物を除き、施工計画に関する事項を記載した。
3. 工種別施工計画書における品質管理計画には、品質管理組織及び品質管理実施方法についても記載した。
4. 施工管理には、その任務に必要な能力、資格を有する管理者を選定し、監理者に報告した。
5. 施工図・見本等については、施工者が監理者と協議したうえで作成し、監理者の承認を得た。

No. 2 建築工事に関する申請・届出・報告とその申請者・届出者及び提出先の組合せとして、**最も不適当な**ものは、次のうちどれか。

	申請・届出・報告	申請者・届出者	提出先
1.	道路占用許可申請	施工者	道路管理者
2.	クレーン設置届	事業者	労働基準監督署長
3.	安全管理者選任報告	事業者	労働基準監督署長
4.	危険物貯蔵所設置許可申請	設置者	消防署長
5.	建築工事届	建築主	都道府県知事

No. 3 建築士法の規定に基づく「建築士事務所の開設者がその業務に関して請求することのできる報酬の基準」において、建築士が行う工事監理に関する標準業務及びその他の標準業務として、**最も不適当な**ものは、次のうちどれか。

1. 工事監理報告書等の提出
2. 請負代金内訳書の検討及び報告
3. 工程表の作成及び提出
4. 工事が設計図書の内容に適合しない疑いがある場合の破壊検査
5. 工事請負契約の目的物の引渡しの立会い

No. 4 建築等の工事現場から排出される廃棄物に関する次の記述のうち、「廃棄物の処理及び清掃に関する法律」に照らして、**最も不適当な**ものはどれか。

1. 建築物の新築工事に伴って生じた壁紙くずは、産業廃棄物に該当する。
2. 建築物の新築工事に伴って生じた木くずは、産業廃棄物に該当する。
3. 建築物の新築工事に伴って生じたせっこうボードの残材は、産業廃棄物に該当する。
4. 建築物の解体工事に伴って搬出された石綿を含むけい酸カルシウム板は、特別管理産業廃棄物に該当する。
5. 地業工事に伴って生じた廃ベントナイト泥水を含む汚泥は、特別管理産業廃棄物に該当する。

IV 建築施工

No. 5 仮設工事に関する次の記述のうち、**最も不適当な**ものはどれか。

1. 高さが12mのくさび緊結式足場における壁つなぎの間隔を、垂直方向、水平方向ともに5.5mとした。
2. 鉄骨造2階建ての建築物の工事において、高さが3.0mの仮囲いを設けた。
3. 工事用シートの取付けにおいて、足場に水平材を垂直方向5.5m以下ごとに設け、隙間やたるみがないように緊結材を使用して足場に緊結した。
4. 高さが12mの枠組足場における壁つなぎの間隔を、垂直方向9m、水平方向8mとした。
5. 高さが9mの登り桟橋において、高さが4.5mの位置に踊場を設けた。

No. 6 木造住宅の基礎工事等に関する次の記述のうち、**最も不適当な**ものはどれか。

1. 土間コンクリートは、厚さ120mmとし、断面の中心部に、鉄線の径が4.0mmで網目寸法が150mm×150mmのワイヤーメッシュを配した。
2. 布基礎の床下防湿措置において、床下地面全面に厚さ0.1mmの住宅用プラスチック系防湿フィルムを、重ね幅150mmとして敷き詰めた。
3. 断熱材がある土間スラブにおいて、防湿層は、土間スラブと断熱材の間に設けた。
4. べた基礎において、地面から基礎の立上り部分の上端までの高さを、450mmとした。
5. アンカーボルトの埋込み位置は、耐力壁両端の柱の下部、隅角部及び土台の継手・仕口位置付近とし、その他の部分は間隔を2.0mとした。

No. 7 土工事に関する次の記述のうち、**最も不適当な**ものはどれか。

1. 締固め密度を高めるため、埋戻しに用いる土の最適な含水比を事前に調べた。
2. 埋戻し及び盛土には、土質による沈み代を見込んで余盛りを行った。
3. 締固めは、川砂及び透水性のよい山砂を用いたので、水締めとした。
4. 土工事において、掘削機械が置かれている地面よりも高い位置の土砂の掘削に、パワーショベルを使用した。
5. 山砂、川砂及び海砂のうち、埋戻し土には最も適した川砂を用いた。

No. 8 鉄筋工事に関する次の記述のうち、**最も不適当な**ものはどれか。

1. 手動ガス圧接継手において、外観検査の結果、圧接部に明らかな折れ曲がりが生じたことによって不合格となった圧接部を、再加熱により修正した。
2. 柱主筋のガス圧接継手の位置については、特記がなかったので、隣り合う主筋で同じ位置とならないように400mmずらした。
3. 鉄筋の加工寸法の検査は、加工鉄筋の搬入時に、加工種別ごとに最初の一組についてスケールなどによる測定を行った。
4. D19の異形鉄筋の端部に設ける90度フックにおいて、折り曲げ内法直径を70mmとした。
5. 柱主筋の台直しが必要となったので、常温で折り曲げ加工を行った。

Ⅳ 建築施工

No. 9　鉄筋工事に関する次の記述のうち、**最も不適当な**ものはどれか。

1. あばら筋の加工寸法の検査において、特記がなかったので、加工後の外側寸法の許容差を±5mmの範囲内とした。

2. 土に接する普通コンクリートを用いた基礎部分の鉄筋の最小かぶり厚さを、特記がなかったので、50mmとした。

3. 粗骨材の最大寸法が20mmの普通コンクリートを用いたので、柱の主筋D19の鉄筋相互のあきを30mmとした。

4. 鉄筋の重ね継手において、鉄筋径が異なる異形鉄筋相互の継手の長さは、細いほうの鉄筋径を基準として算出した。

5. 手動ガス圧接継手の超音波探傷試験の結果、不合格となったロットについては、試験されていない残り全数に対して超音波探傷試験を行い、不良圧接部の選別を行った。

No. 10　型枠工事に関する次の記述のうち、**最も不適当な**ものはどれか。

1. 普通ポルトランドセメントを用いたコンクリートの打込み後、5日間の平均気温が20℃以上であったので、圧縮強度試験を行わずに柱及び壁のせき板を取り外した。

2. 床型枠用鋼製デッキプレート（フラットデッキ）は、衝撃に弱く、変形しやすいので、敷設時にはめ込みにくい等の手戻りが生じないように、養生方法、揚重方法等に配慮した。

3. スリーブの取付けにおいては、コンクリート打込み時にスリーブが移動しないように、型枠に堅固に留め付けた。

4. 支柱として用いるパイプサポートの高さが3.6mであったので、水平つなぎを高さ2.1mの位置とし、二方向に設けるとともに、水平つなぎの変位を防止した。

5. 型枠の強度及び剛性の計算は、打込み時の振動・衝撃を考慮したコンクリート施工時の「鉛直荷重」、「水平荷重」及び「コンクリートの側圧」について行った。

No. 11 コンクリート工事に関する次の記述のうち、**最も不適当な**ものはどれか。

1. 軽量コンクリートに用いる人工軽量骨材については、運搬によるスランプの低下や圧送による圧力吸水が生じないように、あらかじめ十分に吸水させたものを用いた。
2. 内部振動機によるコンクリートの締固めは、コールドジョイントを防止するために、内部振動機の先端が、先に打ち込まれたコンクリート層へ入るようにほぼ鉛直に挿入した。
3. 初期養生期間におけるコンクリートの最低温度については、コンクリートのいずれの部分についても、2℃以下とならないようにした。
4. 片持ち形式のバルコニーにおいて、跳出し部を支持する構造体部分の強度が十分に発現した後に、跳出し部のコンクリートの打込みを行った。
5. 構造体強度補正値は、特記がなかったので、セメントの種類及びコンクリートの打込みから材齢28日までの期間の予想平均気温に応じて定めた。

No. 12 鉄骨工事に関する次の記述のうち、**最も不適当な**ものはどれか。

1. トルシア形高力ボルトの締付け後の目視検査において、共回りや軸回りの有無については、一次締め後に付したマークのずれにより判定した。
2. ベースプレートとアンカーボルトとの緊結を確実に行うため、ナットは二重とし、ナット上部にアンカーボルトのねじ山が3山以上出るようにした。
3. トルシア形高力ボルトの締付け作業において、締付け後のボルトの余長は、ナット面から突き出た長さが、ねじ山が1〜6山の範囲であることを確認した。
4. 高力ボルト摩擦接合部の摩擦面には、締付けに先立ち防錆塗装を行った。
5. 柱の溶接継手におけるエレクションピースに使用する仮ボルトは、高力ボルトを使用して全数締め付けた。

No. 13 鉄骨工事に関する次の記述のうち、**最も不適当な**ものはどれか。

1. スタッド溶接の溶接面に著しい錆が付着していたので、スタッド軸径の1.5倍の範囲の錆をグラインダーで除去し、溶接を行った。
2. スタッド溶接後の打撃曲げ試験において15度まで曲げたスタッドのうち、欠陥のないものについては、そのまま使用した。
3. 溶接部に割れがあったので、溶接金属を全長にわたって除去し、再溶接を行った。
4. 溶接部にブローホールがあったので、不良部分を除去した後、再溶接を行った。
5. 不合格溶接部の手溶接による補修作業は、径が4mmの溶接棒を用いて行った。

No. 14 補強コンクリートブロック造工事に関する次の記述のうち、**最も不適当な**ものはどれか。

1. 吸水率の高いブロックを使用するブロック積みに先立ち、モルタルと接するブロック面に適度な水湿しを行った。
2. ブロック積みは、水糸にならって隅角部より各段ごとに順次水平に施工した。
3. 目地モルタルの硬化に先立ち、目地掘りし、表面の清掃を行ったうえで、化粧目地仕上げは、目地モルタルの硬化後に行った。
4. 圧縮強さの区分がC（16）のブロック積みにおいて、目地幅が10mmの目地用モルタルの調合は、特記がなかったので、容積比でセメント1に対して砂2.5とした。
5. 耐力壁の縦筋は、ブロックの空洞内で重ね継手とした。

456

No. 15 木工事に関する次の記述のうち、**最も不適当な**ものはどれか。

1. 大壁造の面材耐力壁は、厚さ12mmの構造用合板を用い、N50の釘を150mm間隔で留め付けた。

2. 床板張りにおいて、本ざねじゃくりの縁甲板を根太に直接張り付けるに当たり、継手位置を受材心で乱とした。

3. 建入れ直し後の建方精度の誤差において、特記がなかったので、垂直、水平ともに$\dfrac{1}{1,000}$以下を許容した。

4. 外気に通じる小屋裏の外壁部分については、天井面に断熱材を施工したので、断熱構造としなかった。

5. 根太を用いない床組（梁等の間隔が910mm）であったので、床下地板として厚さ18mmの構造用合板を用いた。

No. 16 木工事に関する次の記述のうち、**最も不適当な**ものはどれか。

1. 木造2階建ての住宅の通し柱である隅柱に、断面寸法が135mm×135mmのヒノキの製材を用いた。

2. 管柱と胴差との仕口は、長ほぞ差し込み栓打ちとした。

3. 筋かいと間柱が取合う部分については、間柱を筋かいの厚さだけ欠き取り、釘打ちとした。

4. 土台に使用する木材については、継伸しの都合上、やむを得ず長さ600mmの短材を使用した。

5. 鴨居は、木表に溝を付けて使用した。

Ⅳ 建築施工

No. 17 防水工事に関する次の記述のうち、**最も不適当な**ものはどれか。

1. アスファルト防水工事の屋根保護防水断熱工法に用いる断熱材は、押出法ポリスチレンフォーム断熱材(スキン層付き)を使用した。
2. アスファルト防水工事において、平場の保護コンクリートに、周辺の立上り部の仕上り面から0.6m程度の位置と、中間部では縦横3.0m程度の間隔に伸縮調整目地を割り付けた。
3. 合成高分子系ルーフィングシート防水工事において、ALCパネル下地に機械的固定工法を適用した。
4. 塗膜防水工事において、下地が十分に乾燥した後、清掃を行い、プライマーを当日の施工範囲にむらなく塗布した。
5. シーリング工事において、バックアップ材にはシーリング材と接着しないものを使用した。

No. 18 左官工事、タイル工事及び石工事に関する次の記述のうち、**最も不適当な**ものはどれか。

1. 外壁モルタル塗り工事において、下塗りの塗付け後、14日以上放置してひび割れを十分に発生させてから、次の塗付けを行った。
2. 密着張りのタイル工事において、タイル張付け後、24時間以上経過したのち、張付けモルタルの硬化を見計らって、目地詰めを行った。
3. 有機質系接着剤による外装タイル張り工事において、下地が乾燥していたので、接着剤を塗布する前に水湿しを行った。
4. 石工事において、躯体コンクリートの水平打継ぎ部、異種下地の取合い部等には、1枚の石材がまたがらないように割り付けた。
5. 外壁湿式工法の石張り工事において、引金物用の穴を石材の上端の横目地合端の2箇所に、両端から100mm程度の位置に設けた。

No. 19 塗装工事に関する次の記述のうち、**最も不適当な**ものはどれか。

1. 屋外のセメントモルタル面の素地ごしらえにおいて、合成樹脂エマルションパテを使用した。
2. 屋内のセメントモルタル面のアクリル樹脂系非水分散形塗料塗りにおいて、下塗りには、シーラーではなく、上塗りと同一材料を使用した。
3. 屋外の鉄鋼面は、合成樹脂調合ペイント塗りとした。
4. 屋内の木部のクリヤラッカー塗りの中塗りには、サンジングシーラーを使用した。
5. 夏期におけるコンクリート面への塗装に当たり、コンクリート素地の材齢による乾燥期間の目安を3週間とした。

No. 20 建具工事、ガラス工事及び内装工事に関する次の記述のうち、**最も不適当な**ものはどれか。

1. アルミニウム製建具のコンクリート躯体への取付けにおいて、建具側のアンカーとあらかじめコンクリートに埋め込んだ溶接下地金物とを溶接により固定した。
2. 外部に面する網入り板ガラスの小口処理については、下辺小口及び縦小口下端から$\frac{1}{4}$の高さまで、防錆テープによる防錆処理を行った。
3. グリッパー工法によるカーペット敷きにおいて、上敷きの敷詰めは、隙間及び不陸をなくすように伸縮用工具で幅300mmにつき200N程度の張力をかけて伸張し、グリッパーに固定した。
4. 間仕切壁の特殊加工化粧合板の張付けについては、接着剤を併用した沈めねじ留めとし、ねじ穴は表面仕上げ材と同色のパテ詰めとした。
5. コンクリート下地にせっこうボードを直張りするに当たって、せっこう系直張り用接着材の間隔は、各ボードの周辺部で350mmとした。

IV
建築施工

No. 21 木造住宅における設備工事に関する次の記述のうち、**最も不適当なも**のはどれか。

1. 給水管と排水管とを平行に地中に埋設するに当たり、両配管の水平間隔を500mm以上とし、給水管が排水管の上方となるように埋設した。

2. 給水横走り管は、上向き給水管方式を採用したので、先下がりの均一な勾配で配管した。

3. 呼び径25mmの屋内給水管の防露・保温材には、特記がなかったので、厚さ20mmの保温筒を使用した。

4. ユニットバスの設置に当たって、下地枠の取付けに並行して、端末設備配管を行った。

5. LPガス（液化石油ガス）のガス漏れ警報設備の検知部は、ガス燃焼器から水平距離4m以内、かつ、その上端が床面から上方0.3m以内の位置となるように取り付けた。

No. 22 改修工事に関する次の記述のうち、**最も不適当な**ものはどれか。

1. 防水改修工事において、既存の伸縮目地部分に充填するシーリング材には、ポリウレタン系シーリング材を使用した。

2. コンクリート打放し仕上げの外壁改修工事において、0.5mmのひび割れは、特記がなかったので、自動式低圧エポキシ樹脂注入工法により改修した。

3. モルタル面の下地調整は、仕上塗材の下塗り材が合成樹脂エマルションシーラーと同様の目的で使用されるため、合成樹脂エマルションシーラーを省略して下塗り材を塗り付けた。

4. 建具改修工事のかぶせ工法において、既存枠が鋼製であったので、新規建具の建込み前に既存枠の錆を除去し、錆止め塗装を施した。

5. 内装改修工事において、軽量鉄骨天井下地の、野縁と野縁受けの留付けクリップのつめは、向きを同一方向に揃えて留め付けた。

No. 23 建築工事に用いられる器具・機械及び工法に関する次の記述のうち、**最も不適当な**ものはどれか。

1. 鉄骨工事において、建入れ直しにターンバックルを使用した。
2. 木工事において、木材の表面を平滑に仕上げるために、ルーターを使用した。
3. 内装工事において、高い天井の作業にローリングタワーを使用した。
4. 山留め工事において、切りばり支柱が不要な地盤アンカー工法を採用した。
5. 防水工事において、改質アスファルトシートの張付けにトーチ工法を採用した。

No. 24 建築積算に関する次の記述のうち、**最も不適当な**ものはどれか。

1. 直接工事費は、材料費、直接仮設費、労務費等のほかに専門工事業者の経費を含む費用とする。
2. 共通仮設費は、各工事種目に共通の仮設に要する費用とする。
3. 工事原価は、直接工事費と共通仮設費とを合わせたものである。
4. 一般管理費等は、工事施工に当たる受注者の継続運営に必要な費用であり、一般管理費と付加利益等からなる。
5. 消費税等相当額は、工事価格に消費税及び地方消費税相当分からなる税率を乗じて算定する。

IV 建築施工

No. 25 中央建設業審議会「民間建設工事標準請負契約約款（甲）」（令和4年9月改正）上、監理者が行う業務に関する次の記述のうち、**最も不適当な**ものはどれか。

1. 監理業務の担当者の氏名及び担当業務を受注者に通知する。
2. 設計内容を伝えるため受注者と打ち合わせ、適宜、工事を円滑に遂行するため、必要な時期に説明用図書を受注者に交付する。
3. 受注者が契約に定められた指示、検査、試験、立会い、確認、審査、承認、助言、協議等を求めたときは、速やかにこれに応じる。
4. 受注者の提出する出来高払又は完成払の請求書を技術的に審査する。
5. 設計図書等の内容を把握し、設計図書等に明らかな矛盾、誤謬、脱漏、不適切な納まり等を発見した場合は、受注者に通知する。

学科Ⅳ（建築施工）　解答番号

〔No. 1〕	2	〔No. 2〕	4	〔No. 3〕	3	〔No. 4〕	5	〔No. 5〕	1
〔No. 6〕	3	〔No. 7〕	5	〔No. 8〕	4	〔No. 9〕	2	〔No. 10〕	4
〔No. 11〕	4	〔No. 12〕	4	〔No. 13〕	1	〔No. 14〕	5	〔No. 15〕	5
〔No. 16〕	4	〔No. 17〕	3	〔No. 18〕	3	〔No. 19〕	1	〔No. 20〕	5
〔No. 21〕	2	〔No. 22〕	5	〔No. 23〕	2	〔No. 24〕	3	〔No. 25〕	1

〈参考〉過去の「学科の試験」の合格基準点等

● 令和6年

実受験者数	合格者数	合格率	基準点				
			学科Ⅰ	学科Ⅱ	学科Ⅲ	学科Ⅳ	総得点
17,602人	6,883人	39.1%	13点	13点	13点	13点	60点
＊各科目及び総得点の基準点全てに達している者を合格とする。							

● 令和5年

実受験者数	合格者数	合格率	基準点				
			学科Ⅰ	学科Ⅱ	学科Ⅲ	学科Ⅳ	総得点
17,805人	6,227人	35.0%	13点	13点	13点	13点	60点
＊各科目及び総得点の基準点全てに達している者を合格とする。							

● 令和4年

実受験者数	合格者数	合格率	基準点				
			学科Ⅰ	学科Ⅱ	学科Ⅲ	学科Ⅳ	総得点
18,893人	8,088人	42.8%	13点	14点	14点	13点	60点
＊各科目及び総得点の基準点全てに達している者を合格とする。							
＊なお、基準点については、各科目とも13点、総得点60点を原則とするが、本年については、学科Ⅱ及び学科Ⅲの平均点が例年に比べ著しく高く、そのことが試験問題の難易度の差に起因すると認められたため、学科Ⅱ及び学科Ⅲの基準点の補正を行っている。							

● 令和3年

実受験者数	合格者数	合格率	基準点				
			学科Ⅰ	学科Ⅱ	学科Ⅲ	学科Ⅳ	総得点
19,596人	8,219人	41.9%	14点	13点	13点	13点	60点
＊各科目及び総得点の基準点全てに達している者を合格とする。							

● 令和2年

実受験者数	合格者数	合格率	基準点				
			学科Ⅰ	学科Ⅱ	学科Ⅲ	学科Ⅳ	総得点
18,258人	7,565人	41.4%	13点	13点	13点	13点	60点
＊各科目及び総得点の基準点全てに達している者を合格とする。							

● 令和元年

実受験者数	合格者数	合格率	基準点				
			学科Ⅰ	学科Ⅱ	学科Ⅲ	学科Ⅳ	総得点
19,389人	8,143人	42.0%	13点	13点	13点	13点	60点
＊各科目及び総得点の基準点全てに達している者を合格とする。							

〈参考〉設計製図の試験の課題

年　度	ブロック	設計課題
令和6年度	全ブロック	観光客向けのゲストハウス（簡易宿所）（鉄筋コンクリート造）
令和5年度	全ブロック	専用住宅（木造）
令和4年度	全ブロック	保育所（木造）
令和3年度	全ブロック	歯科診療所併用住宅（鉄筋コンクリート造）
令和2年度	全ブロック	シェアハウスを併設した高齢者夫婦の住まい（木造2階建て）
令和元年度	全ブロック	夫婦で営む建築設計事務所を併設した住宅（木造2階建て）

「努力」を「カタチ」にする。それが日建学院です

1級建築士 学科関連コース

学科 スーパー本科コース （通学）＋（Web）

学科合格に拘った「プレミアム」講座

1級建築士学科関連コースの全コースをひとつに集結し、学科合格に拘った究極の「プレミアム」学科コース。基礎〜応用力の習得そして合格まで、あなたをサポートします。

開講日	2024 年 12 月中旬	学習期間	入学から
対象	初学者から経験者（受験資格のある方）		学科本試験日まで
受講料	790,000 円（税込 869,000 円）		

■入学手続き完了後、すぐに学習することができます。
■受講年度学科合格の際は、設計製図本科コースが **特典学費** となります。

学科理論 Webコース （Web）

インターネットで勉強したい方向け講座

通学が困難な方や、通学しないで学習を進めたい方へWebを利用して受講できるシステムです。Web講義なので、いつでもどこでも、また繰り返し受講する事が可能です。

開講日	2024 年 7 月下旬 ～ 学科本試験日	配信期間	約10ヵ月
対象	遠隔地で通学が難しい方など、初学者から経験者（受験資格のある方）		
受講料	300,000 円（税込 330,000 円）		

■オプション講義入学特典あり。

※上記の内容は、2024年11月現在の内容となります
受講期間および受講料は、変更になる場合があり
ますので、予めご了承下さい。

1級建築士 設計関連コース

設計製図 パーフェクト本科 （通学）

設計製図試験の本質から学ぶ試験対策講座

学科試験が免除され、設計製図試験のみを受験する方に、合格のための基礎〜応用力習得まで、本質から学ぶ長期計画型学習メソッド。合格に必要な事だけ全て養成します。

開講日	2025 年 3 月上旬（予定）	学習期間	約 7 ヵ月
対象	学科試験免除者		
受講料	650,000 円（税込 715,000 円）		

設計製図 本科コース （通学）

当年度課題に即した試験対策講座

当年度本試験の課題に即し、課題の読み取りから作図まで、限られた期間でも効率よく合格可能な答案図を試験時間内に完成させる能力を養います。

開講日	2025 年 8 月上旬（予定）	学習期間	約 2 ヵ月
対象	1級設計製図試験の受験資格のある方		
受講料	500,000 円（税込 550,000 円）		

設計製図 Webコース （Web）

インターネットで勉強したい方向け講座

設計製図課題の通信添削とWeb映像講義による自宅学習支援システムです。設計製図試験に求められる課題の読み取りや作図力を学習し、合格力を養成します。

配信日	2025 年 3 月上旬（予定）～製図本試験日	配信期間	約 7 ヵ月
対象	遠隔地で通学が難しい方、休日が不定期な方、家事・育児などと両立したい方		
受講料	130,000 円（税込 143,000 円）		

※上記の内容は、2024年11月現在の内容となりま
受講期間および受講料は、変更になる場合があり
ますので、予めご了承下さい。

資格取得は、夢を掴むためのスタートライン。日建学院では、一人ひとりの学習スタイルにあった様々なコースを提供しています。プロとしての第一歩を踏み出すために、自分にあった最適のコースがあります。他コース・詳細はホームページをご覧ください。

近年、難易度を増す建築士国家資格試験。最新の試験情報や、自分にあった効率の良い学習法の選択が試験の合否を左右します。日建学院の「建築士講座」は、幅広いコース設定で受験生一人ひとりを全力でサポート。私たちが「努力」を「カタチ」にするお手伝いをさせていただきます。

日建学院

2級建築士 学科関連コース

学科 スーパー本科コース 通学 + Web
学科合格に拘った「プレミアム」講座
2級建築士学科関連コースの全コースをひとつに集結し、学科合格に拘った究極の「プレミアム」学科コース。基礎～応用力の習得そして合格まで、あなたをサポートします。

開講日	**2024**年**12**月中旬
対象	初学者から経験者(受験資格のある方)
受講料	**620,000**円(税込**682,000**円)

■入学手続き完了後、すぐに学習することができます。
■オプション講義入学特典あり。

学習期間 入学から学科本試験日まで

学科 問題解説コース 通学
効率よく合格力を磨くアウトプット学習講座
4月からスタートし、問題を解きながら効率よく学ぶアウトプット学習。通学を基本に試験直前まで短期に合格に必要な事だけに絞ったプログラムで合格力を身につけます。

開講日	**2025**年**4**月上旬(予定)
対象	初学者から経験者(受験資格のある方)
受講料	**210,000**円(税込**231,000**円)

■オプション講義入学特典あり。

学習期間 約3ヵ月

※上記の内容は、2024年11月現在の内容となります。受講期間および受講料は、変更になる場合がありますので、予めご了承下さい。

2級建築士 設計関連コース

設計製図 パーフェクト本科 通学
設計製図試験の本質から学ぶ試験対策講座
学科試験が免除され、設計製図試験のみを受験する方に、合格のための基礎～応用力習得まで、本質から学ぶ長期計画型学習メソッド。合格に必要な事だけ全て養成します。

開講日	**2025**年**2**月中旬(予定)
対象	学科試験免除者
受講料	**520,000**円(税込**572,000**円)

■オプション講義入学特典あり。

学習期間 約7ヵ月

設計製図 本科コース 通学
当年度課題に即した試験対策講座
当年度本試験の課題に即し、課題の読み取りから作図まで、限られた期間でも効率よく合格可能な答案図を試験時間内に完成させる能力を養います。

開講日	**2025**年**7**月中旬(予定)
対象	2級設計製図試験の受験資格のある方
受講料	**420,000**円(税込**462,000**円)

学習期間 約2ヵ月

設計製図 Webコース Web
インターネットで勉強したい方向け講座
設計製図課題の通信添削とWeb映像講義による自宅学習支援システムです。設計製図試験に求められる課題の読み取りや作図力を学習し、合格力を養成します。

配信日	**2025**年**3**月上旬(予定)～製図本試験日
対象	遠隔地で通学が難しい方、休日が不定期な方、家事・育児などと両立したい方
受講料	**130,000**円(税込**143,000**円)

配信期間 約5ヵ月

※上記の内容は、2024年11月現在の内容となります。受講期間および受講料は、変更になる場合がありますので、予めご了承下さい。

https://www.ksknet.co.jp/nikken/

日建学院 検索

株式会社建築資料研究社 日建学院

【記載内容に関するお問合せについて】

　本書の記載内容について誤り等が疑われる箇所がございましたら、**郵送・FAX・メール等の文書**にて以下の連絡先までお問合せください。その際には、お問合せをされる方のお名前・連絡先等を必ず明記してください。

　また、お問合せの受付け後、回答をお送りするまでには時間を要しますので、あらかじめご了承いただきますようお願い申し上げます。

　なお、上記以外の**ご質問、受験指導および相談等は受け付けておりません。**そのようなお問合せにはご回答いたしかねますので、あらかじめご了承ください。

お電話によるお問合せは、受け付けておりません。

[郵送先]
〒171-0014　東京都豊島区池袋2-38-1　日建学院ビル　3F
建築資料研究社　出版部
「令和7年度版　2級建築士 要点整理と項目別ポイント問題」正誤問合せ係
[FAX]
03-3987-3256
[メールアドレス]
seigo@mx1.ksknet.co.jp

【法改正・正誤等の情報について】

　本書の発行後に発生しました法改正・正誤等の情報については、下記ホームページ内でご覧いただけます。

　なお、ホームページでの情報掲載期間は、対象試験の終了時または本書の次年度改訂版が発行されるまでとなりますので、あらかじめご了承ください。

https://www.kskpub.com ➡ 訂正・追録

令和7年度版　2級建築士 **要点整理と項目別ポイント問題**

2024年11月30日　初版発行

編　　著	日建学院教材研究会	
発 行 者	馬場 栄一	
発 行 所	**株式会社建築資料研究社**	
	〒171-0014　東京都豊島区池袋2-38-1	
	日建学院ビル 3F	
	TEL 03-3986-3239　FAX 03-3987-3256	
	https://www.kskpub.com	
表　　紙	齋藤 知恵子(sacco)	
印刷・製本	株式会社ワコー